Themen neu

Lehrwerk für Deutsch als Fremdsprache

Workbook 2

von
Hartmut Aufderstraße
Heiko Bock
Jutta Müller

bearbeitet von
Sonja Schanz
Wolfgang Winkler

Max Hueber Verlag

Verlagsredaktion: Heiko Bock und Werner Bönzli
Layout und Herstellung: Erwin Schmid
Zeichnungen Seite 122 und 183: Ruth Kreuzer, London
Alle anderen Illustrationen: Joachim Schuster, Baldham
Umschlagfoto: © Eric Bach/Superbild, München
Fotos: Seite 18: Michael Jackson: Süddeutscher Verlag, Bilderdienst, München © Ursula
Röhnert
Mick Jagger: dpa/Pressens Bild
Bud Spencer, Klaus Kinski: Kinoarchiv Engelmeier, Hamburg
Seite 54: Taurus Film, Unterföhring
Seite 82: Christian Regenfus, München

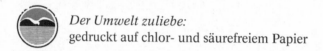

Der Umwelt zuliebe:
gedruckt auf chlor- und säurefreiem Papier

3. 2. 1.   │ Die letzten Ziffern bezeichnen
2000 99 98 97 96 │ Zahl und Jahr des Druckes.
Alle Drucke dieser Auflage können, da unverändert,
nebeneinander benutzt werden.
1. Auflage
© 1996 Max Hueber Verlag, D-85737 Ismaning
Gesamtherstellung: Ludwig Auer GmbH, Donauwörth
Printed in Germany
ISBN 3–19–291522–6

Inhalt

Vocabulary

verbs

ändern	to change, to alter	gehören zu	to belong to
ansehen	to look at	kritisieren	to criticise
anziehen	to put on (clothes)	kündigen	to give notice
ärgern	to annoy, to tease	lügen	to lie, to tell a lie
aussehen	to look	verlangen	to demand
finden	to find, to think about	sich vorstellen	to introduce oneself
gefallen	to please	zahlen	to pay

nouns

e / r Angestellte, -n (ein Angestellter)	salaried employee	s Kleid, -er	dress
		e Kleidung	clothes
r Anzug, ⸚e	(men's) suit	r Kollege, -n	(male) colleague
r Arbeitgeber, -	employer	e Krawatte, -n	tie
s Arbeitsamt	employment exchange, job centre	e Leistung, -en	performance
		e Liebe	love
s Auge, -n	eye	r Mann, ⸚er	man (male person)
s Badezimmer, -	bathroom	e Meinung, -en	opinion
r Bauch, ⸚e	stomach, here: belly	r Morgen	morning
e Bluse, -n	blouse	r Mund, ⸚er	mouth
e Brille, -n	glasses, spectacles	r Musiker, -	musician
r Bruder, ⸚	brother	r Prozeß, Pozesse	court case
e Chefin, -nen	(female) boss	r Punkt, -e	point (score)
r Ehemann, ⸚er	husband	r Rechtsanwalt, ⸚e	lawyer, attorney
s Ergebnis, -se	result	s Restaurant, -s	restaurant
e Farbe, -n	colour	r Rock, ⸚e	skirt
r Feind, -e	enemy	r Schuh, -e	shoe
s Gesicht, -er	face	e Stelle, -n	job
s Haar, -e	hair	e Strickjacke, -n	cardigan
r Hals, ⸚e	neck	r Strumpf, ⸚e	stocking
s Hemd, -en	shirt	r Test, -s	test
e Hochzeit, -en	wedding	e Tochter, ⸚	daughter
e Hose, -n	trousers, pants	s Vorurteil, -e	prejudice
e Jacke, -n	jacket, coat	r Wagen, -	car
r Job, -s	job		

adjectives

alt	old	blau	blue
angenehm	pleasant, agreeable	blond	blond
arm	poor	braun	brown
ähnlich	similar	dick	fat

Lektion 1

dumm	stupid	langweilig	boring
dunkel	dark	lustig	cheerful, merry
dünn	thin	nervös	nervous
ehrlich	honest	nett	nice
elegant	elegant	neu	new
freundlich	friendly	offen	here: open-minded
gefährlich	dangerous	pünktlich	punctual
gelb	yellow	rot	red
gemütlich	good-natured, relaxed	ruhig	calm, quiet
genau	here: carefully, meticulously	rund	round
		schlank	slim
grau	grey	schmal	narrow
grün	green	schön	beautiful
gut	good	schwarz	black
häßlich	ugly	selten	seldom, rare
hübsch	pretty, good-looking	sportlich	sporty, athletic
intelligent	intelligent	sympathisch	pleasant, likeable
interessant	interesting	traurig	sad
jung	young	treu	faithful
klug	clever, intelligent	verrückt	crazy
komisch	here: funny	voll	full
konservativ	conservative	weich	soft
kurz	short	weiß	white
lang	long	wunderbar	wonderful

adverbs

bestimmt	certainly, definitely	nie	never
etwa	about, approximately	nur	only
immer	always	oft	often
meinetwegen	here: as far as I'm concerned	sonst	otherwise
		weiter-	to continue (doing)
meistens	mostly, for the most part	wieder-	(to do) again
		ziemlich	rather, quite

function words

alle	all	un-	un- / in-
dies-	this	viel	much, a lot of
jed-	every	welch-?	which?
manche	many a	wie?	how?

expressions

das gefällt mir	I like that	einen Prozeß führen	to go to court, to take legal action
in jedem Mann steckt ein Kind	there's a child in every man		

Grammar

1. Adjectives (§ 5 p. 132)

1.1. When do they have an ending?

preverbal position	verb$_1$	subject	complement	qualifiers	complement	verb$_2$	
Peter	ist				nett.		ex. 14
Eva	sieht				nett	aus.	
Das Mädchen	wirkt				nett.		
	Finden	Sie	die Leute	nicht	nett?		

In these examples the adjectives are complements of the verb, i.e. the sentence would be incomplete without them. Here are some verbs that are frequently used with adjectives as a complement:

sein	= to be		finden	= to find
aussehen	= to look		schmecken	= to taste
wirken	= to appear			

In such cases the adjective has no ending. The same is true when an adjective is used as an adverb. As opposed to English there is no formal difference between adjective and adverb in German (quick-quickly, *schnell-schnell*).

preverbal position	verb$_1$	subject	complement	qualifiers	complement	verb$_2$
Ich	fahre			schnell	nach Hause.	
Sie	spricht			gut	Deutsch.	

When an adjective, however, is not a complement of a verb but stands directly in front of a noun, it must have an adjective ending.
Die sympathische Frau heißt Eva.
Sie trägt ein weißes Kleid.
In these cases article, adjective and noun form a group which agrees in gender, case and number.

1.1.1. Exercise: Has the adjective got an ending or not? Delete as appropriate.
a) Ich finde meinen Chef nett / netten.
b) Meine Freundin hat schön / schöne Beine.
c) Veras Frisur sieht sehr langweilig / langweilige aus.
d) Kaufst du dir die blau / blaue Hose?
e) Anne wirkt heute so nervös / nervöse. Was ist denn passiert?
f) Mit meinen unfreundlich / unfreundlichen Kollegen möchte ich nicht sprechen.
g) Ich finde deine neu / neue Freundin wirklich attraktiv / attraktive.
h) Kein schön / schöner Mann ist treu / treuer.

Lektion 1

Note the following examples:

1. Eva trägt ein weiß**es** Kleid.
2. Eva trägt das weiß**e** Kleid.

As you can see the adjectival endings in both sentences differ although gender, number and case are identical. The reason for this is that the adjective endings are determined by the type of article that precedes adjective and noun.

Adjective endings can be divided into three groups: after definite articles (see 1.2.), after indefinite articles (see 1.3.), without article (see 1.4.). Adjective endings after possessive articles fall into two of these groups.

An important "rule of thumb" about adjective endings is that you must be able to see gender, case and number either in the article or the adjective by means of an ending.

If the article contains that information then the adjective gets the ending -e or -en. (→ the definite article *der*, e.g., contains the information masculine, nominative, singular. Hence the adjective takes the ending -e: *der nett-e Mann.*)

If the article, however, does not give you that information, the adjective has to take on this role. (→ the indefinite article *ein* could be masculine, nominative, singular (e.g. *ein Mann*) or neuter, nominative, singular (e.g. *ein Kind),* or neuter, accusative, singular (e.g. *ein Kind*). If you have a masculine noun in the nominative singular with an adjective you must add the ending -er: *ein netter Mann.*) Can you detect the similarity between the article *der* and the ending -er? More such similarities will become evident as you look at the following paradigms.

1.2. Adjective endings after the definite article and the possessive article or *kein-* with nouns in the plural

	nominative	accusative	dative
masculine feminine neuter	der nette Mann die nette Frau das nette Kind	den netten Mann die nette Frau das nette Kind	dem netten Mann der netten Frau dem netten Kind
plural	die netten Freunde meine netten Freunde keine netten Freunde	die netten Freunde meine netten Freunde keine netten Freunde	den netten Freunden meinen netten Freunden keinen netten Freunden

ex.
5
7
9
17
18
19

Adjectives take the same endings after the following article words:

dies- = this; *jed-* = every, each; *alle* = all; *manch-* (sing.) = many a; *manch-* (plural) = some (not all); *welch-?* = which?

1.3. Adjective endings after the indefinite article and the possessive article with nouns in the singular

	nominative	accusative	dative
masculine	(k)ein / mein netter Mann (der)	(k)einen / meinen netten Mann (den)	(k)einem netten Mann
feminine	(k)eine / meine nette Frau (die)	(k)eine / meine nette Frau (die)	(k)einer netten Frau
neuter	(k)ein / mein nettes Kind (das)	(k)ein / mein nettes Kind (das)	(k)einem netten Kind

ex.
11
14
15
16
19

1.4. Adjective endings when no article precedes the adjective

	nominative	accusative	dative
masculine	deutscher Wein (der)	deutschen Wein (den)	deutschem Wein (dem)
feminine	heiße Suppe (die)	heiße Suppe (die)	heißer Suppe (der)
neuter	frisches Brot (das)	frisches Brot (das)	frischem Brot (dem)
plural	italienische Äpfel (die)	italienische Äpfel (die)	italienischen Äpfeln (den)

Adjectives take the same endings after the article words *viele* = many; *wenige* = a few; *einige* = some (a few) and all numbers in the plural.

1.5. Irregular adjective declensions (§ 6 p. 132)
A. Adjectives ending in -*el* and -*er* lose the *e* when an ending is added.

    dunkel → der dunkle Rock

    teuer   → der teure Rock

B. The following adjectives lose the final -*s:*

    links → der linke Arm

    rechts → der rechte Arm

C. Adjectives ending in -*a* never have an ending.

    rosa → der rosa Pullover

    lila → die lila Bluse

    prima → eine prima Idee

D. *hoch* changes to *hoh-:*

    hoch → das hohe Haus

1.6. Adjectival nouns (§ 3b p. 131)
Some adjectives are also used as nouns.

Der <u>kranke Mann</u> muß zum Arzt gehen.   Der <u>Kranke</u> muß zum Arzt gehen.

In this case they have a capital letter like all German nouns but are declined like adjectives.

Lektion 1

angestellt	→	der / die Angestellte	ein Angestellter, eine Angestellte
arbeitslos	→	der / die Arbeitslose	ein Arbeitsloser, eine Arbeitslose
deutsch	→	der / die Deutsche	ein Deutscher, eine Deutsche
krank	→	der / die Kranke	ein Kranker, eine Kranke

Adjectives change to neuter nouns after the words *viel, wenig, etwas, nichts.*

Ich habe <u>nichts Interessantes</u> im Radio gehört.   ... nothing interesting ...

Heute habe ich <u>etwas Komisches</u> gesehen.   ... something funny ...

Ich habe <u>viel Gutes</u> von ihm gehört.   ... a lot of good things ...

Ich habe <u>wenig Neues</u> gesehen.   ... not a lot of new things

1.7. Exercise: Fill in the adjective endings

a) Das ist ein schön_____ Pullover.

b) Sie trägt den neu_____ Pullover.

c) Das dezent_____ Make-up steht dir gut.

d) Dezent_____ Make-up steht dir gut.

e) Meine schwarz_____ Schuhe passen nicht zum Kleid.

f) Schwarz_____ Schuhe passen nicht zum Kleid.

g) Die Bluse paßt zum rot_____ Rock. (Remember: *zum* is derived from *zu dem*)

h) Die Bluse paßt zu meinem rot_____ Rock.

i) Frau Meier ist die nett_____ Frau mit der Brille.

j) Frau Meier ist eine nett_____ Frau.

k) Viele jung_____ Leute tragen oft Jeans.

l) Jung_____ Leute tragen oft Jeans.

m) Ich möchte das kurz_____ Kleid anziehen.

n) Ich möchte ein kurz_____ Kleid anziehen.

1.8. Exercise: Translate the following sentences into German. Use adjectival nouns when possible. Don't forget to spell the adjectival nouns with capital letters.

a) A journalist spoke to
   an unemployed punk. _____

b) A journalist spoke to
   an unemployed man. _____

c) I only drink
   German beer. _____

d) My husband is
   German. _____

e) The doctor visited the
   sick sisters. _____

f) The doctor visited _____
   the sick people. _____

g) The doctor visited _____
   sick people. _____

1.9. Exercise: Supply the adjectives with the correct ending. And once again, don't forget to spell adjectival nouns with capital letters.

a) Monika hat einen (neu) _____ Freund.

b) Er ist nicht (deutsch) _____ , sondern Amerikaner.

c) Christiane hat (schwarz) _____ Haare und (dunkel) _____ Augen.

d) Sein (schmal) _____ Gesicht sieht sehr (interessant) _____ aus.

e) Mit diesem (attraktiv) _____ Mann ist Monika sehr glücklich.

f) Ihr (nett) _____ Freund kocht auch gern für Monika und ihre (englisch) _____ Freunde.

g) Jetzt essen sie oft (amerikanisch) _____ Pfannkuchen.

h) Manchmal erzählt er etwas (interessant) _____ von seinem Land.

i) Der (sympathisch) _____ , intelligente Amerikaner hat nur einen (groß) _____ Fehler.

j) Er telefoniert jeden Tag mit seiner (alt) _____ Mutter.

2. Comparison (§ 8 p. 133)

Compare the two sentences:

Klaus ist <u>(genau) so groß wie</u> Peter.   Klaus is <u>as tall as</u> Peter.
Hans ist <u>größer als</u> Peter.   Hans is <u>taller than</u> Peter.

If the two elements to be compared are identical, <u>*(genau)so* + ADJECTIVE + *wie*</u> is used.
If the two elements to be compared are different, you must use the <u>COMPARATIVE + *als.*</u>

Remember: The comparative is **always** formed by adding *-er* to the adjective. Never use *mehr* + adjective as in English (see "Themen neu 1", chapter 9, 4).

The two elements to be compared are always in the same case, e.g.

Er besucht <u>mich</u> so oft wie <u>dich</u>.   He visits <u>me</u> as often as <u>you</u>.
<u>Er</u> besucht mich so oft wie <u>du</u>.   <u>He</u> visits me as often as <u>you</u> do.

2.1. Exercise: Fill in *als* or *wie*.

a) Kontaktlinsen trage ich lieber _____ die Brille.

b) Corinna ist etwa so schlank _____ ihre Mutter.

Lektion 1

c) Meine Freundin sieht so schön aus _____ ein Fotomodell.

d) Marianne ist viel intelligenter _____ ihr Vater.

e) Mit dem schwarzen Kleid wirkst du so elegant _____ mit dem roten.

f) Dein Gesicht ist viel runder _____ das Gesicht von deiner Mutter.

3. Dies-, manch-, jed-, alle

ex. 22 24 25

These words are declined like the definite article *der / die / das*.

masculine	nominative	der	dieser	mancher	jeder
	accusative	den	diesen	manchen	jeden
	dative	dem	diesem	manchem	jedem
	genitive	des	dieses	manches	jedes
feminine	nominative	die	diese	manche	jede
	accusative	die	diese	manche	jede
	dative	der	dieser	mancher	jeder
	genitive	der	dieser	mancher	jeder
neuter	nominative	das	dieses	manches	jedes
	accusative	das	dieses	manches	jedes
	dative	dem	diesem	manchem	jedem
	genitive	des	dieses	manches	jedes
plural	nominative	die	diese	manche	alle
	accusative	die	diese	manche	alle
	dative	den	diesen	manchen	allen
	genitive	der	dieser	mancher	aller

Compare the two sentences: Jeder Mensch braucht Liebe.
Alle Menschen brauchen Liebe.

Both sentences express the same idea. But *jed-* requires the verb in the singular whereas *alle* requires the verb in the plural.

3.1. Exercise: Translate the following words and complete the sentences.

a) (This hairstyle) _____ steht dir gut.

b) (Some, not all, colleagues) _____ haben meine langen Haare langweilig gefunden.

c) Ich habe (this skirt) _____ und (these shoes) _____ gekauft.

d) (Everybody) _____ hat meine Kleidung gefallen.

e) (Everybody) _____ war der Meinung: Jetzt sehe ich jünger aus.

f) (Every woman) _____ kann ihren Stil finden.

4. Was für ein-?, welch-?

ex.
19
20

☐ Was für eine Jacke möchtest du denn kaufen? ○ What kind of jacket ...
○ Eine warme (Jacke). (Eine Winterjacke.) ☐ A warm one. (A winter jacket.)

○ Welche Jacke ziehst du denn an? ○ Which jacket ...
☐ Die warme (Jacke). (Die Winterjacke.) ☐ The warm one. (The winter jacket.)
Meine warme (Jacke). (Meine Winterjacke.) My warm one. (My winter jacket.)

In the first sentence you ask for the kind of jacket, not a specific one. You therefore have the indefinite article in the answer. The noun may be omitted.

In the second sentence you ask for a specific jacket and therefore have the definite or the possessive article in the answer. The noun may be omitted again.

Was für ein-? is declined like the indefinite article *ein / eine / ein.* In the plural you use *was für* + noun, e.g. *Was für Schuhe ziehst du heute abend an?*

Welch-? is declined like the definite article *der / die / das* (see "Themen neu 1", chapter 10, 5).

4.1. Exercise: Fill in the interrogatives or the answers.
a) ○ _____ Frisur hat er denn? ☐ Eine Irokesenfrisur.
b) ○ Mit _____ Kollegen
arbeitest du nicht gern zusammen? ☐ Mit Paul Henning und Ute Peters.
c) ○ _____ Augen hat denn
dein Sohn? ☐ Blaue.
d) ○ Welche Schuhe ziehst du zu dem Kleid an? ☐ _____ (blau)
e) ○ Was für einen Anzug trägst du zur Hochzeit? ☐ _____ (schwarz)
f) ○ Zu welchem Arzt gehst du? ☐ _____ (Dr. Berg)
g) ○ Zu _____ Arzt gehst du? ☐ Zu einem Frauenarzt.

4.2. Exercise: Match the questions and answers.

Eine hübsche.	Die rothaarige.
Friederike Meier.	Meine Sekretärin.
Eine freundliche und ruhige.	Eine intelligente Frau.
Eine mit Charakter.	Die dicke dort.

a) ○ Welche Frau gefällt dir?

  ☐ _____ ☐ _____

  ☐ _____ ☐ _____

b) ○ Was für eine Sekretärin möchtest du?

  ☐ _____ ☐ _____

  ☐ _____ ☐ _____

Lektion 1

5. The preposition *durch*.

In "Themen neu 1", Chapter 10, 4. you came across this preposition in the sentence:
Der Rhein fließt durch die Bundesrepublik. ... "through" ...

It can also express the means by which something is achieved and always takes the accusative.

Durch die kurze Frisur wirkt Anke jünger.	The short hair makes Anke look younger. (With the short hair ....)
Durch das Arbeitsamt findet Heinz eine neue Stelle.	With the help of the job centre Heinz finds a new job. (Through ...)

6. *Etwa / ungefähr, fast, (genau)so, über* (§ 8 p. 133)

In the expression *so ... wie* in a comparison these adverbs can be used to qualify the comparison.

Klaus ist <u>etwa so groß wie</u> Peter.	Klaus is <u>about as tall as</u> Peter.
Klaus ist <u>ungefähr so groß wie</u> Peter.	Klaus is <u>about as tall as</u> Peter.
Klaus ist <u>fast so groß wie</u> Peter.	Klaus is <u>almost as tall as</u> Peter.
Hans ist <u>genauso groß wie</u> Peter.	Klaus is <u>just as tall as</u> Peter.

They are also used with expressions of measurement and quantity. Here *über* can also be used.

Klaus ist <u>etwa</u> 50 Jahre alt.	Klaus is <u>about</u> 50 years old.
Klaus ist <u>ungefähr</u> 50 Jahre alt.	Klaus is <u>about</u> 50 years old
Klaus ist <u>fast</u> 88 kg schwer.	Klaus weighs <u>almost</u> 88 kg.
Klaus ist <u>genau</u> 1,76 m groß.	Klaus is <u>exactly</u> 1.76 m tall.
Klaus ist <u>über</u> 1,70 m groß.	Klaus is <u>over</u> 1.70 m tall.

7. Particle: *ja*

1. *ja* – used in statements to express that both speaker and listener know something is correct or obvious.

   Heinz will <u>ja</u> wieder arbeiten. – Heinz wants to go back to work (you know).

2. *ja* – used in exclamations to express surprise at something the speaker has just noticed and which is in some way unexpected.

   Heinz hat sich <u>ja</u> eine normale Frisur gemacht! – Did you notice, Heinz has got a normal haircut.

3. *ja ... aber* – used in a concessive sense it can have the force of English (al)though.

   Heinz sieht <u>ja</u> verrückt aus, <u>aber</u> das Arbeitsamt darf sein Aussehen nicht kritisieren. – Although Heinz looks crazy the job centre must not criticise his looks.

7.1. Exercise: Which of the above meanings do the following sentences have (1, 2, or 3)?

a) Der Arzt hat ja recht, aber ich kann ohne Zigaretten nicht leben. ☐
b) Ist das dein neuer Chef? Der ist ja attraktiv! ☐
c) Ich schenke Bettina eine Bluse, sie hat ja morgen Geburtstag. ☐
d) Maria hat gekündigt. Sie war ja nicht zufrieden mit der Arbeit. ☐
e) Mein Gott, das Baby hat ja die häßliche Nase von seinem Vater! ☐

8. Writing: The personal letter

Letters to friends and relatives always have a personal touch. There are, however, some formal details that should be observed:

– never write your address on the letter unless it has changed

– write place and date in the top right hand corner, e.g. Manchester, 22.10.96
  Remember: The order of the numbers is day, month, year. Full stops separate the numbers, rather than strokes or hyphens.

– start the letter with *Liebe* (female name), *Lieber* (male name);
  if writing to more than one person, every one is mentioned separately: *Liebe Maria, lieber Peter,*
  as in English put a comma after the name but as opposed to English start the new line with a small letter

– personal pronouns and possessive articles referring to the addressee(s) are always spelled with a capital letter: *Du, Dir, Dich, Dein* (singular), *Ihr, Euch, Euer* (plural)

– end the letter with a greeting, e.g.

Viele Grüße	*Herzliche Grüße*	*Viele liebe Grüße*	*Viele Grüße*
(Dein) Markus	*(Deine) Angelika*	*(Euer) Markus*	*(Ihre) Angelika*

  Remember: There is no comma after the greeting.

– And one final detail: The whole letter is left-hand justified. Do not indent at the beginning of a new paragraph.

Manchester, 22.10.96

Liebe Maria,
wie geht es Dir? _____
_____
_____

Viele Grüße
Dein Steve

Lektion 1

8.1. Exercise: Write a personal letter, cover all the points below.

On holiday you met a wonderful man / woman. Write a letter to a friend and tell him or her:
- where you met the wonderful man / woman
- what he / she looks like
- details about his / her personality
- what you did together.

1. Was findet man bei einem Menschen normalerweise positiv, was negativ?

Nach Übung

2

im Kursbuch

nett lustig sympathisch dumm intelligent freundlich langweilig unsympathisch häßlich attraktiv ruhig hübsch schön schlank dick komisch nervös gemütlich unfreundlich	positiv	negativ

2. Was paßt nicht?

Nach Übung

2

im Kursbuch

a) nett – freundlich – sympathisch – hübsch
b) schlank – intelligent – groß – blond
c) alt – dick – dünn – schlank
d) blond – langhaarig – attraktiv – schwarzhaarig
e) häßlich – hübsch – schön – attraktiv
f) nervös – ruhig – gemütlich – jung
g) nett – komisch – unsympathisch – unfreundlich

3. „Finden", „aussehen", „sein"? Was paßt?

Nach Übung

2

im Kursbuch

a) Jens _____ ich langweilig _____.
b) Vera _____ sympathisch _____.
c) Anna _____ blond _____.
d) Gerd _____ ich attraktiv _____.
e) Ute _____ intelligent _____.

f) Paul _____ 30 Jahre alt _____.
g) Vera _____ 1 Meter 64 groß _____.
h) Gerd _____ traurig _____.
i) Paul _____ ich häßlich _____.

4. Was paßt? Ergänzen Sie.

Nach Übung

3

im Kursbuch

Renate 157   Karin 159   Nadine 170   Sonja 172   Christa 186

ein bißchen/etwas
nur/bloß   über
fast
mehr
viel   genau
etwa/ungefähr

a) Karin ist _____ größer als Renate.
b) Karin ist _____ 10 Zentimeter kleiner als Nadine.
c) Sonja ist _____ 2 Zentimeter größer als Nadine.
d) Christa ist _____ größer als Nadine.
e) Nadine ist _____ als 10 Zentimeter größer als Karin.
f) Nadine ist _____ 10 Zentimeter größer als Karin.
g) Christa ist _____ 30 Zentimeter größer als Renate.
h) Christa ist _____ 14 Zentimeter größer als Sonja.

Lektion 1

Nach Übung

6

im Kursbuch

5. Was ist typisch für...?

a)

Michael
Jackson

Nase: klein *Die kleine Nase* .
Haare: schwarz *Die* .
Gesicht: hübsch _____ .
Haut: braun _____ .

b)

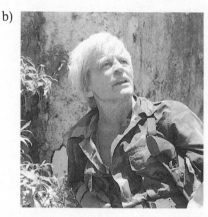

Klaus
Kinski

Augen: gefährlich _____ .
Gesicht: schmal _____ .
Haare: dünn _____ .
Haut: hell _____ .

c)

Bud
Spencer

Gesicht: lustig _____ .
Arme: stark _____ .
Bauch: dick _____ .
Appetit: groß _____ .

d)

Mick
Jagger

Beine: lang _____ .
Lippen: dick _____ .
Bauch: dünn _____ .
Nase: groß _____ .

Nach Übung

6

im Kursbuch

6. Was paßt nicht?

a) Gesicht: schmal – rund – stark – breit
b) Augen: groß – klein – schmal – schlank
c) Nase: rund – lang – breit – kurz – dick – klein
d) Beine: lang – dünn – schlank – groß – dick – kurz
e) Mensch: groß – kurz – klein – schlank – dünn – dick

7. Hartmut hatte Geburtstag. Wer hat ihm die Sachen geschenkt? Schreiben Sie.

Nach Übung

7

im Kursbuch

a) Fotoapparat: billig/Bernd
   Den billigen Fotoapparat hat
   Bernd ihm geschenkt.
b) Uhr: komisch/Petra
c) Buch: langweilig/Udo
d) Pullover: häßlich/Inge
e) Kuchen: alt/Carla
f) Wein: sauer/Dagmar
g) Jacke: unmodern/Horst
h) Kugelschreiber: kaputt/Holger
i) Radio: billig/Rolf

8. Mit welcher Farbe malt man diese Dinge?

Nach Übung

7

im Kursbuch

braun	rot	gelb	schwarz	grün	weiß	blau

a) Sonne: _____
b) Feuer: _____
c) Schnee: _____
d) Wasser: _____

e) Nacht: _____
f) Wiese: _____
g) Erde: _____

9. „Welches findest du besser?" Schreiben Sie.

Nach Übung

7

im Kursbuch

a) Kleid (lang/kurz)
   Welches Kleid findest du besser,
   das lange oder das kurze ?
b) Mantel (gelb/braun)
c) Jacke (grün/weiß)
d) Pullover (dick/dünn)
e) Mütze (klein/groß)
f) Hose (blau/rot)
g) Handschuhe (weiß/schwarz)

10. Ordnen Sie.

Nach Übung

10

im Kursbuch

manchmal	nie	meistens/fast immer		fast nie/sehr selten	immer	oft
	sehr oft		selten			

nie _____ → _____ → _____ → _____ → _____ →
_____ → _____ → _____ → _____

Lektion 1

11. Kennen Sie das Märchen von König Drosselbart? Die schöne Königstochter soll heiraten, aber kein Mann gefällt ihr.

Was sagt sie über die anderen Männer? Schreiben Sie.

b) *Wie häßlich! So ein* _____

...

Brust	Mund	Arme	Beine	Bauch	Nase	Gesicht
lang	dick	kurz	traurig	dünn	groß	schmal

12. Bildlexikon. Wie heißen die Kleidungsstücke? Schreiben Sie auch die Artikel.

a) *die*   *Jacke*
b) *das*   *Kleid*
c) _____ _____
d) _____ _____
e) _____ _____
f) _____ _____
g) _____ _____
h) _____ _____
i) _____ _____
j) _____ _____
k) _____ _____

13. Was paßt?

Nach Übung

11

im Kursbuch

Aussehen	Mensch/Charakter	Haare	Kleidung

a) _____ : dünn – lang – blond – dunkel – kurz – hell – rot – braun

b) _____ : sportlich – elegant – konservativ – teuer – neu – attraktiv – schön – modern

c) _____ : intelligent – dumm – klug – langweilig – gefährlich – ehrlich – konservativ – komisch – nett – alt – lustig – nervös – ruhig – jung

d) _____ : schön – hübsch – interessant – häßlich – attraktiv – schlank – groß – dick – klein

14. Beschreiben Sie die Personen.

Nach Übung

11

im Kursbuch

a) Er hat *einen dicken* _____ Bauch.
_____ Beine.
_____ Füße.
_____ Haare.
_____ Brille.
_____ Gesicht.
_____ Nase.
_____ Mund.

b) Sein Bauch ist *dick.* _____
Seine Beine sind _____
Seine Füße sind _____
Seine Haare sind _____
Seine Brille ist _____
Sein Gesicht ist _____
Seine Nase ist _____
Sein Mund ist _____

c) Sie hat _____ Ohren.
_____ Haare.
_____ Nase.
_____ Mund.
_____ Beine.
_____ Gesicht.
_____ Füße.
_____ Hals.

d) Ihre Ohren sind _____
Ihre Haare sind _____
Ihre Nase ist _____
Ihr Mund ist _____
Ihre Beine sind _____
Ihr Gesicht ist _____
Ihre Füße sind _____
Ihr Hals ist _____

Lektion 1

Nach Übung

17

im Kursbuch

15. Ergänzen Sie.

a) Er trägt einen schwarz*en*_____ Pullover mit einem weiß_____ Hemd.
b) Sie trägt einen blau_____ Rock mit einer gelb_____ Bluse.
c) Er trägt schwer_____ Schuhe mit dick_____ Strümpfen.
d) Sie trägt einen dunkl_____ Rock mit einem rot_____ Pullover.
e) Sie trägt ein weiß_____ Kleid mit einer blau_____ Jacke.
f) Sie trägt eine braun_____ Hose mit braun_____ Schuhen.

Nach Übung

17

im Kursbuch

16. Ihre Grammatik. Ergänzen Sie.

	Nominativ	Akkusativ	Dativ
Mantel: rot	*ein roter Mantel*	*einen*	
Hose: braun			
Kleid: blau			
Schuhe: neu			

Nach Übung

17

im Kursbuch

17. Ergänzen Sie.

○ Sag mal, was soll ich anziehen?

a) □ Den schwarz*en*_____ Mantel
mit der weiß*en*_____ Mütze.
b) □ Das blau_____ Kleid
mit der rot_____ Jacke.
c) □ Die braun_____ Schuhe
mit den grün_____ Strümpfen
d) □ Die hell_____ Bluse
mit dem gelb_____ Rock.
e) □ Die rot_____ Jacke
mit dem schwarz_____ Kleid.

Nach Übung

17

im Kursbuch

18. Ihre Grammatik. Ergänzen Sie.

	Nominativ	Akkusativ	Dativ
Mantel: rot	*der rote Mantel*	*den*	
Hose: braun			
Kleid: blau			
Schuhe: neu			

19. Schreiben Sie Dialoge.

Nach Übung

17

im Kursbuch

a) Bluse: weiß, blau

○ *Du suchst doch eine Bluse.*
  Wie findest du die hier?
□ *Welche meinst du?*
○ *Die weiße.*
□ *Die gefällt mir nicht.*
○ *Was für eine möchtest du denn?*
□ *Eine blaue.*

b) Hose: braun, schwarz
c) Kleid: kurz, lang
d) Rock: rot, gelb
e) Schuhe: blau, weiß

20. Ihre Grammatik. Ergänzen Sie.

Nach Übung

17

im Kursbuch

	Nominativ	Akkusativ	Dativ
Mantel	*Was für ein Mantel?* *Welcher Mantel?*	*Was für ei* *Welch*	*Mit was für* *Mit*
Hose			
Kleid			
Schuhe			

21. Was paßt?

Nach Übung

17

im Kursbuch

a) schreiben : Schriftsteller / Musik machen : _____
b) Mutter : Vater / Tante : _____
c) Bruder : Schwester / Sohn : _____
d) Gramm (g) : Kilo (kg) / Zentimeter (cm) : _____
e) Chefin : Chef / Ehefrau : _____
f) wohnen : Nachbar / arbeiten : _____
g) Frau : Bluse / Mann : _____
h) Geburtstag haben : Geburtstagsfeier / heiraten : _____
i) schlecht hören : Hörgerät / schlecht sehen : _____
j) nichts : alles / leer : _____
k) Sorgen : viele Probleme / Glück : _____

Lektion 1

22. Ergänzen Sie „welch-?" und „dies-".

a) ○ _Welcher_ Rock ist teurer?　　□ _Dieser_ rote hier.
　 ○ _____ Hose ist teurer?　　　□ _____ braune hier.
　 ○ _____ Kleid ist teurer?　　　□ _____ gelbe hier.
　 ○ _____ Strümpfe sind teurer?　□ _____ blauen hier.

b) ○ _____ Anzug nimmst du?　　□ _____ schwarzen hier.
　 ○ _____ Bluse nimmst du?　　　□ _____ weiße hier.
　 ○ _____ Hemd nimmst du?　　　□ _____ blaue hier.
　 ○ _____ Schuhe nimmst du?　　□ _____ braunen hier.

c) ○ Zu _____ Rock paßt die Bluse?　□ Zu _____ roten hier.
　 ○ Zu _____ Hose paßt das Hemd?　□ Zu _____ weißen hier.
　 ○ Zu _____ Kleid paßt der Mantel?　□ Zu _____ braunen hier.
　 ○ Zu _____ Schuhen paßt die Hose?　□ Zu _____ schwarzen hier.

23. Ergänzen Sie.

kritisieren　　　Test　　　　Arbeitsamt　　　Prozeß　　　Angestellte

　Ergebnis　　　　angenehm　　　verrückt　　　Arbeitgeberin

Typ　　　Stelle　　　　pünktlich　　　　Wagen

a) Frau Brandes hat die Firma gekauft. Sie ist jetzt _____ und hat
　 120 _____.
b) Hans ist arbeitslos. Er bekommt Geld vom _____.
c) Hans kommt nie zu spät. Er ist immer _____.
d) Eine Irokesenfrisur, das ist doch nicht normal, das ist _____.
e) Frau Peters ist ruhig, nett und freundlich. Sie ist wirklich eine _____
　 Kollegin.
f) Karin hat ihren _____ gewonnen. Das Gericht hat ihr recht
　 gegeben.
g) Lutz ist glücklich. Er war drei Monate arbeitslos, aber jetzt hat er eine neue
　 _____ gefunden.
h) Franz war gestern beim Arzt und hat einen Bluttest gemacht. Das
　 _____ bekommt er nächste Woche.
i) Heinz hat seine Arbeit immer gut gemacht. Sein Chef mußte ihn nie
　 _____.
j) Heinz sieht komisch aus, aber er ist ein sehr netter _____.
k) Morgen geht Sonja zu Fuß zur Arbeit. Ihr _____ ist kaputt.
l) Der _____ war positiv: Die Qualität des Produkts ist sehr gut.

24. „Jeder", „alle" oder „manche"? Ergänzen Sie.

Nach Übung

18

im Kursbuch

a) ○ Wie finden Sie die Entscheidung des Arbeitsamtes? □ Richtig! _____
   Punks sind doch gleich! Die wollen doch nicht arbeiten. Das weiß man doch.
   ○ Aber _____ suchen doch Arbeit! Heinz Kuhlmann zum Beispiel.
   □ Das glaube ich nicht.

b) ○ Finden Sie _____ Punk unsympathisch?
   □ Nein. Es gibt auch nette Punks. Nur _____ mag ich nicht.

c) ○ Hat das Arbeitsamt recht?   □ Nein, das Arbeitsamt muß _____ Personen
   die gleiche Chance geben, auch _____ arbeitslosen Punk.

d) ○ Gefallen Ihnen Punks?   □ Ich finde sie eigentlich ganz lustig, aber nicht
   _____ sind gleich. Viele tragen interessante Kleidung, nur
   _____ finde ich häßlich.

25. Ihre Grammatik. Ergänzen Sie.

Nach Übung

18

im Kursbuch

	Singular						Plural		
Nominativ	der	*jeder*	die	*jede*	das	*jedes*	die	*alle*	*manche*
Akkusativ	den		die		das				
Dativ	dem		der		dem				

26. Ordnen Sie.

Nach Übung

21

im Kursbuch

Du hast recht.   Ich bin anderer Meinung.   Das finde ich nicht.   Das stimmt. Das ist richtig.   Das ist falsch.   Das ist auch meine Meinung. Das finde ich auch.   Das ist Unsinn.   So ein Quatsch!   Ich glaube das auch. Einverstanden!   Das ist wahr.   Das stimmt nicht.   Das ist nicht wahr.

pro (+)   contra (−)

27. Welche Verben passen am besten?

Nach Übung

21

im Kursbuch

kündigen
kritisieren
verlangen
zahlen
tragen lügen

a) falsch, nicht wahr, nicht ehrlich: _____
b) unbedingt wollen, nicht bitten: _____
c) Geld, Rechnung, kaufen: _____
d) Kleidung, Schuhe, Schmuck: _____
e) schlecht finden, sagen warum: _____
f) nicht mehr arbeiten wollen, unzufrieden, neuer Job: _____

Lektion 2

Vocabulary

verbs

anbieten	to offer	lösen	to solve
anfangen	to start (doing something)	schaffen	to make it
		sollen	to be told to
aufhören	to stop (doing something)	stimmen	to be correct
		suchen	to think about, to consider
aussuchen	to choose, to pick		
beginnen	to begin	verdienen	here: to earn
bestimmen	to determine	versprechen	to promise
sich bewerben	to apply (for a job)	vorbereiten	to prepare
dauern	to take, to last	werden	to be, to become (occupation)
kämpfen	to fight		
kennen	to know (of)	zuhören	to listen
kennenlernen	to meet, to get to know		

nouns

e Antwort, -en	answer, reply	r Import, -e	import
e Anzeige, -n	advertisement	s Inland	this country, home
r Arzt, ̈e	(medical) doctor	e Kantine, -n	canteen
e Aufgabe, -n	task, responsibility	r Kindergarten, ̈	kindergarten
e Ausbildung	(vocational) training	e Klasse, -n	class, grade
r Beruf, -e	occupation, trade	e Lehre, -n	apprenticeship
r Betrieb, -e	business, factory, place of work	r Maurer, -	bricklayer
		r Monat, -e	month
e Bewerbung, -en	application (for a job)	e Möglichkeit, -en	here: option
r Bundeskanzler, -	like: prime minister	r Nachteil, -e	disadvantage
s Datum, Daten	date	e Nummer, -n	number
s Diplom, -e	type of university degree	r Politiker, -	politician
		r Polizist, -en	policeman
s Examen, -	final exams at university	s Problem, -e	problem
		e Prüfung, -en	exam
r Export, -e	export	e Religion	here: religious instruction
e Fahrt, -en	journey		
e Firma, Firmen	company, firm	e Schauspielerin, -nen	actress
s Gehalt, ̈er	salary		
r Grund, ̈e	reason	e Schreibmaschine, -n	typewriter
e Grundschule, -n	primary, elementary school		
		e Schule, -n	school
s Gymnasium, Gymnasien	grammar school	r Schüler, -	pupil, student
		e Sekretärin, -nen	female secretary
e Hauptsache, -n	main thing, main point	s Semester, -	semester
		e Sicherheit	here: security

e Sprache, -n	language	r Vertrag, ⸚e	here: contract
r Student, -en	university student	r Vorteil, -e	advantage
s Studium, Studien	(university) studies	e Wirtschaft	here: economics
r Termin, -e	here: business appointment	r Zahnarzt, ⸚e	male dentist
		e Zahnärztin, -nen	female dentist
r Text, -e	text	s Zeugnis, -se	(school) report
e Universität, -en	university	e Zukunft	future
e Verkäuferin, -nen	female shop assistant		

adjectives

anstrengend	strenuous	schlimm	here: bad (subjective)
arbeitslos	unemployed	schmutzig	dirty
ausgezeichnet	excellent	schwer	heavy, difficult
bekannt	well known	selbständig	here: independent
dringend	urgent	sicher	here: secure
leicht	here: easy	toll	great, fantastic
sauber	clean	wichtig	important
schlecht	bad		

adverbs

hiermit	hereby, herewith
mindestens	at least
praktisch	practically, virtually

function words

dann	then	trotzdem	even so
denn	here: emphasis in question	von ... bis ...	from ... until ...
		wann?	when?
deshalb	therefore, that's why	warum?	why?
mehrere	several	weil	because
obwohl	although	wenn	here: if
seit	since, for (with time)		

expressions

im Augenblick	at the moment
mit einem Wort	in a word
Sehr geehrte Damen und Herren,	Dear Madam, Dear Sir, (in business letters)
von je 100 Personen	out of every 100 people

Lektion 2

Grammar

1. Modal verbs

1.1. Simple past tense of modal verbs (§ 19a p. 138)

ex.
2
3
6

The simple past tense of modal verbs is formed by adding *-te* to the present tense stem. An Umlaut is omitted. This then becomes the simple past tense stem.

INFINITIVE	PRESENT TENSE STEM	SIMPLE PAST TENSE STEM
können	*könn-*	*konnte-*

	wollen	sollen	können	dürfen	müssen	endings
ich	wollte	sollte	konnte	durfte	mußte	
du	wolltest	solltest	konntest	durftest	mußtest	-st
er / sie / es	wollte	sollte	konnte	durfte	mußte	
wir	wollten	sollten	konnten	durften	mußten	-n
ihr	wolltet	solltet	konntet	durftet	mußtet	-t
sie / Sie	wollten	sollten	konnten	durften	mußten	-n

As you can see from the table above, the first and third person singular have no endings.

As with *haben* and *sein* the modal verbs are used in the simple past tense when talking about events in the past even if the other verbs in the sentence are in the perfect tense.

Ich <u>habe</u> Medizin <u>studiert</u>. Dann <u>habe</u> ich drei Jahre lang in einem Krankenhaus <u>gearbeitet</u>. Aber eigentlich <u>wollte</u> ich Schauspielerin werden.

1.2. *Sollte*

Sollen in the simple past tense implies that the request, advice or wish of a third person has been ignored.

Paula <u>sollte</u> Zahnärztin werden.   Paula was supposed to become a dentist.
(Her parents wanted her to become a dentist.)

1.3. Rhetorical questions using *sollen*

Sollen is used to express frustration and anger at the inability to find a solution to a problem. It can be emphasised by the particles *denn* or *denn sonst*.

Ich finde keine Arbeit.   I can't find any work.
Was <u>soll</u> ich <u>denn</u> machen?   What can I do? (What am I supposed to do?)

Ich studiere nur, weil ich keine Arbeit   I only go to university because I couldn't find work.
finden konnte. Was <u>sollte</u> ich <u>denn</u>   What else was I supposed to do?
<u>sonst</u> machen?

1.4. Exercise: Complete the sentences with the appropriate modal verb in the simple past tense.

a) Eigentlich _____ Anna Medizin studieren, aber sie hatte keine Lust.

b) Markus _____ nicht Dolmetscher werden, weil er nicht drei Sprachen spricht.

c) Martha war krank. Deshalb _____ sie drei Monate im Krankenhaus bleiben. Sie _____ nicht aufstehen.

d) Mein Vater war Taxifahrer und hatte ein Taxi. So bin ich auch Taxifahrer geworden. Was _____ ich denn sonst machen?

e) Heiko _____ seinen Beruf nicht selbst bestimmen, weil seine Eltern das nicht _____ .

2. Main and subordinate clauses (§ 22–24 p. 141)

2.1. The structure of the subordinate clause (§ 22)

All subordinate clauses in German are introduced by a subordinating conjunction like *weil, obwohl, wenn,* etc. Furthermore their word order differs from that of a main clause as illustrated by the following table.

ex.
1
7
8
9

	conj.	prev. pos.	verb$_1$	subj.	comp.	qual.	complement	verb$_2$	(verb$_1$) in sub
main main		Hans Er	möchte kann			dann	Dolmetscher alle Sprachen	werden. verstehen.	
main sub	weil	Hans	möchte	er		dann	Dolmetscher alle Sprachen	werden, verstehen	kann.

Remember: In the subordinate clause preverbal position and position verb$_1$ remain empty. The subject takes the subject position, i.e. directly after the conjunction. **Verb$_1$ goes right to the end of the subordinate clause.**

2.2. The positioning of the subordinate clause (§ 23 p. 141)

The subordinate clause can come before or after the main clause, e.g. *Wenn Hans viele Sprachen lernt, kann er Dolmetscher werden.* Or: *Hans kann Dolmetscher werden, wenn er viele Sprachen lernt.* The two clauses are always separated by a comma. If the subordinate clause comes first it takes the preverbal position of the main clause. Consequently the main clause starts with the verb, the subject takes the subject position after the verb.

preverbal position	verb$_1$	subject	complement	qualifiers	complement	verb$_2$
Wenn H. ... lernt,	kann	er			Dolmetscher	werden.

Lektion 2

3. The linking of clauses (§ 27 p. 143, § 28 p. 144)

ex.
7
12
13
14
15

Conjunctions are words that link two clauses both from the point of view of content and grammar. Conjunctions in German have the additional benefit of providing a signal indicating what type of clause will follow. Look carefully at the following examples, the conjunctions they contain and the effect these have on the position of verb$_1$.

	conj.	prev. pos.	verb$_1$	subj.	comp.	qual.	complement	verb$_2$	(verb$_1$) in sub
main		Hans	möchte				Dolmetscher	werden,	
main	denn	er	kann			dann	alle Sprachen	verstehen.	
main		Hans	möchte				Dolmetscher	werden,	
main		deshalb	hat	er			Englisch	gelernt.	
		er	hat			deshalb	Englisch	gelernt.	
main		Hans	möchte				Dolmetscher	werden,	
sub	weil			er		dann	alle Sprachen	verstehen	kann.

As you can see there are three types of conjunctions and three types of word orders, two of which you are already familiar with (see "Themen neu 1", chapter 9, 8.).

A. **Coordinating conjunctions** connect two main clauses. They are, however, always outside the clause structure, i.e. in front of the preverbal position. The subject normally takes the preverbal position. The mnemonic *aduso* will help you to remember the main five conjunctions in this group: *aber, denn, und, sondern, oder*.

B. **Coordinating adverbs** also connect two main clauses but in contrast to the first group they are grammatically part of the clause and take either the preverbal position or position qualifiers. The following conjunctions belong to this group: *also, da, dann, das, deshalb, dort, so, trotzde*m, etc.

C. **Subordinating conjunctions** connect a main clause with a subordinate clause. The word order of a subordinate clause differs from that of a main clause by the end position of verb$_1$. The conjunction itself is not part of the clause but comes before.
Weil, wenn, obwohl etc. belong to this group.

3.1. Weil, denn, deshalb

ex.
14

Weil can be translated with "because", *denn* with "for" or "as". Both are used to express cause or reason. *Deshalb* can be translated with "therefore". It is used to express the consequence of something mentioned in the previous sentence. That is why the clauses are reversed.

Paula ist zufrieden. Sie ist als Stewardeß immer auf Reisen.

A. Paula ist zufrieden, weil sie als Stewardeß immer auf Reisen ist.

B. Paula ist zufrieden, denn sie ist als Stewardeß immer auf Reisen.
Paula is content because she is always travelling as a stewardess.

C. Paula ist als Stewardeß immer auf Reisen. Deshalb ist sie zufrieden.
As a stewardess Paula is always travelling . Therefore she is content.

3.2. *Wenn*

This conjunction has three meanings:

A. It is used to express a hypothesis and is translated with "if".
    Wenn Manfred die Schule zu Ende macht, kann er studieren.
    If Manfred takes his A-levels he can go to university.

B. It is used referring to a concrete point of time in the future.
    Wenn das 9. Schuljahr zu Ende ist, hört Manfred mit der Schule auf.
    When year 9 is finished Manfred will leave school.

C. It is used to convey the sense of the English "whenever".
    Wenn ich auf Reisen bin, bin ich zufrieden.
    Whenever I am travelling I am content.

3.3. *Obwohl, trotzdem*

Obwohl is a subordinating conjunction and corresponds to the English "although". *Trotzdem* belongs to the group of conjunctions taking the preverbal position and corresponds to the English "nevertheless" / "even so" / "in spite of this".   ex. 13

A. Vera findet keine Arbeit, obwohl sie ein gutes Examen gemacht hat.
    Vera can't find work although she did well in her degree.

B. Vera hat ein gutes Examen gemacht. Trotzdem findet sie keine Arbeit.
    Vera did well in her degree. In spite of this she can't find work.

3.4. Exercise: Read the following sentences and write *M* for main clause and *S* for subordinate clause into the boxes provided. Then supply the appropriate conjunction.

a) Manfred will mit der Schule aufhören, _____ er hat ein schlechtes Zeugnis.
   ☐ + ☐

b) Er möchte eine Lehre machen, _____ er dann gleich Geld verdienen kann.
   ☐ + ☐

c) _____ die Eltern ihn verstehen, finden sie die Idee nicht gut. ☐ + ☐

d) _____ Manfred noch ein Jahr zur Schule geht, hat er einen richtigen Abschluß.
   ☐ + ☐

e) Er ist kein guter Schüler, _____ kann er aufs Gymnasium gehen und dann später studieren. ☐ + ☐

f) Viele Akademiker sind arbeitslos, _____ möchte Manfred nicht studieren. ☐ + ☐

4. Ordinal numbers (§ 9 p. 133)

You already know how ordinal numbers are formed and that they are used in dates (see "Themen neu 1", chapter 10, 1.). In the meantime you also learnt adjective endings and how   ex. 17

Lektion 2

they depend on the type of article and the case. Like all adjectives ordinal numbers have endings.

Heute ist **der** zehn**te** Oktober.
Heute haben wir **den** zehn**ten** Oktober.
Ich komme **am** (derived from *an + dem*) zehn**ten** Oktober.

4.1. Exercise: Supply the correct endings

a) Heute haben wir den zwanzigst_____ Januar.

b) Ich habe am dreizehnt_____ Oktober Geburtstag.

c) Vom zehnt_____ Juni bis zum fünfzehnt_____ September haben wir Ferien.

d) Nach dem einunddreißigst_____ März habe ich mehr Zeit.

e) Heute ist der erst_____ April.

5. Particle: *schon*

Schon is used to express confidence that a plan or an assumption will come true. English "all right" has much the same meaning.
Wenn ich besser als die anderen bin, finde ich <u>schon</u> eine Stelle.
If I am better than the others I will find a job all right.

Remember: Don't confuse the particle *schon* with the adverb *schon* = "already" (see "Themen neu 1", chapter 1, 6.).

5.1. Exercise: Is *schon* a particle *P* or an adverb *A* ?

a) Martin ist erst 17 Jahre alt, aber er hat schon das Abitur. ☐

b) Ich kann nicht Schreibmaschine schreiben, aber ich möchte es lernen. Das schaffe ich schon. ☐

c) Heinz ist schon zwei Jahre arbeitslos. ☐

d) Frau Maurer kann schon sehr gut Spanisch. ☐

e) Wenn die Firma ein gutes Gehalt bietet, dann findet sie schon eine gute Sekretärin. ☐

6. *Immer* + COMPARATIVE of an adjective

Immer + COMPARATIVE of an adjective is used to express an upward or downward tendency.

<u>Immer mehr</u> Akademiker finden keine Arbeit.   ... "more and more" ...
Er arbeitet <u>immer weniger</u>.   ... "less and less" ...
Autos werden <u>immer teurer</u>.   ... "more and more expensive" ...

Immer is also used to reinforce *noch*.
Vera ist 27. Sie wohnt <u>immer noch</u> bei ihren Eltern.
Vera is 27. She still lives with her parents.

7. Writing: The formal letter

Below you find the format and expressions used in formal letters.

Forename and name of sender
street and house number
postcode (zip code) and place
(country)

name of firm or person (addressee)
(department)
Postfach (+ number) *or* street and house number
postcode and place
(country)

place, date

(Betr.:) ***Bewerbung um die Stelle als*** (job description) = application for …
Ihre Anzeige vom (date) *in* (name of newspaper) = your ad … in …
[This is the "re:" which can be preceded by Betr.: (slightly old-fashioned) and is nowadays usually in bold.]

Sehr geehrte Damen und Herren, or
Sehr geehrte Frau (+ name), *or*
Sehr geehrter Herr (+ name),

ich bewerbe mich hiermit um die Stelle als (job description) *in Ihrer Firma. …*
Über eine baldige Antwort würde ich mich sehr freuen. (= I look forward to hearing from you soon.)

Mit freundlichen Grüßen

signature
name

Remember: As in English put a comma after the form of address but as opposed to English start the new line with a small letter. There is no comma after the final greeting. The whole letter is left-hand justified. Do not indent at the beginning of a new paragraph.

7.1. Exercise: Read the following advert carefully. Then write a formal letter.

Für unsere neue Filiale in Manchester suchen wir zum 1.10.
Dolmetscher/in
Wenn Sie
– perfekt Deutsch und Englisch sprechen und schreiben
– gern auf Reisen sind
– schnell Kontakt zu anderen Menschen finden
– sympathisch aussehen
bewerben Sie sich bei
Röhmke KG, Glückestraße 15, 12457 Berlin

Write a letter of application. Cover the following points:
– education and training
– previous experience
– questions about the post advertised
– reasons for applying

Lektion 2

1. Sagen Sie es anders.

a) Peter möchte Zoodirektor werden, denn er mag Tiere.

Peter möchte Zoodirektor werden, weil er Tiere mag.
Weil Peter Tiere mag, möchte er Zoodirektor werden.

b) Gabi will Sportlerin werden, denn sie möchte eine Goldmedaille gewinnen.
c) Sabine will Fotomodell werden, denn sie mag schöne Kleider.
d) Paul mag abends nicht früh ins Bett gehen. Deshalb möchte er Nachtwächter werden.
e) Sabine möchte viel Geld verdienen, deshalb will sie Fotomodell werden.
f) Paul will Nachtwächter werden, denn er möchte nachts arbeiten.
g) Julia will Dolmetscherin werden, denn dann kann sie oft ins Ausland fahren.
h) Julia möchte gern viele Sprachen verstehen. Deshalb möchte sie Dolmetscherin werden.
i) Gabi will Sportlerin werden, denn sie ist die Schnellste in ihrer Klasse.

Ihre Grammatik. Ergänzen Sie.

Junktor	Vorfeld	Verb$_1$	Subj.	Erg.	Ang.	Ergänzung	Verb$_2$	Verb$_1$ im Nebensatz
a)	*Peter*	*möchte*				*Zoodirektor*	*werden,*	
denn	*er*	*mag*				*Tiere.*		
	Peter	*möchte*				*Zoodirektor*	*werden,*	
weil			*er*			*Tiere*		*mag.*
b)	*Gabi*	*will*						
c)								

34   vierunddreißig

2. Präsens oder Präteritum? Ergänzen Sie die richtige Form von „wollen".

Nach Übung

3

im Kursbuch

a) Franz ＿＿＿＿＿＿＿＿ eigentlich Ingenieur werden; heute ist er Automechaniker.

b) Hanna ＿＿＿＿＿＿＿＿ Managerin werden, deshalb studiert sie Betriebswirtschaft.

c) Christas Traumberuf war Schauspielerin, aber ihre Eltern ＿＿＿＿＿＿＿＿ das nicht. Heute ist sie Lehrerin.

d) ○ Was ＿＿＿＿＿＿＿＿ du werden?

□ Das weiß ich nicht mehr. Das habe ich vergessen.

e) ○ Was ＿＿＿＿＿＿＿＿ ihr beide werden?   □ Das wissen wir noch nicht.

f) Meine Schwester und ich, wir ＿＿＿＿＿＿＿＿ eigentlich beide studieren. Aber unsere Eltern hatten nicht genug Geld.

g) ○ Warum ＿＿＿＿＿＿＿＿ du Dolmetscherin werden?

□ Weil ich dann oft ins Ausland reisen kann.

h) Ihr seid beide Lehrer. War das euer Traumberuf, oder ＿＿＿＿＿＿＿＿ ihr eigentlich etwas anderes werden?

i) ○ Findest du deinen Beruf interessant? Bist du zufrieden?

□ Nein, eigentlich ＿＿＿＿＿＿＿＿ ich Ärztin werden.

j) ○ Möchtet ihr studieren?   □ Nein, wir ＿＿＿＿＿＿＿＿ beide einen Beruf lernen.

3. Ihre Grammatik. Ergänzen Sie.

Nach Übung

3

im Kursbuch

ich	du	er, sie es, man	wir	ihr	sie	Sie
will	w					
wollte						

4. Was paßt?

Nach Übung

4

im Kursbuch

kennenlernen	Schauspielerin	Zahnarzt	Verkäufer	
Ausbildung	Maurer	verdienen	Zukunft	Klasse

a) Restaurant : Kellner / Geschäft : ＿＿＿＿＿＿＿＿

b) arbeiten : Beruf / lernen : ＿＿＿＿＿＿＿＿

c) ausgeben : bezahlen / bekommen : ＿＿＿＿＿＿＿＿

d) Schule : Lehrerin / Theater : ＿＿＿＿＿＿＿＿

e) Augen : Augenarzt / Zähne : ＿＿＿＿＿＿＿＿

f) jetzt : im Augenblick / in 3 Jahren : in der ＿＿＿＿＿＿＿＿

g) mit Farbe malen : Maler / mit Steinen bauen : ＿＿＿＿＿＿＿＿

h) Sprachen : lernen / Leute : ＿＿＿＿＿＿＿＿

i) Sport : Mannschaft / Schule : ＿＿＿＿＿＿＿＿

Lektion 2

Nach Übung

4

im Kursbuch

5. Zwei Adjektive passen nicht.

a) Die Arbeit ist…: schmutzig, interessant, wichtig, einfach, leicht, klein, schwer, gefährlich,
jung, langweilig, laut, anstrengend

b) Er arbeitet…: schnell, bekannt, selbständig, sauber, genau, schlank, langsam

c) Die Arbeitskollegin ist…: schlank, klein, arm, reich, stark, frisch, schön, zufrieden, nett,
einfach, langweilig, freundlich, toll

d) Die Maschine ist…: zufrieden, kaputt, schmutzig, sauber, klein, freundlich, laut, schwer,
gefährlich

Nach Übung

5

im Kursbuch

6. Ihre Grammatik. Ergänzen Sie.

	können	dürfen	sollen	müssen
ich	*konnte*			
du				
er, sie es, man				
wir				
ihr				
sie				
Sie				

Nach Übung

6

im Kursbuch

7. „Obwohl" oder „weil"? Was paßt?

a) Herr Gansel mußte Landwirt werden, _____ seine Eltern einen Bauernhof
hatten.

b) Frau Mars ist Stewardess geworden, _____ ihre Eltern das nicht wollten.

c) Herr Schmidt arbeitet als Taxifahrer, _____ ihm die unregelmäßige Arbeitszeit
nicht gefällt.

d) Herr Schmidt konnte nicht mehr als Maurer arbeiten, _____ er einen Unfall
hatte.

e) Frau Voller sucht eine neue Stelle, _____ sie nicht genug verdient.

f) Frau Mars liebt ihren Beruf, _____ die Arbeit manchmal sehr anstrengend ist.

g) Herr Gansel mußte Landwirt werden, _____ er es gar nicht wollte.

Ihre Grammatik. Ergänzen Sie mit den Sätzen d) bis g).

	Junktor	Vorfeld	Verb₁	Subj.	Erg.	Angabe	Ergänzung	Verb₂	Verb₁ im Nebensatz
d)		*Herr Sch.*	*konnte*			*nicht mehr*	*als Maurer*	*arbeiten*	
	weil			*er*			*einen Unfall*		*hatte.*
e)									
f)									
g)									

8. Geben Sie einen Rat.

Nach Übung

11

im Kursbuch

Wolfgang hat gerade seinen Realschulabschluß gemacht. Er weiß noch nicht, was er jetzt machen soll. Geben Sie ihm einen Rat.

a) Bankkaufmann werden – jetzt schnell eine Lehrstelle suchen
   Wenn du Bankkaufmann werden willst, dann mußt du jetzt eine Lehrstelle suchen.
   , dann such jetzt schnell eine Lehrstelle.

b) studieren – aufs Gymnasium gehen
c) sofort Geld verdienen – die Stellenanzeigen in der Zeitung lesen
d) nicht mehr zur Schule gehen – einen Beruf lernen
e) noch nicht arbeiten – weiter zur Schule gehen
f) später zur Fachhochschule gehen – jetzt zur Fachoberschule gehen
g) einen Beruf lernen – die Leute beim Arbeitsamt fragen

Lektion 2

Nach Übung

11

im Kursbuch

9. Bilden Sie Sätze.

a) Kurt / eine andere Stelle suchen / weil / mehr Geld verdienen wollen
   Kurt sucht eine andere Stelle, weil er mehr Geld verdienen will.
   Weil Kurt mehr Geld verdienen will, sucht er eine andere Stelle.

b) Herr Bauer / unzufrieden sein / weil / anstrengende Arbeit haben
c) Eva / zufrieden sein / obwohl / wenig Freizeit haben
d) Hans / nicht studieren können / wenn / schlechtes Zeugnis bekommen
e) Herbert / arbeitslos sein / weil / Unfall haben (*hatte*)
f) Ich / die Stelle nehmen / wenn / nicht nachts arbeiten müssen

Nach Übung

12

im Kursbuch

10. Was paßt?

Gymnasium	Grundschule	Bewerbung	Zeugnis
mindestens	Semester	Lehre	beginnen	Nachteil

a) studieren : Studium / Beruf lernen : _____
b) Schule : Schuljahr / Studium : _____
c) nicht mehr als : höchstens / nicht weniger als : _____
d) Examen : Universität / Abitur : _____
e) gut : Vorteil / schlecht : _____
f) Universität : Diplom / Schule : _____
g) nicht wissen : Frage / keine Stelle : _____
h) Ende : aufhören / Anfang : _____
i) unter 6 Jahren : Kindergarten / ab 6 Jahren : _____

Nach Übung

15

im Kursbuch

11. Welcher Satz hat eine ähnliche Bedeutung?

a) *Vera findet keine Stelle.*
   - Ⓐ Vera findet keine Stelle gut.
   - Ⓑ Vera sucht eine Stelle, aber es gibt keine.
   - Ⓒ Vera hat ihre Stelle verloren.

b) *Ihr macht das Studium wenig Spaß.*
   - Ⓐ Sie studiert nicht gerne.
   - Ⓑ Sie möchte lieber studieren.
   - Ⓒ Sie findet ihr Studium interessant.

c) *Ich bekomme bestimmt eine Stelle.*
   Ich sehe da kein Problem.
   - Ⓐ Ich schaffe es bestimmt. Ich finde eine Stelle.
   - Ⓑ Es gibt nur wenig Stellen. Ich habe bestimmt keine großen Chancen.
   - Ⓒ Vielleicht habe ich ja Glück und finde eine Stelle.

d) *Was soll ich machen? Hast du eine Idee?*
   - Ⓐ Kannst du mir den Weg erklären?
   - Ⓑ Kannst du mir einen Rat geben?
   - Ⓒ Kennst du die richtige Antwort?

12. Was paßt?

Nach Übung

15

im Kursbuch

sonst	trotzdem	dann	aber	denn	deshalb	und

a) Für Akademiker gibt es wenig Stellen. _____ haben viele Studenten Zukunftsangst.

b) Die Studenten wissen das natürlich, _____ die meisten sind nicht optimistisch.

c) Man muß einfach besser sein, _____ findet man bestimmt eine Stelle.

d) Du mußt zuerst das Abitur machen. _____ kannst du nicht studieren.

e) Ihr macht das Studium keinen Spaß. _____ studiert sie weiter.

f) Sie hat viele Bewerbungen geschrieben. _____ sie hat keine Stelle gefunden.

g) Sie lebt noch bei ihren Eltern, _____ eine Wohnung kann sie nicht bezahlen.

h) Auch an der Uni muß man kämpfen, _____ hat man keine Chancen.

i) Wenn sie nicht bald eine Stelle findet, _____ möchte sie wieder studieren.

j) Den Job im Kindergarten findet sie interessant, _____ sie möchte lieber als Psychologin arbeiten.

k) Ihre Doktorarbeit war sehr gut. _____ hat sie noch keine Stelle gefunden.

Ihre Grammatik. Ergänzen Sie mit den Sätzen a) bis g).

	Junktor	Vorfeld	Verb₁	Subjekt	Erg.	Ang.	Ergänzung	Verb₂
a)		Für Akademiker	gibt	es			wenig Stellen	
		Deshalb	haben	viele Studenten			Zukunftsangst.	
b)		Die Studenten						
c)								
d)								
e)								
f)								
g)								

Lektion 2

Nach Übung

15

im Kursbuch

13. Sie können es auch anders sagen.

| *so* | *oder* | *so* |

a) Die Studenten kennen ihre schlechten Berufschancen. Trotzdem studieren sie weiter.

Die Studenten studieren weiter, obwohl sie ihre schlechten Berufschancen kennen.

b) Obwohl Vera schon 27 Jahre alt ist, wohnt sie immer noch bei den Eltern.

Vera ist schon 27 Jahre alt. Trotzdem ...

c) Manfred will nicht mehr zur Schule gehen. Trotzdem soll er den Realschulabschluß machen.
d) Jens will Englisch lernen, obwohl er schon zwei Fremdsprachen kann.
e) Eva sollte Lehrerin werden. Trotzdem ist sie Krankenschwester geworden.
f) Ein Doktortitel hilft bei der Stellensuche wenig. Trotzdem schreibt Vera eine Doktorarbeit.
g) Obwohl es zu wenig Stellen für Akademiker gibt, hat Konrad Dehler keine Zukunftsangst.
h) Bernhard hat das Abitur gemacht. Trotzdem möchte er lieber einen Beruf lernen.
i) Doris möchte keinen anderen Beruf, obwohl sie sehr schlechte Arbeitszeiten hat.

Nach Übung

15

im Kursbuch

14. Sie können es auch anders sagen. Bilden Sie Sätze mit „weil", „denn" oder „deshalb".

a) Thomas möchte nicht mehr zur Schule gehen, denn er möchte lieber einen Beruf lernen.

Thomas möchte nicht mehr zur Schule gehen, weil er lieber einen Beruf lernen möchte.
Thomas möchte lieber einen Beruf lernen. Deshalb möchte er nicht mehr zur Schule gehen.

b) Jens findet seine Stelle nicht gut, weil er zu wenig Freizeit hat.

Jens findet seine Stelle nicht gut, denn ...
Jens hat zu wenig Freizeit ...

c) Herr Köster kann nicht arbeiten, denn er hatte gestern einen Unfall.
d) Manfred soll noch ein Jahr zur Schule gehen, denn er hat keine Stelle gefunden.
e) Vera wohnt noch bei ihren Eltern, weil sie nur wenig Geld verdient.
f) Kerstin kann nicht studieren, denn sie hat nur die Hauptschule besucht.
g) Conny macht das Studium wenig Spaß, weil es an der Uni eine harte Konkurrenz gibt.
h) Simon mag seinen Beruf nicht, weil er eigentlich Automechaniker werden wollte.
i) Herr Bender möchte weniger arbeiten, denn er hat zu wenig Zeit für seine Familie.

Nach Übung

15

im Kursbuch

15. Ist das Vorfeld noch frei? Ergänzen Sie die Sätze mit dem Subjekt!

a) Armin hat viel Freizeit. Trotzdem ———— ist _er_ unzufrieden.
b) Brigitte verdient gut. Aber _sie_ ist ———— unzufrieden.
c) Dieter lernt sehr viel. Trotzdem ————— hat ————— ein schlechtes Zeugnis.
d) Inge spricht sehr gut Englisch, denn ————— hat ————— zwei Jahre in England gelebt.
e) Waltraud mag Tiere. Deshalb ————— will ————— Tierärztin werden.

f) Klaus will Politiker werden. Dann _____ ist _____ oft im Fernsehen.

g) Renate ist in der zwölften Klasse. Also _____ macht _____ nächstes Jahr das Abitur.

h) Paul hat einen anstrengenden Beruf. Aber _____ verdient _____ viel Geld.

i) Petra geht doch weiter zur Schule, denn _____ hat _____ keine Lehrstelle gefunden.

j) Utas Vater ist Lehrer. Deshalb _____ wird _____ auch Lehrerin.

k) Klaus hat morgen Geburtstag. Dann _____ ist _____ 21 Jahre alt.

16. Ergänzen Sie die Stellenanzeige.

Nach Übung

16

im Kursbuch

Wir sind ein groß_____ Unternehmen der deutsche_____ Textilindustrie. Wir machen attraktiv_____ Mode für jung_____ Leute und verkaufen sie in eigen_____ Geschäften. Für unser neu_____ Modekaufhaus in Rostock suchen wir

eine neu_____ Chefin oder einen neu_____ Chef.

Er oder sie sollte zwischen 35 und 45 Jahren alt sein, schon alleine ein groß_____ Textilgeschäft geleitet haben und gerne mit jung_____ Leuten zusammenarbeiten. Wir bieten Ihnen einen interessant_____ Arbeitsplatz, ein gut_____ Gehalt und eine sicher_____ beruflich_____ Zukunft in einem modern_____ Betrieb.

17. Schreiben Sie das Datum.

Nach Übung

18

im Kursbuch

a) ○ Welches Datum haben wir heute?

(*12. Mai*)
☐ *Heute ist der zwölfte Mai.*
(*28. Februar*)
☐ _____
(*1. April*)
☐ _____
(*3. August*)
☐ _____

b) ○ Wann sind Sie geboren?

(*7. April*)
☐ *Am siebten April.*
(*17. Oktober*)
☐ _____
(*11. Januar*)
☐ _____
(*31. März*)
☐ _____

c) ○ Ist heute der fünfte September?

(*3. September*)
☐ *Nein, wir haben heute den dritten.*
(*4. September*)
☐ _____
(*7. September*)
☐ _____
(*8. September*)
☐ _____

d) ○ Wann war Carola in Spanien?

(*4. April – 8. März*)
☐ *Vom vierten April bis zum achten März.*
(*23. Januar – 10. September*)
☐ _____
(*14. Februar – 1. Juli*)
☐ _____
(*7. April – 2. Mai*)
☐ _____

Lektion 2

Nach Übung

20

im Kursbuch

18. Schreiben Sie einen Dialog.

Maurer.

Ja, ja, ich weiß. Aber findest du das wichtiger als eine gute Stelle? …

Hallo Petra, hier ist Anke.

Das ist doch nicht schlimm. Dann mußt du nur ein bißchen früher aufstehen.

Ja, drei Angebote. Am interessantesten finde ich eine Firma in Offenbach.

Aber du weißt doch, ich schlafe morgens gern lange.

Und? Erzähl mal!

Da kann ich Chefsekretärin werden. Die Kollegen sind nett, und das Gehalt ist auch ganz gut.

Und was machst du? Nimmst du die Stelle?

Na, wie geht's? Hast du schon eine neue Stelle?

Ich weiß noch nicht. Nach Offenbach sind es 35 Kilometer. Das ist ziemlich weit.

Hallo Anke!

○ _Maurer._

☐ _Hallo Petra, hier ist Anke._

○ …

Nach Übung

21

im Kursbuch

19. Was paßt?

Betrieb	anfangen	Inland	ausgezeichnet	auf jeden Fall	Kantine	lösen
Import	Hauptsache	Rente	Monate	dringend	Student	arbeitslos

a) Schule : Schüler / Studium : _____

b) studieren : Universität / arbeiten : _____

c) zu Hause : Eßzimmer / Betrieb : _____

d) in einem fremden Land : im Ausland / im eigenen Land : im _____

e) Zeugnisnote 6 : sehr schlecht / Zeugnisnote 1 : _____

f) Frage : beantworten / Problem : _____

g) arbeiten : berufstätig / ohne Arbeit : _____

h) jung und arbeiten : Gehalt / alt und nicht arbeiten : _____

i) ins Ausland verkaufen : Export / im Ausland kaufen : _____

j) unwichtig : Nebensache / wichtig : _____

k) nein : auf keinen Fall / ja : _____

l) unwichtig : nicht schnell, nicht sofort / wichtig : _____

m) Ende : aufhören / Anfang : _____

n) Montag, Freitag, Mittwoch : Tage / April, Juni, Mai : _____

20. Welches Wort paßt?

Nach Übung

21

im Kursbuch

Zeugnis	Gehalt	Termin	Kunde	Religion	bewerben

a) Geld, verdienen, jeden Monat, arbeiten: _____
b) Geschäft, einkaufen, bezahlen: _____
c) Uhrzeit, Datum, Ort, treffen: _____
d) Stelle suchen, arbeiten wollen, Zeugnis, Gespräch: _____
e) Kirche, Gott, glauben: _____
f) Papier, Schule, Note, gut, schlecht: _____

21. Ergänzen Sie.

Nach Übung

21

im Kursbuch

versprechen	gehen	aussuchen	bestimmen	machen	besuchen	schaffen

a) Petra _____ die Arbeit keinen Spaß mehr, deshalb sucht sie eine neue Stelle.
b) Bernd soll eigentlich Bankkaufmann werden. Aber er will das nicht, er möchte seinen Beruf selbst _____.
c) Kurt muß noch ein Jahr zur Schule _____, dann ist er fertig.
d) In Deutschland müssen Kinder zwischen 6 und 10 Jahren die Grundschule _____.
e) ○ Mama, welchen Pullover darf ich mir kaufen?
   □ Das ist mir egal. Du kannst dir einen _____.
f) Horst ist sehr glücklich. Er hat sein Examen _____.
g) ○ Kann ich nächste Woche drei Tage Urlaub bekommen?   □ Meinetwegen ja, aber ich kann es Ihnen nicht _____. Ich muß vorher den Chef fragen.

22. Was paßt am besten?

Nach Übung

21

im Kursbuch

sprechen	verdienen	korrigieren	schreiben	anbieten	kennen
werden	lesen	hören	dauern	studieren	

a) Geld: _____
b) eine Fremdsprache, Englisch, sehr laut: _____
c) einen Brief, einen Text, ein Buch, mit der Schreibmaschine: _____
d) Medizin, Chemie, Deutsch: _____
e) einen Fehler, einen Brief, einen Text: _____
f) Frau Ulfers, das Buch, den Weg: _____
g) Radio, Musik, eine Kassette: _____
h) der Frau einen Platz, dem Kollegen eine Tasse Kaffee, dem Gast ein Stück Kuchen: _____
i) Arzt, Maurer, Lehrer, Sekretärin: _____
j) eine Stunde, fünf Minuten, ein Jahr: _____
k) ein Buch, eine Zeitung, einen Brief, den Vertrag: _____

Lektion 3

Vocabulary

verbs

sich ärgern	to get angry / annoyed	leihen	to borrow, here: to hire
sich aufregen	to get worked up / excited	malen	to paint
auspacken	to unpack	raten	here: to advise
sich ausruhen	to have a rest	reden	to talk
benutzen	to use	sammeln	to collect
sich beschweren	to complain	singen	to sing
bitten	to ask for	spielen	to play
erzählen	to tell, to narrate	stören	to disturb
sich freuen	to be pleased	tanzen	to dance
geschehen	to happen	verbieten	to forbid
sich interessieren	to be interested	vergessen	to forget
küssen	to kiss	vergleichen	to compare
lachen	to laugh	weinen	to weep

nouns

r Ausgang, ¨e	exit	r Kompromiß, Kompromisse	compromise
r Bart, ¨e	beard	s Konzert, -e	concert
r Baum, ¨e	tree	r Krach	noise, racket
r Bericht, -e	report	e Kultur	culture
s Bild, -er	picture	e Kunst	art
e Ecke, -n	corner	r Laden, ¨	shop
r Eingang, ¨e	entrance	e Landschaft, -en	scenery
r Fall, ¨e	case	r Lautsprecher, -	loudspeaker
r Finger, -	finger	s Lied, -er	song
e Freizeit	spare time, leisure	e Literatur	literature
r Fußball, ¨e	football	r Maler, -	painter
r Gedanke, -n	thought	s Material, -ien	material
e Gefahr, -en	danger	e Medizin	medicine
e Gesundheit	health	e Minute, -n	minute
r Gewinn, -e	here: prize	r Mond, -e	moon
r Glückwunsch, ¨e	congratulations	e Musik	music
r Gott, ¨er	god	e Nachricht, -en	message, piece of news, (plural) news
r Gruß, ¨e	greeting		
r Hammer, ¨	hammer	s Orchester, -	orchestra
r Himmel	here: sky	e Ordnung	here: order
r Hut, ¨e	hat	r Passagier, -e	passenger
e Illustrierte, -n	magazine	r Pfennig, -e	smallest coin, one hundredth of a mark
r Kasten, ¨	box		
s Kaufhaus, ¨er	department store		

r Pilot, -en	pilot	e Technik	technology
r Plan, ⸚e	plan	s Telegramm, -e	telegram
r Platz, ⸚e	here: square	s Theater, -	theatre
e Qualität, -en	quality	s Tier, -e	animal
s Radio, -s	radio	e Uhrzeit, -en	time of day
e Sache, -n	thing, object	e Unterhaltung, -en	entertainment
r Schatten	shadow, shade	e Vorstellung, -en	performance
r Schauspieler, -	(male) actor	e Werbung	advertising, adverts
e Sendung, -en	programme	e Wissenschaft, -en	sciences
r Sinn	sense	s Wochenende, -n	weekend
e Spezialität, -en	speciality	r Zahn, ⸚e	tooth
r Sport	sport	r Zuschauer, -	spectator, viewer
r Stein, -e	stone, here: precious stone		

adjectives

europäisch	European	phantastisch	fantastic
fein	here: very	regelmäßig	regular
feucht	damp	reich	rich
gewöhnlich	usual, customary	schwierig	difficult
günstig	favourable, good	tot	dead
möglich	possible	verboten	not allowed, banned
öffentlich	public	weit	far

adverbs and function words

abends	in the evening	so etwas	such things
besonders	especially	solch-	such
einige	some, a few	überhaupt nicht	not at all
genauso	just as	viele	many
kaum	hardly, scarcely	vielleicht	perhaps
leider	unfortunately	wenigstens	at least
nachts	at night	zuletzt	finally

expressions

| es nützt nichts | it's no use |
| Herzlichen Glückwunsch! | Congratulations! |

Lektion 3

Grammar

1. Reflexive verbs (§ 10 p. 134)

ex.
5
6
7

In this chapter you will come across verbs in which the subject and direct object are the same person or thing. The subject does something to himself / herself / itself. e.g.

Ich wasche <u>mich</u> jeden Morgen.   I wash (myself) every morning.

There are quite a few of these verbs in German. Many of them are verbs whose English equivalents to do not involve "myself", "yourself", etc.
The reflexive pronoun is declined in the accusative case.

infinitive	**sich** ärgern

ich	ärgere **mich**
du	ärgerst **dich**
er / sie / es	ärgert **sich**

wir	ärgern **uns**
ihr	ärgert **euch**
sie / Sie	ärgern **sich**

Like other pronouns the reflexive pronouns take the position of the first complement immediately after the subject position. It can never take the preverbal position.

preverbal position	verb$_1$	subject	complement	qualifiers	complement	verb$_2$
Kurt	ärgert		sich		über die Sendung.	
Hast		du	dich	auch	über die Sendung	geärgert?

Some of these verbs can be used in a reflexive or non-reflexive manner. e.g.

Kurt ärgert sich über die Sendung.   Kurt gets annoyed at the programme.
Kurt ärgert seinen Vater.   Kurt annoys his father.

Du mußt dich waschen.   You must have a wash (= yourself).
Du mußt das Auto waschen.   You must wash the car.

You already know many verbs which belong to this group. Here are a few examples:

sich ändern; ändern   to change: to alter one's ways; to change (something)
sich aufregen; aufregen   to get worked up; to irritate
sich anziehen; anziehen   to get dressed; to dress (someone)
sich duschen; duschen   to take a shower; to shower (someone)
sich frisieren; frisieren   to do one's hair; to do somebody's hair
sich legen; legen   to lie down; to lay, to put down in a horizontal position
sich setzen; setzen   to sit down; to put down in a sitting position
sich stellen; stellen   to (go and) stand; to put down in an upright position
sich vorbereiten, vorbereiten   to prepare (= oneself); to prepare someone / something

1.1. Exercise: Translate the following sentences.

a) (Is he interested in politics?) _____ für Politik?

b) (Did you prepare the journey? – Use the present perfect) _____ auf die
Reise _____ ?

c) (My daughter has applied for the post as secretary.) _____ um die
Stelle als Sekretärin _____ .

d) (I stopped watching the programme because I always got worked up.) Ich sehe die
Sendung nicht mehr, _____ .

e) (She takes a shower every morning.) _____ jeden Morgen.

**1.2. Exercise: Complete the translation. Decide whether the verbs are used in a reflexive
or non-reflexive manner.**

a) Put the vase on the table.   _____ *die Vase auf den Tisch.*

b) Stand next to Maria.   _____ *neben Maria.*

c) I have to get dressed now.   *Ich muß* _____

d) I have to dress the children.   *Ich muß die Kinder* _____

e) Please don't annoy me.   _____ *bitte nicht.*

f) Please don't get annoyed.   _____ *bitte nicht.*

g) Put the book on the table.   _____ *das Buch auf den Tisch.*

h) Go to bed [lie down].   _____ *ins Bett.*

2. Verbs with prepositions (§ 34, 35 p. 147, 148)

Many verbs, both in English and in German, have one or more prepositions associated with
them. The prepositions can rarely be translated literally. e.g.

ex.
8
9
13

warten auf + ACCUSATIVE   Ich warte auf den Bus.
to wait for   I'm waiting for the bus.

fragen nach + DATIVE   Ich habe nach ihrem Mann gefragt.
to ask for   I asked about her husband.

Remember: You have to learn the preposition that is associated with the verb and the case it
takes. Verbs can have different prepositions and then take on different meanings. Some
corresponding verbs do not have prepositions in English at all.

preverbal position	verb$_1$	subj.	complement	qualifiers	complement	verb$_2$
Er	interessiert		sich		für Technik.	
Gestern	hat	sie	mit Peter		über das Problem	gesprochen.
Ich	möchte		meinen Mann	nicht	um Erlaubnis	fragen.
Für Kunst	interessiert	er	sich	nicht.		

Lektion 3

The preposition and the object it relates to are mostly in the second complement position but can sometimes also take the preverbal position.

2.1. List of verbs with prepositions.

The following list is by no means complete. You will come across more in the subsequent chapters. Some of theses verbs are reflexive.

an + ACCUSATIVE

denken an	to think of
glauben an	to believe in
schreiben an	to write to

auf + ACCUSATIVE

aufpassen auf	to keep an eye on, to look after
sich freuen auf	to look forward to
warten auf	to wait for

bei + DATIVE

anrufen bei	to phone somebody
sich bewerben bei	to apply to
arbeiten bei	to work for
sich informieren bei	to get information from
(sich) entschuldigen bei	to apologise to

für + ACCUSATIVE

brauchen für	to need for
(sich) entschuldigen für	to apologise for
sich interessieren für	to be interested in

mit + DATIVE

aufhören mit	to stop doing something
diskutieren mit	to discuss with
einverstanden sein mit	to be in agreement with something, sb
sprechen mit	to talk to, to speak to (on telephone)
telefonieren mit	to call, to phone someone
vergleichen mit	to compare with

nach + DATIVE

fragen nach	to ask for
suchen nach	to look for

über + ACCUSATIVE

sich ärgern über	to get annoyed with
sich aufregen über	to get worked up about
sich beschweren über	to complain about
diskutieren über	to discuss something
erzählen über	to tell about, to give an account of
sich freuen über	to be glad, pleased about
sich informieren über	to get information about
informieren über	to inform, to give information about
lachen über	to laugh about
nachdenken über	to think, to reflect about
schreiben über	to write about
sprechen über	to talk about
weinen über	to cry, to weep over
wissen über	to know that

um + ACCUSATIVE

sich bewerben um	to apply for
bitten um	to ask for
fragen um	to ask for (advice, help, permission)

Remember: *fragen nach, fragen um* and *bitten um* are somewhat difficult as they mean "to ask for". The following examples will make their meaning clear:

Sie fragt ihren Vater nach seiner Meinung.	=	She asks her father for his opinion.
Sie fragt nach ihrem Vater.	=	She asks about her father (inquire about).
Sie fragt ihren Vater um Erlaubnis.	=	She asks her father for permission.
Sie bittet ihren Vater um Erlaubnis.	=	She asks her father for permission.
Sie bittet ihren Vater um Geld.	=	She asks her father for money.

fragen nach corresponds to the idea of "to inquire about" whereas *fragen um* and *bitten um* correspond to the idea of "to request" (help, permission, advice).

2.2. Prepositional pronoun (§ 12 p. 134)

In standard German the interrogative *was?* (asking for things, objects, ideas but not people) does not occur with a preposition but is replaced by the form *wo(r)* + PREPOSITION. The letter *r* is inserted when the preposition starts with *a, i, u, ü*.

ex.
10
11
12

<u>Worüber</u> ärgerst du dich?	What do you get worked up about?
<u>Wofür</u> interessierst du dich?	What are you interested in?
<u>Worauf</u> freust du dich am meisten?	What are you most looking forward to?

The same form is used asking a general question when you do not know whether the reply will refer to a person or an object / idea.

○ <u>Woran</u> denkst du?	○ What are you thinking of?
□ Ich denke <u>an</u> meine Frau.	□ I'm thinking of my wife.
▷ Ich denke <u>an</u> den Urlaub.	▷ I'm thinking of the holiday.

In the reply pronouns referring to objects / ideas cannot be used after prepositions. The prepositional pronoun *da(r)* + PREPOSITION is used instead.

○ <u>Wofür</u> interessierst du dich?	○ What are you interested in?
□ <u>Für</u> Musik.	□ In music.
○ Ich interessiere mich auch <u>dafür</u>.	○ I'm interested in it, too.

If you specifically ask for people the prepositions are used in conjunction with the interrogatives *wen?* or *wem?*. In replies referring to people the prepositions are used together with the personal pronouns.

○ Über wen ärgerst du dich?	○ Who(m) do you get worked up about?
□ Über meinen Chef.	□ About my boss.
○ Ich ärgere mich auch über ihn.	○ I'm also getting worked up about him.
○ Mit wem hast du gesprochen?	○ Who(m) did you speak to?
□ Mit Sonja.	□ To Sonja.
○ Mit ihr muß ich auch noch sprechen.	○ I also have to speak to her.

Lektion 3

2.3. Exercise: Tick the correct option

a) Er hat mich _____ Anitas Adresse gefragt.

☐ nach ☐ um ☐ danach

b) Hast du dich _____ Herberts Geschenk gefreut?

☐ darüber ☐ über ☐ für

c) Peter, morgen bin ich nicht da, und die Kinder sind allein. Kannst du _____ aufpassen.

☐ darauf ☐ auf sie ☐ auf ihnen

d) Wenn du zu spät kommst, mußt du dich _____ entschuldigen.

☐ dabei ☐ für das ☐ dafür

e) _____ beschweren Sie sich eigentlich? Es ist doch alles in Ordnung.

☐ Worauf ☐ Worüber ☐ Darüber

f) Hat er sich _____ die Stelle als Programmierer beworben?

☐ bei ☐ über ☐ um

g) Hast du dich schon _____ Reisekosten informiert?

☐ über die ☐ bei den ☐ darüber

2.4. Exercise: Supply the correct prepositions, interrogatives and prepositional pronouns

a) ○ _____ hat er geschrieben? _____ Politik?

☐ Nein, _____ hat er nicht geschrieben.

b) ○ _____ hat er geschrieben?_____ berühmte Politiker?

☐ Ja, _____ hat er geschrieben.

c) ○ _____ hat er gewartet? _____ Willi?

☐ Nein, _____ hat er nicht gewartet.

d) ○ _____ hat er gewartet? _____ Willis Anruf?

☐ Ja, _____ hat er gewartet.

e) ○ _____ hat sie erzählt? _____ einen Unfall?

☐ Nein, _____ hat sie nicht erzählt.

f) ○ _____ hat sie erzählt? _____ ihre Freundin?

☐ Ja, _____ hat sie erzählt.

g) ○ _____ freut sie sich? _____ den Urlaub in Spanien?

☐ Ja, _____ freut sie sich.

3. Subjunctive II (§ 20 p. 139-140)

ex.
14
15
16
20
24
25

So far you have been introduced to verbs in the indicative mood, i.e. they are used to describe something as a fact both in the past and the present. If we want to describe an activity, event or state as unreal, possible or wishful thinking the subjunctive mood is used. In English the subjunctive has more or less disappeared but can for example still be found in the following phrase: "If I **were** rich ..."

In German there are clearly defined situations in which the subjunctive mood is used (see 3.2.).

3.1. The formation of the subjunctive II

3.1.1. The subjunctive II of *haben, sein* and the modal verbs

The subjunctive II is derived from the simple past tense stem of the verb. An *Umlaut* is added to the vowel of the stem with the exception of *wollen* and *sollen*. The simple past tense endings are now added to this new subjunctive stem.

SIMPLE PAST TENSE STEM		SUBJUNCTIVE II STEM
hatte-	→	hätte-
konnte-	→	könnte-

An extra *-e* is added to the simple past tense stem of the verb *sein*.

war-	→	wäre-

infinitive	sein	haben	können	dürfen	müssen	sollen	wollen	endings
stem (past)	war-	hatte-	konnte-	durfte-	mußte-	sollte-	wollte-	
ich	wäre	hätte	könnte	dürfte	müßte	sollte	wollte	
du	wärest	hättest	könntest	dürftest	müßtest	solltest	wolltest	-st
er / sie / es	wäre	hätte	könnte	dürfte	müßte	sollte	wollte	
wir	wären	hätten	könnten	dürften	müßten	sollten	wollten	-n
ihr	wäret	hättet	könntet	dürftet	müßtet	solltet	wolltet	-t
sie / Sie	wären	hätten	könnten	dürften	müßten	sollten	wollten	-n

3.1.2. Subjunctive II with *würde-* + INFINITIVE

Every verb has its own subjunctive II form. In practise, however, only *haben, sein* and the modal verbs are used in that form whereas all the other verbs form the subjunctive II using the subjunctive II of *werden (= würde-)* + INFINITIVE.

infinitive	werden	endings
stem (past)	wurde-	
ich	würde	
du	würdest	-st
er / sie / es	würde	

wir	würden	-n
ihr	würdet	-t
sie / Sie	würden	-n

Lektion 3

3.2. The use of the subjunctive II

As explained in the introduction above the subjunctive is used to describe an activity, event or state as unreal, possible or wishful thinking.

3.2.1. *Gern* + SUBJUNCTIVE II

Gern in conjunction with the subjunctive II expresses a wish and can be translated with "would like to" ... .

Ich <u>hätte</u> gern ein großes Haus. (Mein Haus hat nur vier Zimmer.)
I would like to have a big house.

Ich <u>würde</u> gern in Frankreich <u>arbeiten</u>. (Ich kann aber kein Französisch.)
I would like to work in France.

3.2.2. The subjunctive II in conditional sentences

The subjunctive II is mainly used in "unreal" conditional sentences. They are sentences which contain situations which are very unlikely to happen but are not impossible and very often describe wishful thinking.

Wenn ich genug Geld <u>hätte</u>, <u>würde</u> ich eine Weltreise <u>machen</u>.
If I had enough money I would travel round the world.

Wenn ich nicht so müde <u>wäre</u>, <u>würde</u> ich ins Kino <u>gehen</u>.
If I were not so tired I would go to the pictures.

Wenn ich ein Haus <u>kaufen</u> <u>würde</u>, <u>könnte</u> ich keine Weltreise <u>machen</u>.
If I bought a house I could not travel round the world.

Remember: The subjunctive II forms are used in both clauses of a conditional sentence. The *wenn*-clause of a conditional sentence is a subordinate clause and follows the rules described in chapter 2, 2.

4. Writing: The personal letter

In chapter 1 you learnt how to write a personal letter. In this chapter you will be introduced to some phrases that are frequently used at the beginning and the end of a personal letter.

At the beginning:

– Heute habe ich Deinen Brief / Deine Karte / Dein Paket erhalten und mich sehr darüber gefreut.
– Heute habe ich Deinen Brief / Deine Karte / Dein Paket erhalten. Ich danke Dir sehr dafür.
– Über Deinen Brief / Deine Karte / Dein Paket habe ich mich sehr gefreut.
– Vielen Dank für Deinen Brief / Deine Karte / Deine nette Einladung.

At the end:

- Schreibst Du mir bald wieder? Ich freue mich auf Deinen Brief.
- Auf Deinen Brief / Deine Antwort warte ich mit Ungeduld.
- So, das wäre es für heute. Laß bald von Dir hören.

4.1. Exercise: Read the topic carefully. Then write a letter.

Sie haben von Ihrer Freundin Gabriela *(Kursbuch* p. 43) einen Brief bekommen. Sie erzählt von ihrem neuen Beruf als Straßenpantomimin. Antworten Sie auf den Brief:

- Bedanken Sie sich für den Brief.
- Wie finden Sie Gabrielas neues Leben?
- Was wären Sie gern von Beruf? Warum?
- Wie würde Ihr Arbeitsalltag aussehen?

Lektion 3

Nach Übung

5

im Kursbuch

1. Wo passen die Wörter am besten?

a) Theater, Musik, Kunst, Museum, Literatur, Bilder: _____

b) Show, Film, Musik, Spiel, lustig, macht Spaß: _____

c) Zeitung (Anzeige), Fernsehen, Industrie, Produkt verkaufen: _____

d) Arzt, Medikament, krank, Apotheke, Gesundheit: _____

e) Spiel, Geld, Glück, Preis: _____

f) Kirche, glauben, Religion: _____

g) Musik machen, Gruppe, Konzert: _____

h) Nachrichten, Wetter, politisches Magazin, Reportage, Illustrierte: _____

i) fliegen, Flugzeug: _____

j) Fußball, Musik, Klavier, Karten: _____

> Unterhaltung
> Orchester
> Werbung
> Gewinn
> Medizin
> Information
> spielen
> Kultur
> Gott Pilot

Nach Übung

5

im Kursbuch

2. „-film", „-programm", „-sendung" oder „Unterhaltungs-"? Was paßt?

_____	-musik	Spiel-	_____	Nachmittags-	_____
	-sendung	Kinder-		Kultur-	
	-orchester	Kriminal-		Unterhaltungs-	
	-programm	Tier-		Musik-	
	-film	Kurz-		Sport-	

Nach Übung

5

im Kursbuch

3. Was paßt nicht?

a) Uhrzeit – Vormittag – Abend – Morgen – Nachmittag – Nacht – Mittag

b) Brief – Karte – Telefon – Telegramm

c) Frühstück – Mittagessen – Nachmittagsprogramm – Abendessen

d) Katze – Fisch – Tier – Hund – Schwein – Huhn

e) Zahnarzt – Tierarzt – Augenarzt – Hautarzt – Frauenarzt

f) zuerst – dann – zum Schluß – danach – zu spät

g) Pilot – Flugzeug – Passagier – Flughafen – Auto

h) tot – schwer – schwierig – nicht leicht

i) los sein – geschehen – vergleichen – passieren

Nach Übung

5

im Kursbuch

4. Beschreiben Sie den Film. Verwenden Sie die Wörter im Kasten.

> Flugzeug   fliegen   Los Angeles
> Chicago   Stewardess   Fischgericht
> kurze Zeit   Pilot   Passagiere   krank
> Ted Striker   ehemaliger Vietnam-Pilot
> noch nie Jumbo geflogen
> Bodenstation   Anweisungen

Die unglaubliche Reise in einem verrückten Flugzeug.

Ein Flugzeug _____

...

5. Ergänzen Sie.

Nach Übung
7
im Kursbuch

a) ○ Kommt, Kinder, wir müssen jetzt gehen.

   □ Eine halbe Stunde noch, bitte, der Film fängt gleich an. *Wir* freuen *uns* doch immer so auf das Kinderprogramm.

b) ○ Warum macht ihr nicht den Fernseher aus? Interessiert _____ _____ denn wirklich für das Gesundheitsmagazin?

   □ Oh ja. Es ist immer sehr interessant.

c) ○ Du, ärgere _____ doch nicht über den Film!

   □ Ach, _____ habe _____ sehr auf den Kriminalfilm gefreut, und jetzt ist er so schlecht.

d) ○ Warum sind Klaus und Jochen denn nicht gekommen?

   □ Sie sehen den Ski-Weltcup im Fernsehen. Ihr wißt doch, _____ interessieren _____ sehr für den Ski-Sport.

e) ○ Was macht Marianne?

   □ Sie sieht das Deutschland-Magazin. _____ interessiert _____ doch für Politik.

f) ○ Will dein Mann nicht mitkommen?

   □ Nein, er möchte unbedingt fernsehen. _____ freut _____ schon seit gestern auf den Spielfilm im 2. Programm.

g) ○ Siehst du jeden Tag die Nachrichten?

   □ Natürlich, man muß _____ doch für Politik interessieren.

6. Ergänzen Sie.

Nach Übung
7
im Kursbuch

Die Verben im Kasten kennen Sie sicher schon. Sie können oder müssen mit einem Reflexivpronomen verwendet werden.

vorstellen		anziehen			stellen	
	bewerben			duschen		setzen
entscheiden		waschen			legen	

a) Hier sind deine Kleider. _____ kannst _____ selbst _____, du bist alt genug.

b) ○ Willst du baden?

   □ Nein, _____ möchte _____ lieber _____. Das geht schneller.

c) ○ Kauft ihr das Haus?

   □ Wir wissen es noch nicht, _____ können _____ nicht _____.

d) Susanne war sehr müde. _____ hat _____ aufs Sofa _____ und schläft ein bißchen. Bitte störe sie nicht!

e) _____ _____ _____ doch, Frau Lorenz! Der Platz hier ist frei.

f) Ich möchte ein Familienfoto machen. Bitte _____ _____ alle vor die Haustür.

g) Die neuen Nachbarn kenne ich noch nicht. _____ haben _____ noch nicht _____ .

h) Bitte geht ins Bad, Kinder. _____ müßt _____ noch _____ und die Zähne putzen.

i) Bettina hat _____ bei zehn Firmen _____, aber sie hat keine Stelle bekommen.

Lektion 3

Nach Übung

7

im Kursbuch

7. Ihre Grammatik. Ergänzen Sie.

ich	du	er	sie	es	man	wir	ihr	sie	Sie
mich									

Nach Übung

7

im Kursbuch

8. Verben und Präpositionen.

Die Verben kennen Sie schon. Sie werden oft mit den folgenden Präpositionen gebraucht.

aufpassen	auf	anrufen	bei	diskutieren	über
freuen		bewerben		erzählen	
warten		arbeiten		freuen	
		informieren		lachen	
		entschuldigen		nachdenken	
denken	an			schreiben	
glauben				weinen	
		spielen	mit	wissen	
		telefonieren		ärgern	
fragen	nach	sprechen		beschweren	
suchen		vergleichen		aufregen	
		einverstanden sein		sprechen	
		aufhören		informieren	
interessieren	für				
brauchen					
entschuldigen					

Ergänzen Sie.

a) Ich kann mich nicht entscheiden. Ich muß _____ *d* _____ Sache noch einmal nach-denken.

b) Er sah wirklich komisch aus. Alle haben _____ _____ gelacht.

c) Ich komme in zwei Stunden wieder. Kannst du bitte _____ *d* _____ Kinder aufpassen?

d) Franz arbeitet schon zehn Jahre _____ *d* _____ gleichen Firma.

e) Ich habe gestern _____ *d* _____ Arzt gesprochen. Herbert ist bald wieder gesund.

f) Wenn Sie etwas _____ *d* _____ Fall wissen, müssen Sie es der Polizei erzählen.

g) Ich bin _____ *d* _____ Vertrag einverstanden. Er ist in Ordnung.

h) Was hat er dir _____ *d* _____ Unfall erzählt?

i) _____ *d* _____ Problem hat er mit mir nicht gesprochen.

j) Ich habe meine Kamera _____ *d* _____ Kamera von Klaus verglichen. Seine ist wirk-lich besser.

k) Sie hat nie Zeit. Sie interessiert sich nur _____ *ihr* _____ Beruf.

l) Bitte hör _____ *d* _____ Arbeit auf. Das Essen ist fertig.

9. Ihre Grammatik. Ergänzen Sie.

Nach Übung

7

im Kursbuch

	der Film	die Musik	das Programm	die Sendungen	
über	*den Film*				sprechen
sich über					ärgern
sich auf					freuen
sich für					interessieren

	der Plan	die Meinung	das Geschenk	die Antworten	
nach	*dem Plan*				fragen
mit					einverstanden sein

10. Ergänzen Sie.

Nach Übung

7

im Kursbuch

Sachen

wofür?	→ für…	→ dafür	womit?	→ mit…	→ damit
worauf?	→ auf…	→ darauf	worüber?	→ über…	→ darüber

a) ○ Was machst du denn für ein Gesicht? _____*Worüber*_____ ärgerst du dich?
   □ Ach, _____ mein Auto. Es ist schon wieder kaputt.
   ○ _____ mußt du dich nicht ärgern. Du kannst meins nehmen.
b) ○ _____ regst du dich so auf?
   □ _____ meine Arbeitszeit. Ich muß schon wieder am Wochenende arbeiten.
   ○ Warum regst du dich _____ auf? Such dir doch eine andere Stelle.
c) ○ _____ interessierst du dich im Fernsehen am meisten?
   □ _____ Sport.
   ○ _____ interessiere ich mich nicht. Das finde ich langweilig.
d) ○ _____ bist du nicht einverstanden?
   □ _____ deinem Plan.
   ○ _____ sind aber alle einverstanden, nur du nicht.
e) ○ _____ freust du dich am meisten?
   □ _____ unseren nächsten Urlaub.
   ○ _____ freue ich mich auch.
f) ○ _____ wartest du?
   □ _____ einen Anruf.
   ○ _____ kannst du noch lange warten. Das Telefon ist kaputt.

Lektion 3

Nach Übung

7

im Kursbuch

11. Ergänzen Sie.

Personen

mit wem? → mit... → mit *ihm, ihr,...*	auf wen? → auf... , → auf *ihn, sie,...*
für wen? → für... → für *ihn, sie,...*	über wen? → über... → über *ihn, sie,...*

a) ○ _Mit_ _wem_ hast du telefoniert?
   □ _____ Frau Burger.
   ○ Warum hast du mir das nicht gesagt?
     Ich wollte auch _____ _____ sprechen.

b) ○ _____ _____ brauchst du das Geschenk?
   □ _____ Paula und Bernd. Sie heiraten am Freitag.
   ○ Mensch, das habe ich ganz vergessen. Ich brauche auch noch ein Geschenk _____
     _____ .

c) ○ _____ _____ spielst du am liebsten?
   □ _____ Doris.
   ○ _____ _____ spiele ich auch sehr gerne. Sie ist eine gute Spielerin.

d) ○ _____ _____ ärgerst du dich so?
   □ _____ dich.
   ○ _____ _____ ? Warum?
   □ Du hast nicht eingekauft, obwohl du es versprochen hast.

e) ○ _____ _____ wartest du?
   □ _____ Konrad. Er wollte um 4 Uhr bei mir sein.
   ○ Das ist typisch, _____ _____ muß man immer warten. Er ist nie pünktlich.

Nach Übung

7

im Kursbuch

12. Ihre Grammatik. Ergänzen Sie.

Präposition + Artikel + Nomen Präposition + Name/Person	Fragewort	Pronomen
über den Film (sprechen) über Marion	*worüber?* *über wen?*	*darüber* *über sie*
auf die Sendung (warten) auf Frau Oller		
für die Schule (brauchen) für meinen Sohn		
nach dem Weg (fragen) nach Thomas		
mit dem Ball (spielen) mit dem Kind		

13. Ihre Grammatik. Ergänzen Sie.

Nach Übung

7

im Kursbuch

a) Wofür interessiert Bettina sich am meisten?
b) Bettina interessiert sich am meisten für Sport.
c) Für Sport interessiert Bettina sich am meisten.
d) Am meisten interessiert Bettina sich für Sport.
e) Für Sport hat Bettina sich am meisten interessiert.

	Vorfeld	Verb$_1$	Subjekt	Ergänzung	Angabe	Ergänzung	Verb$_2$
a)	Wofür	interessiert	Bettina	sich	am meisten?		
b)							
c)							
d)							
e)							

14. Sie ist nie zufrieden.

Nach Übung

11

im Kursbuch

a) Sie macht jedes Jahr acht Wochen Urlaub, aber *sie würde gern noch mehr Urlaub machen.*

b) Sie hat zwei Autos, aber *sie hätte gern* …

c) Sie ist schlank, aber *sie wäre gern* …

d) Sie sieht jeden Tag vier Stunden fern, aber…
e) Sie verdient sehr gut, aber…
f) Sie hat drei Hunde, aber…
g) Sie schläft jeden Tag zehn Stunden, aber…
h) Sie ist sehr attraktiv, aber…
i) Sie sieht sehr gut aus, aber…
j) Sie spricht vier Sprachen, aber…
k) Sie hat viele Kleider, aber…
l) Sie ist sehr reich, aber…
m) Sie kennt viele Leute, aber…
n) Sie fährt oft Ski, aber…
o) Sie geht oft einkaufen, aber…
p) Sie weiß sehr viel über Musik, aber…

Lektion 3

Nach Übung

11

im Kursbuch

15. Was würden Sie raten?

a) Er ist immer sehr nervös. (weniger arbeiten)

Es wäre gut, wenn er weniger arbeiten würde.

b) Ich bin zu dick. (weniger essen)
c) Petra ist immer erkältet. (wärmere Kleidung tragen)
d) Sie kommen immer zu spät zur Arbeit. (früher aufstehen)
e) Mein Auto ist oft kaputt. (ein neues Auto kaufen)
f) Meine Miete ist zu teuer. (eine andere Wohnung suchen)
g) Ich bin zu unsportlich. (jeden Tag 30 Minuten laufen)
h) Seine Arbeit ist so langweilig. (eine andere Stelle suchen)
i) Wir haben so wenig Freunde. (netter sein)

Nach Übung

11

im Kursbuch

16. Ihre Grammatik. Ergänzen Sie.

	ich	du	er/sie/ es/man	wir	ihr	sie	Sie
Indikativ	*gehe*	*gehst*					
Konjunktiv	*würde gehen*	*würdest gehen*					
Indikativ	*bin*						
Konjunktiv	*wäre*						
Indikativ	*habe*						
Konjunktiv	*hätte*						

17. Was paßt nicht?

a) schwer – schlimm – schlecht – wichtig
b) zufrieden sein – sauber sein – Lust haben – Spaß machen
c) Politiker – Lehrerin – Firma – Verkäufer – Arzt – Schauspielerin – Polizist – Sekretärin – Schüler – Beamter
d) Studium – Universität – Student – Schule – studieren
e) leicht – aber – denn – deshalb – trotzdem

18. Was paßt?

Nach Übung
14
im Kursbuch

Kompromiß   Material   raten   Himmel   Literatur   Kunst
singen   Hut
Gedanke   Schatten   Glückwunsch   Radio   Mond   sich ärgern

a) hören : Musik / lesen : _____

b) wahr : Wissenschaft / schön : _____

c) lustig sein : sich freuen / böse sein : _____

d) hell : Sonne / dunkel : _____

e) Fuß : Schuhe / Kopf : _____

f) unten : Erde / oben : _____

g) Weihnachten : Fröhliche Weihnachten / Geburtstag : Herzlichen

_____

h) keiner zufrieden : Streit / alle zufrieden : _____

i) Herz : Gefühl / Kopf : _____

j) Hammer : Werkzeug / Holz : _____

k) tun : helfen / vorschlagen : _____

l) am Tag : Sonne / in der Nacht : _____

m) Klaviermusik : spielen / Lied : _____

n) sehen und hören : Fernsehen / nur hören : _____

19. Was wissen Sie über Gabriela? Schreiben Sie einen kleinen Text.

Nach Übung
16
im Kursbuch

Sie können die folgenden Informationen verwenden.

Gabriela, 20, Straßenpantomimin
zieht von Stadt zu Stadt, spielt auf Plätzen und Straßen
Leute mögen ihr Spiel, nur wenige regen sich auf
sammelt Geld bei den Leuten, verdient ganz gut, muß regelmäßig spielen
früher mit Helmut zusammen, auch Straßenkünstler, ihr hat das freie Leben gefallen
für Helmut Geld gesammelt, auch selbst getanzt
nach einem Krach Schnellkurs für Pantomimen gemacht
findet ihr Leben unruhig, möchte keinen anderen Beruf

20. „Hat", „hatte", „hätte", „ist", „war", „wäre" oder „würde"? Ergänzen Sie.

Nach Übung
16
im Kursbuch

Gabriela _____ (a) Straßenpantomimin. Natürlich _____ (b) sie nicht
viel Geld, aber wenn sie einen anderen Beruf _____ (c), dann
_____ (d) sie nicht mehr so frei. Früher _____ (e) sie zusammen mit
ihrem Freund gespielt. Sein Name _____ (f) Helmut, und er _____ (g)
ganz nett, aber sie _____ (h) oft Streit. Manchmal _____ (i) das Leben

Lektion 3

einfacher, wenn Helmut noch da _____(j). Im Moment _____(k) Gabriela keinen Freund. Deshalb _____(l) sie oft allein, aber trotzdem _____(m) sie nicht wieder mit Helmut zusammen spielen. „Wir _____(n) doch nur wieder Streit", sagt sie. Gestern _____(o) Gabriela in Hamburg gespielt. „Da _____(p) ein Mann zu mir gesagt: ,Wenn Sie meine Tochter _____(q), dann _____(r) ich Ihnen diesen Beruf verbieten'", erzählt sie. Natürlich _____(s) Gabrielas Eltern auch glücklicher, wenn ihre Tochter einen „richtigen" Beruf _____(t). Es _____(u) ihnen lieber, wenn Gabriela zu Hause wohnen _____(v) oder einen Mann und Kinder _____(w). Aber Gabriela _____(x) schon immer ihre eigenen Ideen.

Nach Übung

16

im Kursbuch

21. Was paßt?

a) auf dem Kopf : Haare / im Gesicht : _____
b) Dollar : Cent / Mark : _____
c) wegfahren : Koffer packen / nach Hause kommen : Koffer _____
d) Museum : Ausstellung / Theater : _____
e) im Film spielen : Schauspieler / den Film sehen : _____
f) in der Arbeitszeit : arbeiten / in der Pause : _____
g) Fuß : Zehe / Hand : _____
h) Woche : Tage / Stunde : _____
i) ruhig : Ruhe / laut : _____
j) sich freuen : lachen / traurig sein : _____
k) Buch : schreiben / Bild : _____
l) Erdbeere : Pflanze / Apfel : _____

Nach Übung

16

im Kursbuch

22. Was paßt?

nützen	Eingang/Ausgang	Ordnung	Qualität	Kaufhaus	feucht
öffentlich	Lautsprecher	Spezialität	möglich	regelmäßig	kaum

a) vielleicht, es könnte sein: _____
b) gut/schlecht machen, gute/schlechte Ware: _____
c) großes Geschäft, man kann alles kaufen: _____
d) hat nicht jeder, besonderes Produkt: _____
e) Haus, Geschäft, Tür, Tor: _____
f) Radio, Fernsehen, hören: _____
g) für alle, nicht privat: _____
h) jede Woche, jeden Tag, jeden Sonntag: _____
i) nicht ganz trocken: _____
j) gut für eine Person/eine Sache, Vorteile bringen: _____
k) sehr selten, fast nie: _____
l) alle Dinge haben einen festen Platz: _____

23. Was paßt am besten?

```
        verbieten              sich ausruhen              gern haben

  sich beschweren      legen      laut sein      leihen      lachen
```

a) ruhig sein – _____
b) nicht mögen – _____
c) gut finden – _____
d) stellen – _____

e) kaufen – _____
f) die Erlaubnis geben – _____
g) weinen – _____
h) arbeiten – _____

24. Ergänzen Sie die Modalverben im Konjunktiv („sollt-", „müßt-", „könnt-", „dürft-").

a) Sonja ist erst 8 Jahre alt. Eigentlich _____*dürfte*_____ sie den Kriminalfilm nicht sehen, aber sie tut es trotzdem, weil ihre Eltern nicht zu Hause sind.

b) Wenn Manfred mit der Schule aufhören würde, dann _____ er sofort arbeiten und Geld verdienen.

c) Wenn Manfred den Schulabschluß machen möchte, dann _____ er noch ein Jahr zur Schule gehen.

d) „Du _____ unbedingt deinen Schulabschluß machen", hat seine Mutter ihm geraten.

e) Manfred _____ vielleicht sogar auf das Gymnasium gehen, wenn er den Realschulabschluß machen würde.

f) Wenn Vera nicht bei ihren Eltern wohnen _____, dann hätte sie große Probleme, weil sie dann eine eigene Wohnung mieten _____.

g) Anita möchte die Stelle in Offenbach nicht nehmen, weil sie dann jeden Tag 35 Kilometer zur Arbeit fahren _____.

h) Auf dem Rathausplatz in Hamburg _____ Gabriela eigentlich nicht spielen, aber sie tut es trotzdem.

25. Ihre Grammatik. Ergänzen Sie.

	ich	du	er/sie/es/man	wir	ihr	sie	Sie
müssen	*müßte*						
dürfen							
können							
sollen							

Lektion 4

Vocabulary

verbs

abholen	*to collect, to fetch*	passieren	*to happen*
abmelden	*here: to take off the road*	pflegen	*to look after*
		prüfen	*to check, to examine*
anmelden	*here: to register*	reparieren	*to repair*
ausgeben	*to spend (money)*	schlafen	*to sleep*
bedienen	*here: to operate*	schneiden	*to cut*
bekommen	*to get*	sorgen für	*to take care of*
beraten	*to advise*	tanken	*to tank up, to get petrol / gas*
bezahlen	*to pay*		
brauchen	*to need, to require*	überzeugen	*to convince*
bringen	*to bring, to take*	verbrauchen	*to consume*
einkaufen	*to shop*	verkaufen	*to sell*
erklären	*to explain*	verlieren	*to lose*
funktionieren	*to work, to function*	versuchen	*to try*
kontrollieren	*to check, to inspect*	warnen vor	*to warn of*
sich leisten	*to afford*	wechseln	*to change*

nouns

s Abendessen, -	*evening meal, dinner*	e Information, -en	*information*
e Arbeit, -en	*work, job*	s Jahr, -e	*year*
r Arbeiter, -	*worker*	e Kasse, -n	*cash register, till*
r Artikel, -	*article, item*	r Kilometer, -	*kilometre*
s Auto, -s	*car*	r Kofferraum, ¨e	*boot, trunk*
e Batterie, -n	*battery*	e Konkurrenz	*competition*
s Benzin	*petrol, gas*	r Kredit, -e	*loan*
e Bremse, -n	*brake*	r Kunde, -n	*customer*
s Büro, -s	*office*	e Lampe, -n	*lamp*
e Chance, -n	*opportunity*	r Lastwagen, -	*lorry, truck*
r Dank	*thanks*	e Länge	*length*
r Diesel	*diesel*	r Liter, -	*litre*
r Donnerstag	*Thursday*	r Lohn, ¨e	*wage*
die Eheleute	*married couple*	e Mark	*German currency*
(s) Europa	*Europe*	e Maschine, -n	*machine*
r Freitag	*Friday*	r Mechaniker, -	*mechanic*
s Gas	*gas*	r Meister, -	*master craftsman*
s Geld	*money*	r Motor, -en	*engine*
e Geschwindigkeit, -en	*speed*	s Öl	*oil*
s Gewicht, -e	*weight*	e Panne, -n	*breakdown*
s Haus, ¨er	*house*	r Prospekt, -e	*brochure*
r Haushalt	*household*	e Reparatur, -en	*repair*
e Heizung	*heating*	e Situation, -en	*situation*

r Spiegel, -	*mirror*	r Verkehr	*traffic*
e Steuer, -n	*tax*	e Versicherung, -en	*insurance, insurance company*
r Strom	*electricity*	r Vorname, -n	*Christian name*
e Summe, -n	*sum, total*	s Wasser	*water*
e Tankstelle, -n	*petrol / gas station*	e Werkstatt, ¨en	*garage (car repair)*
r Unfall, ¨e	*accident*	e Wohnung, -en	*flat, apartment*
r Unterricht	*lessons*	e Zeitschrift, -en	*magazine*
r Urlaub	*holidays, vacation*	r Zug, ¨e	*train*
e Überweisung, -en	*(credit) transfer*	r Zuschlag, ¨e	*supplement*
r Verkäufer, -	*salesman*		

adjectives

automatisch	*automatic*	kompliziert	*complicated*
bequem	*comfortable*	langsam	*slow*
billig	*cheap*	niedrig	*low*
direkt	*direct*	normal	*normal*
durchschnittlich	*average*	preiswert	*cheap, good value*
eigen-	*of one's own*	schwach	*weak*
früh	*early*	technisch	*technical*
geöffnet	*open*	teuer	*expensive*
hoch	*high*	unterschiedlich	*variable*
kaputt	*broken*	wahr	*true*

adverbs

danach	*after, afterwards*	nachmittags	*in the afternoon*
dienstags	*on Tuesdays*	vormittags	*in the morning*
links	*(on the) left*	vorne	*at the front*
montags	*on Mondays*	zuerst	*first*
morgen (Mittag)	*tomorrow (lunchtime)*		

function words

daraus	*out of it*	wenig	*little*
pro	*per*	wieviel?	*how much?*

expressions

Das dürfen Sie nicht so einfach!	*You just can't do that!*	frei haben	*to be off, to have a day off*
Das können Sie doch nicht machen!	*You just can't do that!*	noch einmal	*once again*
eine Frage stellen	*to ask a question*	recht haben	*to be right*
Erfolg haben	*to be successful*	Verzeihung!	*Sorry!, Excuse me!*
es geht	*not too bad, alright*	wie lange?	*how long?*
		rund ums Auto	*everything to do with the car*

Lektion 4

Grammar

1. The declension of the comparative and superlative form of the adjective (§ 7 p. 133)

ex.
3
4

In "Themen neu 1", chapter 9, 4., you were introduced to the comparative and superlative form of the adjectives. In "Themen neu 2", chapter 1, 1., you learnt that adjectives have endings when positioned in front of a noun. This also applies to the comparative and the superlative forms of the adjectives.

simple form:	Der Ford ist klein.	Der Ford ist der kleine Wagen.
comparative:	Der Fiat ist kleiner.	Der Fiat ist der kleinere Wagen.
superlative:	Der Opel ist am kleinsten.	Der Opel ist der kleinste Wagen.

The examples on the left show the adjectives as complements and therefore they have no endings. The examples on the right show the adjectives in front of a noun. Therefore they have endings as explained in chapter 1.

Remember: In the superlative things are slightly more complicated. *Am* is replaced by a definite article, *-en* is dropped. The adjective ending is added to *-st*.

am kleinsten   der kleinste Wagen   den kleinsten Wagen (accusative)
die kleinste Badewanne
das kleinste Haus
die kleinsten Tiere

1.1. Exercise: Supply the appropriate endings where necessary in the following conversation.

○ Ihr wollt ein neues Auto kaufen, sagt deine Frau. Was für eins denn?

□ Dieses Mal möchten wir ein kleiner____(a) . Du hast doch den neuen Corsa. Bist du zufrieden?

○ Eigentlich ja. Er ist der teuerst____(b) von den Kleinwagen, aber er hat den stärkst____(c) Motor. Übrigens ist sein Benzinverbrauch niedriger____(d) als der vom Polo.

□ Das habe ich auch schon gehört. Der Polo ist wohl der unattraktivst____(e) von allen Kleinwagen. Viele sagen, VW bietet eine besser____(f) Qualität und einen besser ____(g) Werkstattservice als die anderen Firmen. Aber das stimmt doch nicht mehr. Die Japaner zum Beispiel bauen keine schlechter____(h) Autos als die Deutschen. Letzte Woche habe ich mir mal den neust____(i) Nissan, den Micra, angesehen. Sein Kofferraum ist etwas kleiner____(j) als der von den anderen Kleinwagen, aber dafür hat er den günstigst____(k) Preis, den niedrigst____(l) Verbrauch und die niedrigst____(m) Kosten pro Monat. Das ist mir am wichtigst____(n).

2. Comparisons

You have already come across the following structures used when comparing objects or people (see chapter 1, 2.).

ex.
5
6

Der Opel fährt <u>so schnell wie</u> der Ford.
Der Renault fährt <u>schneller als</u> der Ford.

The same structures can be used when the second noun in the comparison is replaced by a whole sentence.

The Opel fährt <u>so schnell, wie</u> im Prospekt steht.
Der Renault fährt <u>schneller, als</u> im Prospekt steht.

In these cases *wie* and *als* introduce a subordinate clause. Therefore its $verb_1$ goes to the end of the subordinate clause. A comma separates main and subordinate clause.

2.1. Exercise: Complete the following sentences

a) ○ Verbraucht der Renault Clio so viel Benzin, wie im Prospekt steht?
   ☐ Nein, er verbraucht weniger Benzin, _____ .

b) ○ Fährt der Opel Corsa so schnell, _____ der Verkäufer gesagt hat?
   ☐ Nein, er fährt nicht so _____ .

c) ○ Kostet der Ford Fiesta so viel, wie im Prospekt steht?
   ☐ Nein, er ist teurer, _____ .

d) ○ Ist der Renault Clio _____ , wie du gedacht hast?
   ☐ Nein, er ist sogar bequemer, _____ .

3. The Passive (§ 21 p. 140)

3.1. The formation of the passive

The passive is formed with the auxiliary *werden* and the past participle of the main verb. As with the perfect tense the past participle takes position $verb_2$.

ex.
13
14
15
16
19

Das Auto <u>wird</u> gerade <u>repariert</u>.

The following example shows the passive of *brauchen* in the present tense.

brauchen		

ich	werde	...	gebraucht	wir	werden	...	gebraucht
du	wirst	...	gebraucht	ihr	werdet	...	gebraucht
er / sie / es	wird	...	gebraucht	sie / Sie	werden	...	gebraucht

Lektion 4

3.2. The use of the passive

As in English the passive is generally used when the action is focussed upon, rather than the person(s) who do(es) the action (agent), e.g.
Der Motor <u>wird geprüft</u>.

Important here is that the engine is being checked. It is irrelevant by whom. If you wanted to include the agent you could choose between the following two alternatives:

active:	Der Mechaniker prüft den Motor.	The mechanic is checking the engine.
passive:	Der Motor wird <u>von</u> dem Mechaniker geprüft.	The engine is being checked by the mechanic.

In the passive the agent can be added using *von* which is always followed by the dative. *Von* is the equivalent of English "by".

3.3. Transformation active – passive

As you can see from the examples in 3.2. there is a connection between the active and the passive sentence. As in English the accusative object of the active sentence becomes the subject of the passive sentence. The subject of the active sentence may be included in the passive sentence using *von* + DATIVE.

active: <u>Arbeiter</u> prüfen <u>den Motor</u>.

passive: <u>Der Motor</u> wird <u>von Arbeitern</u> geprüft.

3.4. Sentence structure

	preverbal position	verb$_1$	subject	qualifiers	complement	verb$_2$
active	Arbeiter	prüfen			das Auto.	
passive	Das Auto Von Arbeitern	wird wird	das Auto	von Arbeitern		geprüft. geprüft.

As you can see from the table above the verb$_1$-verb$_2$ bracket structure, which you already know from modal verbs, separable verbs and the perfect tense, also applies to the passive. The agent introduced by *von* takes either the position qualifiers or the preverbal position.

4. *Werden*

Werden is used

A. as an auxiliary to form the passive. In this case it corresponds to English "to be".
Das Auto <u>wird</u> jedes Jahr geprüft.   The car is checked every year.

B. in its grammatical form *würde-* to form the subjunctive II (see chapter 3, 3.).
Sabine <u>würde</u> fahren, wenn …   Sabine would go if …

C. as a main verb. It corresponds to the English idea of "to become".
Ich <u>werde</u> müde.   I'm becoming tired.
Peter <u>wird</u> Lehrer.   Peter is going to be a teacher.

5. The preposition *bei*

Bei is always followed by the dative case. It is used to express

A. where you work.
Jürgen März arbeitet bei einer Autoreifenfabrik.   … "works for" …
Bernd Ebers arbeitet bei Opel.   … "works for" …

B. that you are in somebody else's "house".
Philipp ist beim Arzt.   … "at the doctor's" …
Sabine ist beim Friseur.   … "at the hairdresser's" …

6. Quantity

A. The following words are used to specify the amount of countable nouns in the plural.

<u>Wenige</u> Arbeiter machen Schichtarbeit.   Few workers work shifts.
<u>Ein paar</u> Arbeiter machen Schichtarbeit.   A few workers …
<u>Einige</u> Arbeiter machen Schichtarbeit.   Some …
<u>Manche</u> Arbeiter machen Schichtarbeit.   A number of …
<u>Mehrere</u> Arbeiter machen Schichtarbeit.   Several …
<u>Viele</u> Arbeiter machen Schichtarbeit.   Many …

All these words are declined like the definite article in the plural with the exception of *ein paar* which is never declined.
Remember not to confuse *ein paar* with *ein Paar* (= a pair, a couple, always meaning "two").

Lektion 4

B. The following words are used to specify the amount of non-countable nouns which are always in the singular.

Er hat <u>ein bißchen</u> Zeit.	He has a little time.
Er hat <u>wenig</u> Zeit.	He has little time.
Er hat <u>viel</u> Zeit.	He has a lot of time.

Ein bißchen and *wenig* are never declined.

The use of *viel* is irregular, it sometimes is not and sometimes is declined e.g. *vielen Dank).*

These words can also be used as adverbs, i.e. in conjunction with verbs.

Er arbeitet <u>ein bißchen</u>.	He works a little.
Er arbeitet <u>wenig</u>.	He doesn't work a lot.
Er arbeitet <u>viel</u>.	He works a lot.

7. Writing: Structuring a text with adverbs of time

The following words are used to express the chronological order of events.

zuerst	=	first
dann	=	then
danach	=	after that / it
später	=	later
zuletzt	=	last
zum Schluß	=	finally

The following words are used to express a deviation from the chronological order of events, i.e. what happened before or after.

vorher	=	before(hand)
nachher	=	afterwards
früher	=	in the past

All these adverbs take position qualifiers or, if emphasised, the preverbal position.

preverbal position	verb$_1$	subject	complement	qualifiers	complement	verb$_2$
Zuerst	formt	eine Maschine			die Bleche.	
Eine Maschine	formt			zuerst	die Bleche.	

There are many more words that help structure a longer text to make it easier for the reader to understand.

7.1. Exercise: Write a story about the events of the day listed in the right hand column using the words on the left to structure the text.

und / heute früh / dann	– Unfall haben
dort / dann / leider	– Auto kaputt
zuerst / dort / vorher	– Polizei anrufen
zuletzt / zwanzig Minuten später / und	– Unfallwagen und Polizeiwagen kommen
da / zum Schluß / dann	– Auto zur Werkstatt bringen
danach / plötzlich / früher	– ins Büro fahren und zu spät kommen
dort / zuerst / am Nachmittag	– Chef auf mich warten
nachher / natürlich / dort	– er sich aufregen
am Nachmittag / dort / und	– wieder zur Werkstatt fahren
sofort / natürlich / da	– Kfz-Mechaniker erklärt: die Reparatur kostet DM 1900
zum Schluß / und / vorher	– müde nach Hause gehen und ein Bier trinken

Lektion 4

Nach Übung

1

im Kursbuch

1. Was paßt wo?

Benzinverbrauch	Geschwindigkeit	Leistung	Kosten	Länge	
Gewicht				Alter	

a) Kilowatt, PS: _____

b) D-Mark: _____

c) Jahre: _____

d) Kilogramm, Gramm: _____

e) Meter, Zentimeter: _____

f) Kilometer in der Stunde: _____

g) Liter auf 100 Kilometer: _____

Nach Übung

1

im Kursbuch

2. Wie heißt das Gegenteil?

schwer	viel	preiswert/billig	niedrig/tief	schnell	stark	lang
		klein	leise			

a) langsam – _____

b) groß – _____

c) laut – _____

d) kurz – _____

e) hoch – _____

f) teuer – _____

g) wenig – _____

h) schwach – _____

i) leicht – _____

Nach Übung

2

im Kursbuch

3. Ergänzen Sie.

Der neu_____ Gaudi 26: Ihr Auto für die Zukunft!

Sein stärker_____ Motor, seine höher_____ Geschwindigkeit, sein größer_____ Kofferraum (430 Liter), seine breiter_____ Türen, seine bequemer_____ Sitzplätze – das sind nur einige Argumente. Aber er hat nicht nur einen stärker_____, sondern auch einen sauberer_____ Motor durch den neu_____, besser_____ 3-Wege-Katalysator. Der niedriger_____ Benzinverbrauch bedeutet auch: niedriger_____ Kosten. Der neu_____ Gaudi 26 gibt Ihnen größer_____ Sicherheit durch Airbag, ABS und das Gaudi-Sicherheitssystem *R.E.U.S.*
Gaudi 26 – die moderner_____ Technik –
Gaudi 26 – das besser_____ Auto!

4. Ihre Grammatik. Ergänzen Sie.

Nach Übung

3

im Kursbuch

	a)	b)
Nominativ	Das ist… …der *höchste* Verbrauch. …die *höch* Geschwindigkeit. …das *höch* Gewicht. Das sind die *höch* Kosten.	Das ist… …ein *niedriger* Verbrauch. …eine *nied* Geschwindigkeit. …ein _____ Gewicht. Das sind _____ Kosten.
Akkusativ	Dieser Wagen hat… …den _____ Verbrauch. …die _____ Geschwindigkeit. …das _____ Gewicht. …die _____ Kosten.	Dieser Wagen hat… …einen _____ Verbrauch. …eine _____ Geschwindigkeit. …ein _____ Gewicht. …_____ Kosten.
Dativ	Das ist der Wagen mit… …dem _____ Verbrauch. …der _____ Geschwindigkeit. …dem _____ Gewicht. …den _____ Kosten.	Es gibt einen Wagen mit… …einem _____ Verbrauch. …einer _____ Geschwindigkeit. …einem _____ Gewicht. …_____ Kosten.

5. „Wie" oder „als"? Ergänzen Sie.

Nach Übung

3

im Kursbuch

a) Den Corsa finde ich besser _____ den Renault.

b) Der Fiesta fährt fast so schnell _____ der Fiat.

c) Der Fiat hat einen genauso starken Motor _____ der Opel.

d) Der Fiesta verbraucht weniger Benzin _____ der Corsa.

e) Der Fiesta hat einen fast so großen Kofferraum _____ der Uno.

f) Es gibt keinen günstigeren Kleinwagen _____ den Uno.

g) Kennen Sie einen schnelleren Kleinwagen _____ den Renault Clio?

h) Der Renault kostet genauso viel Steuern _____ der Corsa.

6. Sagen Sie es anders.

Nach Übung

4

im Kursbuch

a) Man hat mir gesagt, das neue Auto verbraucht weniger Benzin. Aber das stimmt nicht.
   Das neue Auto verbraucht mehr Benzin, als man mir gesagt hat.

b) Man hat mir gesagt, das neue Auto verbraucht weniger Benzin. Das stimmt wirklich.
   Das neue Auto verbraucht genauso wenig Benzin, wie man mir gesagt hat.

c) Du hast gesagt, die Kosten für einen Renault sind sehr hoch. Du hattest recht.

d) Der Autoverkäufer hat uns gesagt, der Motor ist erst 25 000 km gelaufen. Aber das ist falsch. Der Motor ist viel älter.

e) Im Prospekt steht, der Wagen fährt 150 km/h. Aber er fährt schneller.

f) In der Anzeige schreibt Renault, der Wagen fährt 155 km/h. Das stimmt.

g) Der Autoverkäufer hat mir erzählt, den Wagen gibt es nur mit einem 65-PS-Motor. Aber es gibt ihn auch mit einem schwächeren Motor.

h) Früher habe ich gemeint, Kleinwagen sind unbequem. Aber jetzt finde ich das nicht mehr.

Lektion 4

Nach Übung

6

im Kursbuch

7. Was paßt nicht?

a) Auto: einsteigen, fahren, gehen, aussteigen.
b) Schiff: schwimmen, fließen, segeln, fahren.
c) Flugzeug: fahren, fliegen, einsteigen, steuern.
d) Spaziergang: gehen, wandern, laufen, fahren.
e) Fahrrad: fahren, klingeln, hinfallen, gehen.

Nach Übung

7

im Kursbuch

8. Ergänzen Sie.

| Batterie | Bremsen | Reifen | Spiegel | Panne | Benzin | Lampe | Werkstatt |
| Werkzeug | | Unfall | | | | | |

a) Wenn der Tank leer ist, braucht man _____.
b) Eine _____ ist kaputt, deshalb funktioniert das Fahrlicht nicht.
c) Ich kann die Bremsen nicht prüfen. Mir fehlt das richtige _____.
d) Ich kann hinter mir nichts sehen, der _____ ist kaputt.
e) Oh Gott! Ich kann nicht mehr anhalten! Die _____ funktionieren nicht.
f) Wir können nicht mehr weiterfahren; wir haben eine _____.
g) Der Wagen hat zuwenig Luft in den _____; das ist gefährlich.
h) Der Motor startet nicht. Vielleicht ist die _____ leer.
i) Jetzt ist mein Wagen schon seit drei Tagen in der _____, und er ist immer noch nicht fertig.
j) Die Tür vorne rechts ist kaputt, weil ich einen _____ hatte.

Nach Übung

7

im Kursbuch

9. Was kann man nicht sagen?

a) Ich muß meinen Wagen | *waschen.*
tanken.
baden.
abholen.
parken.

d) Ist der Wagen | *preiswert?*
blau?
fertig?
blond?
neu?

b) Der Tank ist | *kaputt.*
schwierig.
leer.
voll.
groß.

e) Das Auto | *verliert*
braucht
hat genug
verbraucht
nimmt | Öl.

c) Ich finde, der Motor läuft | *zu langsam.*
sehr gut.
nicht richtig.
zu schwierig.
sehr laut.

f) Mit diesem Auto können Sie | *gut laufen.*
schnell fahren.
gut parken.

10. „Gehen" hat verschiedene Bedeutungen.

Nach Übung

9

im Kursbuch

A. Als Frau alleine Straßentheater machen – das *geht* doch nicht!
(Das soll man nicht tun. Das ist nicht normal.)
B. Das Fahrlicht *geht* nicht.
(Etwas ist kaputt oder funktioniert nicht.)
C. Können Sie bis morgen mein Auto reparieren? *Geht* das?
(Ist das möglich?)
D. Wie *geht* es dir?
(Bist du gesund und zufrieden? Hast du Probleme?)
E. Warum willst du mit dem Auto fahren? Wir können doch *gehen*.
(zu Fuß gehen, laufen, nicht fahren)
F. Inge ist acht Jahre alt. Sie *geht* seit zwei Jahren zur Schule.
(die Schule oder die Universität oder einen Kurs besuchen)
G. Wir *gehen* oft ins Theater. / Wir *gehen* jeden Mittwoch schwimmen.
(zu einem anderen Ort gehen oder fahren und dort etwas tun)

Welche Bedeutung hat „gehen" in den folgenden Sätzen?

1. Meiner Kollegin geht es heute nicht so gut. Sie hat Kopfschmerzen.
2. Geht ihr heute abend ins Kino?
3. Kann ich heute bei dir fernsehen? Mein Gerät geht nicht.
4. Wenn man Chemie studieren will, muß man 5 bis 6 Jahre zur Universität gehen.
5. Geht das Radio wieder?
6. Gaby trägt im Büro immer so kurze Röcke. Ich finde, das geht nicht.
7. Ich gehe heute nachmittag einkaufen.
8. Warum gehst du denn so langsam?
9. Wie lange gehst du schon in den Deutschkurs?
10. Max trinkt immer meine Milch. Das geht doch nicht!
11. Geht es Ihrer Mutter wieder besser?
12. Ich möchte kurz mit Ihnen sprechen. Geht das?
13. Ich gehe lieber zu Fuß. Das ist gesünder.
14. Sie wollen mit dem Chef sprechen? Das geht leider nicht.

Lektion 4

Nach Übung

9

im Kursbuch

11. Schreiben Sie einen Dialog.

Ja, da haben Sie recht, Frau Becker. Na gut, wir versuchen es, vielleicht geht es ja heute doch noch.

Mein Name ist Becker. Ich möchte meinen Wagen bringen.

Nein, das ist alles. Wann kann ich das Auto abholen?

Morgen nachmittag erst? Aber gestern am Telefon haben Sie mir doch gesagt, Sie können es heute noch reparieren.

Das interessiert mich nicht. Sie haben es versprochen!

Morgen nachmittag.

Die Bremsen ziehen immer nach rechts, und der Motor braucht zuviel Benzin.

Es tut mir leid, Frau Becker, aber wir haben so viel zu tun. Das habe ich gestern nicht gewußt.

Noch etwas?

Ach ja, Frau Becker. Sie haben gestern angerufen. Was ist denn kaputt?

○ *Mein Name ist Becker. Ich möchte meinen Wagen bringen.*

□ _____

○ ...

Nach Übung

11

im Kursbuch

12. Was paßt wo? (Einige Wörter passen zu mehr als zu einem Verb.)

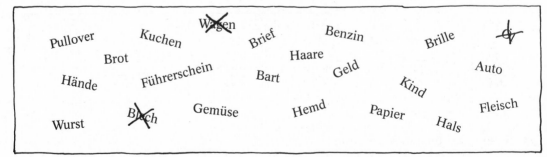

Pullover   Kuchen   ~~Wagen~~   Brief   Benzin   Brille   ~~Öl~~
Brot   Haare   Auto
Hände   Führerschein   Bart   Geld   Kind
Wurst   ~~Blech~~   Gemüse   Hemd   Papier   Hals   Fleisch

verlieren	schneiden	waschen
Öl	*Blech*	*Wagen*

76   sechsundsiebzig

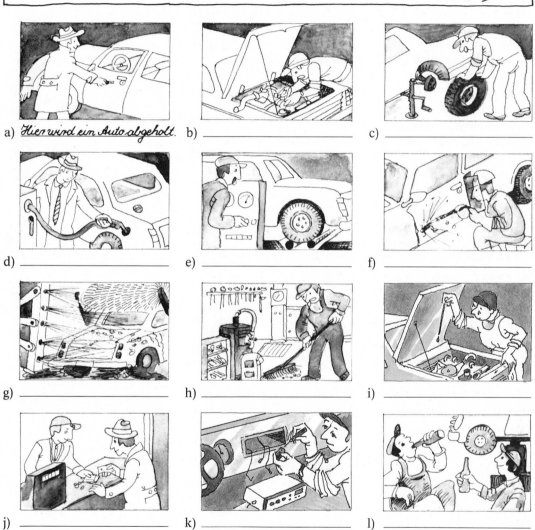

13. Arbeiten in einer Autowerkstatt. Was passiert hier? Schreiben Sie.

Nach Übung

11

im Kursbuch

> Radio montieren   Bremsen prüfen   reparieren   waschen   arbeiten   tanken
> sauber machen   Rechnung bezahlen   schweißen   Öl prüfen   wechseln   ~~abholen~~

a) *Hier wird ein Auto abgeholt.*   b) _____   c) _____

d) _____   e) _____   f) _____

g) _____   h) _____   i) _____

j) _____   k) _____   l) _____

14. Ihre Grammatik. Ergänzen Sie.

Nach Übung

11

im Kursbuch

ich	du	Sie	er/sie/es/man	wir	ihr	sie/Sie
werde abgeholt	*w*					

Lektion 4

Nach Übung

im Kursbuch

15. Familie Sommer: Was wird von wem gemacht?

a) Kinder wecken (Vater)   *Die Kinder werden vom Vater geweckt.*

b) Kinder anziehen (Mutter)

c) Frühstück machen (Vater)

d) Kinder zur Schule bringen (Vater)

e) Geschirr spülen (Geschirrspüler)

f) Wäsche waschen (Waschmaschine)

g) Kinderzimmer aufräumen (Kinder)

h) Hund baden (Kinder)

i) Kinder ins Bett bringen (V. und M.)

j) Wohnung putzen (Vater)

k) Essen kochen (Vater)

l) Geld verdienen (Mutter)

Nach Übung

im Kursbuch

16. Ihre Grammatik. Ergänzen Sie.

a) Die Karosserien werden von Robotern geschweißt.

b) Roboter schweißen die Karosserien.

c) Morgens wird das Material mit Zügen gebracht.

d) Züge bringen morgens das Material.

e) Der Vater bringt die Kinder ins Bett.

f) Die Kinder werden vom Vater ins Bett gebracht.

	Vorfeld	Verb₁	Subjekt	Ergänzung	Angabe	Ergänzung	Verb₂
a)	*Die Karosserien*	*werden*			*von Robotern*		*geschweißt.*
b)							
c)							
d)							
e)							
f)							

17. Was können Sie auch sagen?

Nach Übung

11

im Kursbuch

a) *Die schweren Arbeiten werden von Robotern gemacht.*
   - Ⓐ Die Roboter machen die Arbeit schwer.
   - Ⓑ Die schweren Roboter werden nicht von Menschen gemacht.
   - Ⓒ Die Roboter machen die schweren Arbeiten.

b) *In unserer Familie wird viel gesungen.*
   - Ⓐ In unserer Familie singen wir oft.
   - Ⓑ Unsere Familie singt immer.
   - Ⓒ Unsere Familie singt meistens hoch.

c) *Worüber wird morgen im Deutschkurs gesprochen?*
   - Ⓐ Mit wem sprechen wir morgen im Deutschkurs?
   - Ⓑ Spricht morgen jemand im Deutschkurs?
   - Ⓒ Über welches Thema sprechen wir morgen im Deutschkurs?

d) *Kinder werden nicht gerne gewaschen.*
   - Ⓐ Keiner wäscht die Kinder.
   - Ⓑ Kinder mögen es nicht, wenn man sie wäscht.
   - Ⓒ Kinder wäscht man meistens nicht.

e) *Wird der Wagen zu schnell gefahren?*
   - Ⓐ Fährt der Wagen zu schnell?
   - Ⓑ Ist der Wagen meistens sehr schnell?
   - Ⓒ Fahren Sie den Wagen zu schnell?

f) *In Deutschland wird viel Kaffee getrunken.*
   - Ⓐ Man trinkt viel Kaffee, wenn man in Deutschland ist.
   - Ⓑ Wenn man viel Kaffee trinkt, ist man oft in Deutschland.
   - Ⓒ Die Deutschen trinken viel Kaffee.

18. Berufe rund ums Auto.

Nach Übung

12

im Kursbuch

a) Ordnen Sie zu.

A.	Ein Autoverkäufer		B.	Ein Tankwart		C.	Eine Berufskraftfahrerin

1	bekommt Provisionen		7	ist oft von der Familie getrennt.
2	fährt täglich 500 bis 700 Kilometer.		8	muß auch Büroarbeit machen.
3	hat keine leichte Arbeit.		9	muß auch technische Arbeiten machen.
4	hat oft unregelmäßige Arbeitszeiten.		10	muß immer pünktlich ankommen.
5	ist meistens an der Kasse.		11	verkauft Autos.
6	kann Kredite und Versicherungen besorgen.		12	verkauft Benzin, Autozubehörteile und andere Artikel.

b) Schreiben Sie drei Texte im Konjunktiv II.

A. *Wenn ich Autoverkäufer wäre, würde ich Pr...   Ich ... und ...*
B. *Wenn ich Tank...*
C. *Wenn ...*

Lektion 4

19. Setzen Sie die Partizipformen ein.

a) (anrufen)
○ Hast du schon die Werkstatt _____?
□ Ich werde von der Werkstatt _____.

b) (reparieren)
○ Hat der Mechaniker das Auto _____?
□ Nein, das Auto wird später _____.

c) (aufmachen)
○ Hat die Tankstelle schon _____?
□ Nein, sie wird erst um 9 Uhr _____.

d) (versorgen)
○ Hat Thomas die Kinder _____?
□ Die Kinder werden von Brigitte _____.

e) (bedienen)
○ Hat man dich schon _____?
□ Nein, hier wird man nicht gut _____.

f) (verkaufen)
○ Hast du dein Auto _____?
□ Nein, das wird nicht _____.

g) (wechseln)
○ Hat Martin die Reifen _____?
□ Nein, die Reifen werden von der Werkstatt _____.

h (beraten)
○ Hat man dich hier gut _____?
□ Ja, hier wird man gut _____.

i) (anmelden)
○ Hast du deinen neuen Wagen _____?
□ Der wird von der Autofirma _____.

j) (besorgen)
○ Hast du dir einen Kredit _____?
□ Der wird mir vom Autoverkäufer _____.

k) (pflegen)
○ Hast du dein Auto immer gut _____?
□ Das wird von meinem Bruder _____.

l) (montieren)
○ Hast du das Autoradio _____?
□ Nein, das wird vom Mechaniker _____.

m) (kontrollieren)
○ Hat Herr Meyer die Kasse _____?
□ Die wird von Herrn Müller _____.

n) (vorbereiten)
○ Haben Sie die Reparatur _____?
□ Die wird vom Meister _____.

o) (zurückgeben)
○ Hat man dir das Geld _____?
□ Nein, das wird nicht _____.

p) (einschalten)
○ Haben Sie das Fahrlicht _____?
□ Nein, das wird noch nicht _____.

q) (bezahlen)
○ Hast du die Rechnung schon _____?
□ Nein, die wird auch nicht _____.

r) (kündigen)
○ Hast du die Versicherung _____?
□ Nein, die wird auch nicht _____.

s) (schreiben)
○ Haben Sie die Rechnung _____?
□ Die wird doch vom Computer _____.

t) (liefern)
○ Hat man schon die neuen Teile _____?
□ Nein, die werden morgen mit der Bahn _____.

20. Wo arbeiten diese Leute?

Nach Übung

13

im Kursbuch

> Sekretär(in) Roboter Tankwart(in) Autoverkäufer(in) Meister(in)
> Mechaniker(in) Buchhalter(in)
> Facharbeiter(in) Schichtarbeiter(in)
> Fahrlehrer(in) Taxifahrer(in) Berufskraftfahrer(in)

a) im Auto:

_____ , _____ , _____

b) im Autogeschäft:

_____ , _____ , _____

c) an der Tankstelle / in der Werkstatt:

_____ , _____ , _____

d) in der Autofabrik:

_____ , _____ , _____

21. Ergänzen Sie.

Nach Übung

14

im Kursbuch

a) Franziska ist _____ Jürgen verheiratet.
b) Jürgen arbeitet seit 11 Jahren _____ einer Autoreifenfabrik.
c) Er sorgt _____ die Kinder und macht das Abendessen.
d) Die Arbeit ist nicht gut _____ das Familienleben.
e) Jürgen ist _____ seinem Gehalt zufrieden.
f) _____ Überstunden bekommt er 25% extra.
g) Arbeitspsychologen warnen _____ Schichtarbeit.
h) Da bleibt wenig Zeit _____ Gespräche.
i) Hier findet man Informationen _____ die wichtigsten Berufe.
j) Berufskraftfahrer sind oft mehrere Tage _____ ihrer Familie getrennt.
k) Der Beruf des Automechanikers ist _____ Jungen sehr beliebt.
l) Fahrlehrer bereiten die Fahrschüler _____ die Führerscheinprüfung vor.
m) _____ Selbständiger verdient man mehr.

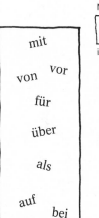

> mit
> von vor
> für
> über
> als
> auf bei

22. Was paßt nicht?

Nach Übung

15

im Kursbuch

a) Job – Beruf – Hobby – Arbeit
b) Frühschicht – Feierabend – Nachtschicht – Überstunden
c) Industrie – Arbeitgeber – Arbeitnehmer – Angestellter
d) Feierabend – Wochenende – Urlaub – Arbeitszeit
e) Urlaubsgeld – Gehalt – Haushalt – Stundenlohn
f) Firma – Kredit – Betrieb – Fabrik

Lektion 4

Nach Übung

15

im Kursbuch

23. Ein Interview mit Norbert Behrens.
Schreiben Sie die Fragen.

○ *Herr Behrens, was sind …*

☐ Ich bin Taxifahrer.
○ _____

☐ Nein, ich arbeite für ein Taxiunternehmen.
○ _____

☐ Ich bin jetzt 27.
○ _____

☐ Ich habe eigentlich immer Nachtschicht,
das heißt ich arbeite von 20 bis 7 Uhr.
○ _____

☐ Naja, nach dem Frühstück, also zwischen
8 und 14 Uhr.
○ _____

☐ Nein, das finde ich nicht so schlimm. Wenn ich nur am Tag besser schlafen könnte.
○ _____

☐ Weil der Straßenlärm mich stört.
○ _____

☐ Sie ist Krankenschwester.
○ _____

☐ Einen Sohn, er ist 4 Jahre alt.
○ _____

☐ Sie arbeitet nur morgens, zwischen 8 und 13 Uhr.
○ _____

☐ Da sind wir beide zu Hause. Dann machen wir gemeinsam den Haushalt, spielen mit dem
Kind, oder wir gehen einkaufen.
○ _____

☐ Weil wir sonst nicht genug Geld haben. Außerdem möchte ich ein eigenes Taxi kaufen und
mich selbständig machen.

Nach Übung

15

im Kursbuch

24. Wie heißt das Gegenteil?

wach	allein	gleich	leer	sauber	mehr	selten	zusammen	ruhig

a) nervös – _____   d) oft – _____   g) weniger – _____
b) getrennt – _____   e) müde – _____   h) gemeinsam – _____
c) schmutzig – _____   f) voll – _____   i) unterschiedlich – _____

25. Was paßt?

Nach Übung

17

im Kursbuch

Kredit	Haushaltsgeld	Rentenversicherung	Schichtarbeit	Steuern

Lohn

Arbeitslosenversicherung   Krankenversicherung   Überstunden   Gehalt

a) Wenn man mehr Stunden am Tag arbeitet, als man sonst muß, macht man
_____ .

b) Wenn man krank ist, möchte man Medikamente und Arztkosten nicht selbst bezahlen.
Deshalb hat man eine _____ .

c) Wenn man nicht regelmäßig arbeitet, also mal am Tag und mal nachts, macht man
_____ .

d) Ein Arbeiter bekommt für seine Arbeit einen _____ .

e) Ein Angestellter bekommt für seine Arbeit ein _____ .

f) Wenn man seine Arbeit verloren hat, bekommt man Geld von der _____ .

g) Für die Kosten im Haushalt und in der Familie braucht man _____ .

h) Wenn man sich Geld leiht, hat man einen _____ .

i) Herr Meier arbeitet nicht mehr. Deshalb bekommt er jetzt Geld von der _____ .

j) Der Bruttolohn ist der Nettolohn plus Versicherungen und _____ .

26. Was sehen Sie?

Nach Übung

17

im Kursbuch

a) Autobahn _____   e) Automechaniker _____

b) Autounfall _____   f) Autowerkstatt _____

c) Autozug _____   g) Lastwagen _____

d) Unfallauto _____   h) Werkstattauto _____

Lektion 5

Vocabulary

anrufen	to call, to telephone	leben	to live
aufpassen auf	to keep an eye on	lieben	to love
aufräumen	to tidy up, to clear up	meinen	to mean, to think
aufstehen	to get up	putzen	to clean
ausmachen	to switch off	rauchen	to smoke
berichten	to report, to tell	schimpfen	to scold, to tell someone off
denken über	to think of		
sich duschen	to take a shower	schlagen	to beat, to hit
einladen	to invite	schmecken	to taste
sich entschuldigen	to apologise	schwimmen	to swim
erziehen	to educate, to bring up	sich setzen	to sit down
fühlen	to feel	sparen	to save
hängen	to hang	spazierengehen	to go for a walk
hassen	to hate	sterben	to die
heiraten	to get married	streiten	to quarrel
hoffen	to hope	telefonieren mit	to telephone
kochen	to cook	töten	to kill
sich kümmern	to take care of	sich unterhalten	to talk to
sich langweilen	to be bored	wecken	to wake someone up

r Alkohol	alcohol	s Gesetz, -e	law
s Baby, -s	baby	s Gespräch, -e	conversation
e / r Bekannte	friend, acquaintance	die Großeltern	grandparents
(ein Bekannter)		e Großmutter, ¨	grandmother
r Chef, -s	(male) boss	r Großvater, ¨	grandfather
e Diskothek, -en	discotheque	r Herr, -en	here: master, boss
e Ehe, -n	marriage	r Ingenieur, -e	engineer
e Ehefrau, -en	wife	e Jugend	youth
s Ehepaar, -e	married couple	s Kind, -er	child
die Eltern	parents	die Kleider	clothes
e Erziehung	upbringing	e Küche, -n	kitchen
s Essen	meal	r Kühlschrank, ¨e	refrigerator
e Familie, -n	family	e Laune, -n	mood
r Fehler, -	mistake	s Leben	life
r Fernseher, -	television set	s Mädchen, -	girl
e Flasche, -n	bottle	s Menü, -s	set menu
e Frau, -en	woman	e Mutter, ¨	mother
r Freund, -e	(male) friend	r Nachbar, -n	neighbour
e Freundin, -nen	(female) friend	r Neffe, -n	nephew
r Geburtstag, -e	birthday	e Nichte, -n	niece

r Onkel, -	*uncle*	r Sohn, ⸚e	*son*
s Paar, -e	*couple*	e Tante, -n	*aunt*
e Pause, -n	*break, rest*	e U-Bahn, -en	*underground, subway*
s Prozent, -e	*per cent*	r Unsinn	*nonsense, rubbish*
e Ruhe	*peace, quiet*	e Untersuchung, -en	*here: survey*
r Salat, -e	*salad*	s Urteil, -e	*judgement*
e Sauce, -n	*sauce, gravy*	r Vater, ⸚	*father*
r Schrank, ⸚e	*cupboard, wardrobe*	s Viertel, -	*quarter*
e Schwester, -n	*sister*	r Wunsch, ⸚e	*wish, request*

adjectives

aktiv	*active, energetic*	höflich	*polite*
allein	*alone, on one's own*	kritisch	*critical*
ärgerlich	*annoyed, cross*	ledig	*single (not married)*
besetzt	*here: engaged, occupied*	neugierig	*curious, nosy*
dauernd	*all the time, permanent*	spät	*late*
deutlich	*clear*	still	*quiet*
doof	*stupid, dumb*	überzeugt	*convinced*
frei	*free, here: liberal*	unfreundlich	*unfriendly*
früher	*in the past*	unmöglich	*impossible*
glücklich	*happy*	verheiratet	*married*

adverbs

damals	*then, at that time*	schließlich	*eventually, in the end*
gern	*to like doing something*	sofort	*at once, immediately*
		weg-	*away*
jetzt	*now*	zurück-	*back*
manchmal	*sometimes*	unbedingt	*absolutely necessary*

function words

daß	*that (conjunction)*	mit	*with*
entweder ... oder ...	*either ... or ...*	über	*here: about*
für	*for*	um ... zu	*in order to*

expressions

Angst haben	*to be afraid, to be scared*	na ja	*well*
		nach Hause	*home (movement towards)*
auf Hochzeitsreise	*on honeymoon*		
Besuch haben	*to have visitors*	schlechte Laune haben	*to be in a bad mood*
berufliche Karriere	*success in one's job*		
dagegen sein	*to be against*	sich wohlfühlen	*to feel happy*
frei sein	*to be free*	Sport treiben	*to do sport*
immer nur	*all the time*	zu Hause	*at home*

Lektion 5

Grammar

1. The infinitive with or without *zu* (§ 30 p. 145)

1.1. Usage

ex.
1
2
6
8

You are already familiar with sentences containing a modal verb *(können, wollen, müssen, dürfen, sollen, "möchten")* together with another verb in the infinitive.

Ich muß jeden Morgen um 5 Uhr aufstehen.

There are some other verbs which are used in the same way.

bleiben:	Ich <u>bleibe</u> lieber <u>stehen</u>.	I prefer to remain standing.
fahren:	Ich <u>fahre</u> jetzt <u>einkaufen</u>.	I'm now going shopping (by car).
fühlen:	Ich <u>fühle</u> mein Herz <u>klopfen</u>.	I feel my heart beat.
gehen:	Sie <u>geht</u> heute abend <u>tanzen</u>.	She's going dancing tonight.
helfen:	Er <u>hilft</u> mir <u>aufräumen</u>.	He's helping me tidy up.
hören:	Wir <u>hören</u> sie <u>singen</u>.	We hear her sing.
lassen:	Sie <u>läßt</u> ihr Auto <u>reparieren</u>.	She is having her car repaired.
lehren:	Ich <u>lehre</u> meinen Sohn <u>lesen</u>.	I teach my son to read.
sehen:	Ich <u>sehe</u> ihn aus dem Bus <u>steigen</u>.	I see him get off the bus.

In addition there are in German lots of other verbs that can be used together with the infinitive of another verb. With these verbs, however, *zu* must be placed in front of the infinitive which corresponds to English "to".

Ich <u>versuche</u>, weniger <u>zu rauchen</u>.   I'm trying to smoke less.

Remember: If the verb in the infinitive is a separable verb, *zu* goes between the prefix and the basic verb.

Sie versucht ab**zu**nehmen.   She is trying to lose weight.

There are lots of verbs that can be used with an infinitive with *zu* which makes it impossible to give you a complete list. *Anfangen, aufhören, versuchen, verbieten, vergessen* are some of these verbs.

Remember: *helfen, lehren* and *lernen* can be used together with an infinitive with or without *zu*. The following rule is the most practicable: a mere infinitive is used without *zu*. Where there is an object, *zu* is used.

Ich helfe dir aufräumen.
Ich <u>helfe</u> dir, <u>das Haus aufzuräumen</u>.

Expressions consisting of VERB + NOUN or VERB + ADJECTIVE are also followed by an infinitive with *zu*.

Er <u>hat keine Lust</u>, mit mir <u>zu tanzen</u>.
Er <u>hat Zeit</u>, mir <u>zu helfen</u>.
Es <u>ist wichtig</u>, das Auto <u>zu reparieren</u>.
Es <u>ist langweilig,</u> allein ins Kino <u>zu gehen</u>.

1.2. Sentence structure and punctuation

	prev. pos.	verb$_1$	subj.	compl.	qualifiers	complement	verb$_2$
1	Sie	versucht					
2a							abzunehmen.
2b					, schnell	5 Kilo	abzunehmen.
2c				, sich	nicht	über ihren Mann	zu ärgern.

From the table above you can see that sentences (2) complement sentence (1). They are incomplete in so far as they have no subject of their own and no conjugated verb (verb$_1$). The implied subject of sentences (2) is identical with that of sentence (1).

<u>Sie</u> will abnehmen. + <u>Sie</u> versucht es. = <u>Sie</u> versucht abzunehmen.

Sentence (1) and sentences (2b, 2c) are separated by a comma. Sentence (2a) consists only of an infinitive with *zu* and is therefore not separated by a comma (see table above).

1.3. Exercise: Translate the following sentences using the infinitive with or without *zu*.

a) Michael goes dancing with his wife.

_____

b) Michael would like to dance with his wife.

_____

c) Michael doesn't feel like dancing with his wife.

_____

d) I forgot to ring you.

_____

e) I tried all afternoon to ring you.

_____

f) I wanted to ring you.

_____

g) My husband cannot repair our car.

_____

h) My husband is trying to repair our car.

_____

i) My husband is having our car repaired.

_____

j) I am helping my husband repair our car.

_____

k) Karl is learning to play tennis.

_____

l) Karl has no time today to play tennis.

_____

m) Today I can eat chocolate.

_____

n) I feel like eating chocolate today.

_____

o) The doctor forbids me to eat chocolate.

_____

2. The subordinate clause with *daß* (§ 25 p. 142)

ex.
12
13
14
15

You were introduced to subordinate clauses and subordinating conjunctions in chapter 2 (see 2.2.). *Daß* is also a subordinating conjunction and corresponds to English "that". It is used mainly after verbs and expressions of personal opinion, intent and statement.

Ich glaube, daß Burglind geheiratet hat.   I believe that Burglind got married.

Remember the word order of a subordinate clause: the subject comes straight after the subordinating conjunction, the conjugated verb goes to the very end of the sentence.

Remember also that a subordinate clause is always separated from the main clause by a comma.

Ich habe gehört, <u>daß</u> Burglind geheiratet hat.

3. Infinitive with *zu* or subordinate clause with *daß*

Verbs and expressions of personal opinion, intent and statement can introduce both an infinitive with *zu* or a subordinate clause with *daß*.

<u>Ich</u> finde es schön, nicht mehr zu rauchen.
<u>Ich</u> finde es schön, daß <u>ich</u> nicht mehr rauche.
<u>Ich</u> finde es schön, daß <u>du</u> auch nicht mehr rauchst.

As you can see from the three examples above the infinitive with <u>zu</u> is only used if the subject of the infinitive clause is identical to that in the main clause (see 1.2.). A subordinate clause with *daß* can be used when the subjects in the main and the subordinate clauses are identical. It must be used if the subjects are different.

Remember: If the subject in the subordinate clause is the generalising *man* the subject of the main clause is considered included in it. Therefore an infinitive with *zu* can also be used.

<u>Ich</u> finde es richtig, daß <u>man</u> jung heiratet.
<u>Ich</u> finde es richtig, jung zu heiraten.

3.1. Exercise: Replace the subordinate clause with _daß_ by an infinitive with _zu_ whenever possible.

a) Ich freue mich, daß Burglind geheiratet hat.

Ich freue mich, _____.

b) Ich finde es schön, daß ich Kinder habe.

Ich finde es schön, _____.

c) Viele Paare sind sicher, daß die Karriere wichtiger als Kinder ist.

Viele Paare sind sicher, _____.

d) Lisa findet es richtig, daß sie auch als Mutter noch arbeitet.

Lisa findet es richtig, _____.

e) Martin hat versprochen, daß er pünktlich kommt.

Martin hat versprochen, _____.

f) Ich finde es wichtig, daß man mit dem Partner über alle Probleme spricht.

Ich finde es wichtig, _____.

g) Meine Mutter ist überzeugt, daß man ohne Kinder nicht glücklich sein kann.

Meine Mutter ist überzeugt, _____.

4. Subordinate clauses with _als_ and _wenn_

In chapter 2 you were introduced to the subordinating conjunction _wenn_ which can be translated with "when" (see chapter 2, 3.2.). There is another subordinating conjunction which can be translated with "when". The conjunction is _als_ and is used when referring to a single event or period in the past.

ex.
21
22
23

Als ich 16 war, wollte ich die Schule verlassen.

The correct use of _wenn_ and _als_ is illustrated in the following sentences.

(1) Als die Familie Besuch hatte, mußte Sandra nicht ruhig sein.
(2) Wenn die Familie Besuch hatte, mußte Ingeborg immer ruhig sein.
(3) Wenn die Familie Besuch hat, müssen die Kinder (immer) ruhig sein.
(4) Wenn wir nächsten Sonntag Besuch haben, kochen wir chinesisch.

As you can see _wenn_ is used when referring to events that occur(red) regularly in the past (2), present (3) and future. It is also used for single events and periods in the present or future (4). For single events in the past, however, _als_ must be used (1).

Remember: There is yet another meaning of _wenn_. It is used in conditional clauses and can be translated with "if" (see chapter 2, 3.2. and chapter 3, 3.).

Lektion 5

5. *Als*

Als has several meanings in German:

A. It is a subordinating conjunction meaning "when" (see 4.).
    Als Maria zwei Jahre alt war, ist ihr Vater gestorben.

B. It is a preposition and corresponds to English "as".
    Petra Maurer arbeitet als Chefsekretärin.

C. It is used in comparisons in conjunction with the comparative form of the adjective.
    Peter ist größer als Klaus. (see "Themen neu 1", chapter 9, 4.)
    Peter ist größer, als ich gedacht habe. (see chapter 4, 2.)

Remember: The German equivalent of "as ... as ..." in comparisons is *so ... wie ...* (see chapter 1, 2.).
Peter ist <u>so</u> groß <u>wie</u> Klaus.

5.1. Exercise: *Als, wie, wenn.* Please complete.

a) _____ ich am Nachmittag Zeit habe, räume ich die Wohnung auf.

b) Mein Mann arbeitet _____ Bürokaufmann bei einer Firma.

c) Meine Tochter tanzt so gut _____ eine Tänzerin.

d) Ulrike wurde freier _____ ihre Mutter erzogen.

e) Möchtest du später nicht _____ Chemikerin arbeiten?

f) _____ wir jünger waren, hatten wir beide noch sehr wenig Geld.

g) Ich hasse es, _____ jemand dauernd über Geld spricht.

h) Adele hatte genauso viele Kinder _____ ihre Mutter Maria.

i) Wir sind alle ruhig, _____ mein Sohn Hausaufgaben macht.

6. *Es*

The personal pronoun *es* has several functions:

A. It replaces a neuter noun.
    Das ist <u>mein neues Haus</u>. Wie findest du <u>es</u>?

B. It anticipates a subsequent subordinate clause with *daß* or *wenn* or an infinitive with *zu*. This subordinate or infinitive clause as a whole is the subject or the object of the main clause and is represented there by *es*.

    <u>Es</u> ist wichtig, <u>daß man mit dem Partner über alle Probleme spricht.</u>
    <u>Es</u> ist wichtig, <u>mit dem Partner über alle Probleme zu sprechen.</u>

Ich hasse <u>es</u>, <u>wenn jemand zuviel redet.</u>
Ich finde <u>es</u> gut, <u>daß Peter Humor hat.</u>
Ich finde <u>es</u> nicht gut, <u>zu jung zu heiraten.</u>

Remember: If the subordinate or infinitive clause comes first, *es* is redundant as its anticipatory function is lost.
<u>Mit dem Partner über alle Probleme zu sprechen</u> ist wichtig.
<u>Daß man mit dem Partner über alle Probleme spricht,</u> ist wichtig.
<u>Daß Peter Humor hat,</u> finde ich gut.
<u>Zu jung zu heiraten</u> finde ich nicht gut.

Remember: *Wenn*-clauses with this function never come first.

7. The simple past (§ 19 p. 138)

So far you have been introduced to the perfect tense as the tense used to express events in the past (see "Themen neu 1", chapter 6, 2.). You also know the simple past tense of *haben* and *sein* (see "Themen neu 1", chapter 7, 2.) and the modal verbs (see chapter 2, 1.). In this chapter you are going to learn the simple past tense of the other verbs. The simple past tense is the past tense used in formal writing. It is also the narrative tense of German fiction. The perfect tense is the past tense used in conversation and informal writing, i.e. personal letters. *Haben*, *sein* and the modals are virtually always used in the simple past. There is no difference in meaning between the perfect and the simple past tenses. In conversation German is often a mixture of the two tenses with the perfect tense, however, predominating.

ex.
16
19
20
21

7.1. The formation of the simple past
As with the perfect tense we differenciate between weak and strong verbs. The difference lies in the formation of the simple past tense stem.

7.1.1. Weak verbs
The simple past tense stem of weak verbs is formed by adding -*te* to the present tense stem.

INFINITIVE		PRESENT TENSE STEM		SIMPLE PAST TENSE STEM
lernen	→	lern-	→	lernte

The ending -*te* is a signal for the simple past tense of weak verbs. If the present tense stem ends in -*d* or -*t* an -*e*- is inserted for reasons of pronunciation.

| baden | → | bad- | → | bad<u>ete</u> |
| arbeiten | → | arbeit- | → | arbeit<u>ete</u> |

Lektion 5

The simple past tense endings are added to the simple past tense stem.

	lernen	simple past tense endings
ich	lernte	
du	lerntest	-st
er / sie / es	lernte	
wir	lernten	-n
ihr	lerntet	-t
sie / Sie	lernten	-n

As you can see from the table above the first and third person singular have no endings (see chapter 2, 1.1.).

7.1.2. Strong verbs

As with past participles of strong verbs there is no rule for the formation of the simple past tense stem of this group. They have to be learnt individually together with the infinitive and the past participle of each verb. A list of irregular verbs can be found on page 229.

INFINITIVE		SIMPLE PAST STEM		PAST PARTICIPLE
essen	→	aß-	→	gegessen
finden	→	fand-	→	gefunden
gehen	→	ging-	→	gegangen

The same past tense endings as with weak verbs are added to the past tense stem of strong verbs. For reasons of pronunciation an *-e-* is inserted between the stem and the ending of the first and third person plural. If the stem ends in *-d* or *-t* the *-e-* is also inserted in the second person singular and plural. The first and third person singular again have no endings.

	gehen	finden	simple past tense endings
ich	ging	fand	
du	gingst	fandest	-(e)st
er / sie / es	ging	fand	
wir	gingen	fanden	-en
ihr	gingt	fandet	-(e)t
sie / Sie	gingen	fanden	-en

7.1.3. Mixed verbs

There are some verbs that form the simple past tense stem like strong verbs with an additional *-te* (the simple past tense signal of weak verbs) as part of the stem. The same rule also applies to the formation of the past participle (see "Themen neu 1", chapter 6, 2.2.).

INFINITIVE		SIMPLE PAST TENSE STEM		PAST PARTICIPLE
bringen	→	brachte	→	gebracht
denken	→	dachte	→	gedacht
kennen	→	kannte	→	gekannt
mögen	→	mochte	→	gemocht
nennen	→	nannte	→	genannt
rennen	→	rannte	→	gerannt
wissen	→	wußte	→	gewußt

7.2. The passive in the simple past tense

As you know from chapter 4, 3. the passive in German is formed using *werden* + the past participle. So far you have only learnt the passive in the present tense. The passive in the simple past tense is formed using the simple past tense of *werden* + the past participle.

	brauchen		
ich	wurde	...	gebraucht
du	wurdest	...	gebraucht
er / sie / es	wurde	...	gebraucht
wir	wurden	...	gebraucht
ihr	wurdet	...	gebraucht
sie / Sie	wurden	...	gebraucht

As you can see from the table above the simple past tense of *werden* is formed irregularly.

8. Adjective endings in the genitive (§ 5 p. 135)

In chapter 1, 1. you learnt that adjectives have endings when positioned in front of a noun. You have been introduced to the endings of all cases with the exception of the genitive.

ex. 26

masc.	des netten Mannes	(k)eines / meines netten Mannes	guten Weines
fem.	der netten Frau	(k)einer / meiner netten Frau	guter Suppe
neuter	des netten Kindes	(k)eines / meines netten Kindes	guten Brotes
plural	der netten Freunde	keiner / meiner netten Freunde	guter Trauben

As you can see from the table above the adjective endings in the genitive case are always *-en* with the exception of the feminine and plural form when the adjective is not preceded by an article or an article word or when it is preceded by *vieler, weniger, einiger* and all numbers in the plural (see chapter 1, 1.4.). It is *-er* in these cases.

Lektion 5

8.1. Exercise: Supply the adjective endings

a) Die Reparatur alt___ Autos ist oft teuer.

b) Die Tochter meiner älter___ Schwester arbeitet bei Opel.

c) Die Küche dieses italienisch___ Restaurants ist sehr gut.

d) Ich finde den Moderator der neu___ Sendung langweilig.

e) Das Leben mancher alt___ Leute war sehr schwer.

f) Popsänger ist der Traumjob einiger jung___ Männer.

g) Mozart begann schon als Kind mit dem Komponieren klassisch___ Musik.

h) Ist das der Wagen deines neu___ Freundes?

9. Prepositions of time

A. *während*

It takes the genitive case but is often used in the dative case in conversational German. It is translated with "during".
Während der Ferien arbeitete Ulrike bei Opel.
During the holidays Ulrike worked for Opel.

B. *bei*

It takes the dative case. There is no single translation but it generally replaces a *wenn-* or *als*-clause.
Bei schönem Wetter gehe ich spazieren. = Wenn das Wetter schön ist, …
Bei unserem Besuch mußte Sandra nicht ruhig sein. = Als wir sie besuchten, …

C. *mit*

It takes the dative case and it is often used to refer to a certain age.
Mit 17 bekam Ulrike ein Kind.
At the age of 17 Ulrike had a child.

10. The adverbs *recht, ziemlich, sehr, besonders, furchtbar*

These adverbs are positioned in front of adjectives and are used to modify their meaning.

Katrin ist recht intelligent.	… rather intelligent
Katrin ist ziemlich intelligent.	… quite intelligent
Katrin ist sehr intelligent.	… very intelligent
Katrin ist besonders intelligent.	… particularly intelligent
Katrin ist furchtbar intelligent.	… frightfully intelligent

11. Writing

11.1. Exercise: Write a letter using the following sentences and conjunctions. Pay attention to word order, punctuation and lower and upper case.

Liebe Katja,	
wir haben schon sechs Jahre nichts mehr voneinander gehört. Ich weiß, es ist eine lange Zeit.	daß
Ich schreibe Dir endlich einen Brief.	deshalb
In den letzten Jahren ist viel passiert.	natürlich
Vor sechs Jahren haben wir das Abitur gemacht.	
Ich habe sechs Monate als Verkäuferin in einer Boutique gearbeitet.	zuerst
Ich habe einen Studienplatz für Architektur in Berlin bekommen.	dann
Ich bin nach Berlin umgezogen.	also
Ich habe mich wie im Paradies gefühlt.	dort
Ich hatte so viele Möglichkeiten.	denn
Jeden Abend war ich im Kino, in einer Bar, im Kabarett oder im Theater.	
Ich kannte noch niemanden in der Stadt.	obwohl
Ich habe an der Universität viele Studenten kennengelernt.	später
Ich hatte viele Freunde.	bald
Ich war schon zwei Jahre in Berlin.	als
Ich habe Hartmut kennengelernt.	
Wir sind oft zusammen in Konzerte gegangen.	
Hartmut interessierte sich sehr für Musik.	weil
Ich fuhr in den Ferien nach Hause zu meinen Eltern.	wenn
Ich fühlte mich sehr allein.	
Wir waren mit dem Studium fertig.	als
Wir haben geheiratet.	
Wir haben schon ein Kind.	jetzt
Was hast Du denn in den letzten Jahren gemacht?	
Vielleicht hast Du Lust, mir zu schreiben.	
Auf Deinen Brief warte ich mit Ungeduld.	

Viele Grüße
Deine Michaela

11.2. Exercise: Read the topic carefully. Then write a personal letter.

Sie haben mehrere Jahre nichts von Ihrem Freund / Ihrer Freundin gehört. Schreiben Sie ihm / ihr einen Brief. Schreiben Sie etwas zu den folgenden Punkten:

- Warum haben Sie so lange nicht geschrieben?

- Was haben Sie in den letzten Jahren gemacht?

- Fragen Sie Ihren Freund / Ihre Freundin, was er / sie gemacht hat.

- Schlagen Sie ein Wiedersehen vor.

Lektion 5

Nach Übung

1

im Kursbuch

1. Herr X ist unzufrieden. Er will anfangen, besser zu leben. Was sagt Herr X?

Obst essen	Eltern besuchen	spazierengehen	Blumen gießen
schlafen gehen	Rechnungen bezahlen	eine Krawatte anziehen	kochen
Sport treiben	täglich duschen	arbeiten	eine Fremdsprache lernen
fernsehen	Schuhe putzen	ein Gartenhaus bauen	Zeitung lesen
Bier trinken	zum Zahnarzt gehen	billiger einkaufen	Maria Blumen mitbringen
Geld ausgeben	lügen	Fahrrad fahren	Briefe schreiben
Wohnung aufräumen	aufstehen	frühstücken	telefonieren

mehr	besser		nicht mehr		früher
weniger	immer	regelmäßig		schneller	öfter

Morgen fange ich an, mehr Obst zu essen.
Morgen fange ich an, früher ...

Nach Übung

1

im Kursbuch

2. Ihre Grammatik. Ordnen Sie.

anfangen	buchstabieren	gehen	packen	telefonieren
anrufen	denken	gewinnen	parken	überlegen
antworten	diskutieren	heiraten	putzen	verlieren
arbeiten	duschen	helfen	reden	vergleichen
aufhören	einkaufen	kämpfen	reisen	vorbeikommen
aufpassen	einpacken	klingeln	schlafen	wandern
aufräumen	einschlafen	kochen	schreiben	waschen
aufstehen	einsteigen	kontrollieren	schwimmen	wählen
auspacken	erzählen	korrigieren	schwitzen	wegfahren
ausruhen	essen	kritisieren	sitzen	weinen
aussteigen	fahren	lachen	singen	zeichnen
ausziehen	feiern	laufen	spazierengehen	zuhören
baden	fernsehen	leben	spielen	zurückgeben
bestellen	fliegen	lernen	sterben	
bezahlen	fotografieren	lesen	studieren	
bitten	fragen	malen	tanken	
bleiben	frühstücken	nachdenken	tanzen	

untrennbare Verben	trennbare Verben
Ich habe keine Lust...	Ich habe keine Lust...
zu antworten	*anzufangen*
zu ...	*anzurufen*
	...

96   sechsundneunzig

3. Was findet man gewöhnlich bei anderen Menschen positiv oder negativ? Ordnen Sie die Wörter und schreiben Sie das Gegenteil daneben.

Nach Übung

2

im Kursbuch

a) attraktiv	d) schmutzig	g) laut	j) freundlich	m) pünktlich	p) verrückt
b) treu	e) langweilig	h) sportlich	k) häßlich	n) dumm	q) zufrieden
c) ehrlich	f) höflich	i) sympathisch	l) traurig	o) nervös	

+	–	+	–
a) *attraktiv*	*unattraktiv*	j) _____	_____
b) _____	_____	k) _____	_____
c) _____	_____	l) _____	_____
d) _____	_____	m) _____	_____
e) _____	_____	n) _____	_____
f) _____	_____	o) _____	_____
g) _____	_____	p) _____	_____
h) _____	_____	q) _____	_____
i) _____	_____		

4. Ergänzen Sie.

Nach Übung

2

im Kursbuch

Ich mag…

a) dick_____ Leute.

b) meine neu_____ Kollegin.

c) meinen neugierig_____ Nachbarn nicht.

d) sein jüngst_____ Kind am liebsten.

e) Leute mit verrückt_____ Ideen.

f) Leute mit einem klug_____ Kopf.

g) Leute mit einer lustig_____ Frisur.

h) Leute mit einem hübsch_____ Gesicht.

i) den neu_____ Freund meiner Kollegin.

j) die neu_____ Chefin lieber als die alt_____.

k) das ältest_____ Kind meiner Schwester nicht sehr gerne.

l) die sympathisch_____ Gesichter der beiden Schauspieler.

m) das Mädchen mit den rot_____ Haaren.

n) den Mann mit dem lang_____ Bart nicht.

o) die Frau mit dem kurz_____ Kleid.

p) den Mann mit dem sportlich_____ Anzug.

5. Ordnen Sie.

Nach Übung

3

im Kursbuch

Nachbar	Pilot	Verkäufer	Tante	Zahnärztin	Schwester	Musikerin
Bruder	Ehemann	Kaufmann	Eltern	Kellnerin	Kollege	Künstler
Tochter	Lehrerin	Bekannte	Ministerin	Sohn	Politiker	Ehefrau
Polizist	Schauspielerin	Schriftsteller	Soldat	Kind	Fotografin	
Freund	Friseurin	Journalistin	Bäcker	Vater	Mutter	

Berufe	Familie / Menschen, die man gut kennt
Pilot	*Nachbar*
…	…

Lektion 5

Nach Übung

3

im Kursbuch

6. Sie können es auch anders sagen.

a) Ich wollte dich anrufen. Leider hatte ich keine Zeit.

Leider hatte ich keine Zeit, dich anzurufen.

b) Immer muß ich die Wohnung alleine aufräumen. Nie hilfst du mir.

c) Kannst du nicht pünktlich sein? Hast du das nicht gelernt?

d) Hast du Gaby nicht eingeladen? Hast du das vergessen?

e) Ich lerne jetzt Französisch. Morgen fange ich an.

f) Ich wollte letzte Woche mit Jochen ins Kino gehen, aber er hatte keine Lust.

g) Meine Kollegin konnte mir gestern nicht helfen, weil sie keine Zeit hatte.

h) Mein Bruder wollte mein Auto reparieren. Er hat es versucht, aber es hat nicht geklappt.

i) Der Tankwart sollte den Wagen waschen, aber er hat es vergessen.

Nach Übung

3

im Kursbuch

7. Ordnen Sie.

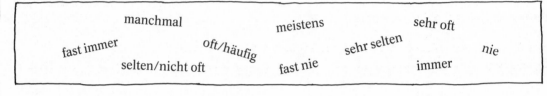

manchmal · meistens · sehr oft · fast immer · oft/häufig · sehr selten · nie · selten/nicht oft · fast nie · immer

a) *nie* ⟶ b) ＿＿＿ ⟶ c) ＿＿＿ ⟶ d) ＿＿＿ ⟶ e) ＿＿＿ ⟶
f) ＿＿＿ ⟶ g) ＿＿＿ ⟶ h) ＿＿＿ ⟶ i) ＿＿＿ ⟶ j) ＿＿＿

Nach Übung

3

im Kursbuch

8. Was paßt zusammen?

A. Mit den folgenden Sätzen kann man einen Infinitivsatz beginnen.

Ich habe Lust,	Ich habe vergessen,	Ich versuche,	Ich höre auf,
Es macht mir Spaß,	Ich habe Zeit,	Ich helfe dir,	Ich habe nie gelernt,
Ich habe die Erlaubnis,	Ich habe vor,	Ich habe Angst,	Ich verbiete dir,
Ich habe Probleme,			

Bilden Sie Infinitivsätze. Welche der Sätze oben passen mit den folgenden Sätzen zusammen?

a) Heute habe ich nichts zu tun. Da kann ich endlich mein Buch lesen.

b) Mein Fahrrad ist kaputt. Vielleicht kann ich es selbst reparieren.

c) Ich spiele gern mit kleinen Kindern.

d) Dein Koffer ist sehr schwer. Komm, wir tragen ihn zusammen!

e) Im August habe ich Urlaub. Dann fahre ich nach Spanien.

f) Ich darf heute eine Stunde früher Feierabend machen.

g) Ich kann abends sehr schlecht einschlafen.

h) Nachts gehe ich nicht gern durch den Park. (Das ist mir zu gefährlich.)

i) Ab morgen rauche ich keine Zigaretten mehr.

j) Du sollst nicht in die Stadt gehen; ich will das nicht!

k) Ich wollte gestern den Brief zur Post bringen. (Er liegt noch auf meinem Schreibtisch.)

l) Ich bin schon 50 Jahre alt, aber ich kann nicht Auto fahren.

m) Ich möchte gerne spazierengehen.

a) *Ich habe Zeit, mein Buch zu lesen.*

b) *Ich versuche, ...*

...

B. Auch mit den folgenden Sätzen beginnt man Infinitivsätze.

Es ist	wichtig,	Es ist	richtig,
	langweilig,		furchtbar,
	gefährlich,		unmöglich,
	interessant,		leicht,
	lustig,		schwer,
	falsch,		...

> neue Freunde finden   das Auto reparieren
>
> allein sein   zuviel Fisch essen
>
> andere Leute treffen   alles wissen   im Meer baden
>
> einen Freund verlieren   ...   mit Kindern spielen

Bilden Sie Infinitivsätze.

a) *Es ist wichtig, das Auto zu reparieren.*

b) *Es ...*

...

9. Ergänzen Sie.

Nach Übung

5

im Kursbuch

> telefonieren   duschen   erzählen   hängen   vergessen
>
> entschuldigen   anmachen   ausmachen   anrufen   wecken   reden

a) Ich habe in meiner neuen Wohnung kein Bad. Kann ich bei dir

_____ ?

b) Dein Mantel liegt im Wohnzimmer auf dem Sofa, oder er _____ im Schrank.

c) Du hörst jetzt schon seit zwei Stunden diese schreckliche Musik. Kannst du das Radio nicht mal _____ ?

d) _____ doch mal das Licht _____ . Man sieht ja nichts mehr.

e) Du stehst doch immer ziemlich früh auf. Kannst du mich morgen um 7.00 Uhr

_____ ?

f) Vielleicht kann ich doch morgen kommen. _____ mich doch morgen mittag zu Hause oder im Büro _____ . Dann weiß ich es genau. Meine Nummer kennst du ja.

g) Du mußt dich bei Monika _____ . Du hast ihren Geburtstag

_____ .

h) Mit wem hast du gestern so lange _____ ? Ich wollte dich anrufen, aber es war immer besetzt.

i) Klaus ist so langweilig. Ich glaube, der kann nur über das Wetter _____ .

j) Sie hat mir viel von ihrem Urlaub _____ . Das war sehr interessant.

Lektion 5

Nach Übung

5

im Kursbuch

10. Welches Verb paßt wo? (Sie können selbst weitere Beispiele finden.)

entschuldigen	unterhalten	reden	ausmachen	telefonieren	kritisieren	anrufen

a) den Arzt
   aus der Telefonzelle
   bei der Auskunft
   Frau Cordes   _____

e) den Film
   die Politik
   den Freund
   das Essen   _____

b) sich | bei den Nachbarn
         | für den Lärm
         | für den Fehler
         | bei den Eltern   _____

f) sich | mit einem Freund
        | über den Urlaub
        | auf der Feier
        | in der U-Bahn   _____

c) mit der Freundin
   am Schreibtisch
   in der Post
   in der Mittagspause   _____

g) über | die Operation
        | das Theaterstück
        | Politik
        | den Chef   _____

d) den Fernsehapparat
   die Waschmaschine
   das Licht
   das Radio   _____

Nach Übung

5

im Kursbuch

11. Was paßt?

a) ausmachen: den Fernseher, den Schrank, das Licht, das Radio
b) anrufen: Frau Keller, Ludwig, meinen Chef, das Gespräch
c) telefonieren: mit meinem Kind, mit dem Ehepaar Klausen, mit der Ehe, mit seiner
                  Schwester
d) aufräumen: den Geburtstag, die Küche, das Haus, das Büro
e) hoffen: auf eine bessere Zukunft, auf ein besseres Leben, auf der besseren Straße,
                  auf besseres Wetter

Nach Übung

7

im Kursbuch

12. Sagen Sie es anders.

a) Meine Freundin glaubt, alle Männer sind schlecht.
   Meine Freundin glaubt, daß alle Männer schlecht sind.

b) Ich habe gehört, Inge hat einen neuen Freund.
c) Peter hofft, seine Freundin will ihn bald heiraten.
d) Wir wissen, Peters Eltern haben oft Streit.
e) Helga hat erzählt, sie hat eine neue Wohnung gefunden.
f) Ich bin überzeugt, es ist besser, wenn man jung heiratet.
g) Frank hat gesagt, er will heute abend eine Kollegin besuchen.
h) Ich meine, man soll viel mit seinen Kindern spielen.
i) Du hast mich zu deinem Geburtstag eingeladen. Darüber habe ich mich gefreut.

100   einhundert

13. Welcher Satz ist sinnvoll?

Nach Übung

8

im Kursbuch

a) Ⓐ *Ich finde,*
   Ⓑ *Ich glaube,*
   Ⓒ *Ich verlange,*

   daß es morgen regnet.

b) Ⓐ *Ich bin der Meinung,*
   Ⓑ *Ich passe auf,*
   Ⓒ *Ich verspreche,*

   daß meine Schwester sehr
   intelligent ist.

c) Ⓐ *Ich denke,*
   Ⓑ *Ich meine,*
   Ⓐ *Ich weiß,*

   daß die Erde rund ist.

d) Ⓐ *Ich bin dafür,*
   Ⓑ *Ich bin überzeugt,*
   Ⓒ *Ich kritisiere,*

   daß der Präsident ein guter Politiker
   ist.

e) Ⓐ *Ich bin einverstanden,*
   Ⓑ *Ich verspreche,*
   Ⓒ *Ich bin traurig,*

   daß du nie Zeit für mich hast.

f) Ⓐ *Ich hasse es,*
   Ⓑ *Ich bin glücklich,*
   Ⓒ *Ich möchte,*

   daß meine Nachbarn mich immer
   durch laute Musik stören.

**14. Nebensätze mit „daß" beginnen auch oft mit den folgenden Sätzen.
Lernen Sie die Sätze.**

Nach Übung

8

im Kursbuch

Ich habe geantwortet,	daß...	Es ist falsch,	daß...	Es ist möglich,	daß...
Ich habe erklärt,		richtig,		wunderbar,	
Ich habe gesagt,		wahr,		interessant,	
Ich habe entschieden,		klar,		toll,	
Ich habe gehört,		lustig,		nett,	
Ich habe geschrieben,		schlimm,		klug,	
Ich habe vergessen,		wichtig,		verrückt,	
Ich habe mich beschwert,		schlecht,		selten,	
		gut,			

15. Was ist Ihre Meinung? Schreiben Sie.

Nach Übung

8

im Kursbuch

a) Geld macht nicht glücklich.   Ich bin auch/nicht überzeugt, ...

Ich bin auch überzeugt, daß Geld nicht glücklich macht.

b) Es gibt sehr viele schlechte Ehen.   Ich glaube auch/nicht, ...
c) Ohne Kinder ist man freier.   Ich finde auch/nicht, ...
d) Die meisten Männer heiraten nicht gern.   Ich bin auch/nicht der Meinung, ...
e) Die Liebe ist das Wichtigste im Leben.   Es stimmt/stimmt nicht, ...
f) Reiche Männer sind immer interessant.   Es ist wahr/falsch, ...
g) Schöne Frauen sind meistens dumm.   Ich meine auch/nicht, ...
h) Frauen mögen harte Männer.   Ich denke auch/nicht, ...
i) Man muß nicht heiraten, wenn man Kinder will.   Ich bin dafür/dagegen, ...

Lektion 5

16. Ihre Grammatik. Ergänzen Sie den Infinitiv und das Partizip II.

Starke und unregelmäßige Verben

Infinitiv	Präteritum (3. Person Singular)	Partizip II
anfangen	fing an	*angefangen*
	begann	
	bekam	
	brachte	
	dachte	
	lud ein	
	aß	
	fuhr	
	fand	
	flog	
	gab	
	ging	
	hielt	
	hieß	
	kannte	
	kam	
	lief	
	las	
	lag	
	nahm	
	rief	
	schlief	
	schnitt	
	schrieb	
	schwamm	
	sah	
	sang	
	saß	
	sprach	
	stand	
	trug	
	traf	
	tat	
	vergaß	
	verlor	
	wusch	
	wußte	

Schwache Verben

Infinitiv	Präteritum (3. Person Singular)	Partizip II
abholen	holte ab	*abgeholt*
	stellte ab	
	antwortete	
	arbeitete	
	hörte auf	
	badete	
	baute	
	besichtigte	
	bestellte	
	besuchte	
	bezahlte	
	brauchte	
	kaufte ein	
	erzählte	
	feierte	
	glaubte	
	heiratete	
	holte	
	hörte	
	kaufte	
	kochte	
	lachte	
	lebte	
	lernte	
	liebte	
	machte	
	parkte	
	putzte	
	rechnete	
	reiste	
	sagte	
	schenkte	
	spielte	
	suchte	
	tanzte	
	zeigte	

Lektion 5

17. „Nach", „vor", „in", „während", „bei" oder „an"? Was paßt? Ergänzen Sie auch die Artikel.

a) _____ Sommer sitzen wir abends oft im Garten und grillen.

b) _____ _____ Abendessen dürfen die Kinder nicht mehr spielen. Sie müssen dann sofort ins Bett gehen.

c) Meine Mutter paßt genau auf, daß ich mir _____ _____ Essen immer die Hände wasche. Sonst darf ich mich nicht an den Tisch setzen.

d) _____ _____ Arbeit fahre ich sofort nach Hause.

e) _____ Abend sehen meine Eltern meistens fern.

f) _____ nächsten Jahr bekommen wir eine größere Wohnung. Dann wollen wir auch Kinder haben.

g) Mein Vater sieht sehr gerne Fußball. _____ _____ Sportsendungen darf ich ihn deshalb nicht stören.

h) Meine Frau und ich haben uns 4 Jahre _____ _____ Hochzeit kennengelernt.

i) _____ Wochenende gehe ich mit meiner Freundin oft ins Kino.

j) _____ _____ ersten Ehejahren wollen die meisten Paare noch keine Kinder haben.

k) _____ Dienstag gehe ich in die Sauna.

l) _____ _____ Schulzeit bekam Sandra ein Kind.

m) _____ Abendessen dürfen die Kinder nicht sprechen. Die Eltern möchten, daß sie still am Tisch sitzen.

n) _____ Anfang konnten die Eltern nicht verstehen, daß Ulrike schon mit 17 Jahren eine eigene Wohnung haben wollte.

18. Ihre Grammatik. Ergänzen Sie.

	der Besuch	die Arbeit	das Abendessen	die Sportsendungen
vor	vor dem Besuch	vor d		
nach	nach d	nach d		
bei	bei d	bei d		
während	während dem	während d		
	während des Besuchs	während d		

	der Abend		das Wochenende	die Sonntage
an	am Abend			

	der letzte Sommer	die letzte Woche	das letzte Jahr	die letzten Jahre
in	im letzten Sommer	in d		

19. Im Gespräch verwendet man im Deutschen meistens das Perfekt und nicht das Präteritum. Erzählen Sie deshalb in dieser Übung von Adele, Ingeborg und Ulrike im Perfekt. Verwenden Sie das Präteritum nur für die Verben „sein", „haben", „dürfen", „sollen", „müssen", „wollen" und „können".

Nach Übung

13

im Kursbuch

a) Maria: *Marias Jugendzeit war sehr hart. Eigentlich hatte sie nie richtige Eltern. Als sie zwei Jahre alt war, ist ihr Vater gestorben. Ihre Mutter hat ihren Mann nie vergessen und hat mehr an ihn ...*

b) Adele: *Adele hat als Kind ...*

c) Ingeborg: …

d) Ulrike: …

20. Erinnerungen an die Großmutter. Ergänzen Sie die Verbformen im Präteritum.

Nach Übung

13

im Kursbuch

fand (finden)	arbeitete (arbeiten)	half (helfen)	las (lesen)	verdiente (verdienen)	
hieß (heißen)	hatte (haben)	nannte (nennen)	besuchte (besuchen)	ging (gehen)	
erzählte (erzählen)	heiratete (heiraten)	war (sein)	sah (sehen)	trug (tragen)	
wohnte (wohnen)	liebte (lieben)	gab (geben)	wollte (wollen)	schlief (schlafen)	

Meine Großmutter _____(a) Elisabeth, aber ich _____(b) sie immer Oma Lili. Ich _____(c) sie oft, und dann _____(d) sie mir von früher. Sie _____(e) schon mit 18 Jahren. Meine Mutter _____(f) ihr einziges Kind, weil ihr Mann bald nach der Hochzeit in den Krieg _____(g); und dann _____(h) sie ihn nie wieder. Sie _____(i) mit dem Kind bei ihren Eltern. Nachts _____(j) sie auf dem Sofa, weil es nicht genug Betten _____(k). Heiraten _____(l) sie nicht mehr, weil sie ihren Mann immer noch _____(m). Später _____(n) sie eine Arbeitsstelle in einem Gasthaus. Sie _____(o) dem Koch in der Küche. Obwohl sie täglich zehn Stunden _____(p), _____(q) sie wenig Geld. Meine Großmutter _____(r) damals nur ein schönes Kleid, und das _____(s) sie am Sonntag. Sie _____(t) gerne Bücher, am liebsten Liebesromane.

21. Sagen Sie es anders.

Nach Übung

13

im Kursbuch

a) Meine Eltern haben in Paris geheiratet. Da waren sie noch sehr jung.
   Als meine Eltern in Paris geheiratet haben, waren sie noch sehr jung.

b) Ich war sieben Jahre alt. Da hat mir mein Vater einen Hund geschenkt.

c) Vor fünf Jahren hat meine Schwester ein Kind bekommen. Da war sie 30 Jahre alt.

d) Sandra hat die Erwachsenen gestört. Trotzdem durfte sie im Zimmer bleiben.

e) Früher hatten seine Eltern oft Streit. Da war er noch ein Kind.

f) Früher war es zu Hause nicht so langweilig. Da haben meine Großeltern noch gelebt.

g) Wir waren im Sommer in Spanien. Das Wetter war sehr schön.

Lektion 5

22. Ein Vater erzählt von seinem Sohn. Was sagt er?

jeden Tag drei Stunden telefonieren (14 J.)   schwimmen lernen (5 J.)   laufen lernen (1 J.)

sich sehr für Politik interessieren (18 J.)   sich ein Fahrrad wünschen (4 J.)

sich nicht gerne waschen (8 J.)   immer nur Unsinn machen (3 J.)

heiraten (24 J.)   Briefmarken sammeln (15 J.)   vom Fahrrad fallen (7 J.)   viel lesen (10 J.)

Als er ein Jahr alt war, hat er laufen gelernt.
Als er drei Jahre alt war, ...

23. „Als" oder „wenn"? Was paßt?

a) _____ das Wetter im Sommer schön ist, sitzen wir oft im Garten und grillen.

b) _____ Ulrike 17 Jahre alt war, bekam sie ein Kind.

c) _____ meine Mutter abends ins Kino gehen möchte, ist mein Vater meistens zu müde.

d) _____ meine Mutter gestern allein ins Kino gehen wollte, war mein Vater sehr böse.

e) _____ Ingeborg ein Kind war, war das Wort ihrer Eltern Gesetz.

f) Früher mußten die Kinder ruhig sein, _____ die Eltern sich unterhielten.

g) _____ Sandra sich bei unserem Besuch langweilte und uns störte, lachten die Erwachsenen, und sie durfte im Zimmer bleiben.

h) _____ ich nächstes Wochenende Zeit habe, dann gehe ich mit meinen Kindern ins Schwimmbad.

i) _____ wir im Kinderzimmer zu laut sind, müssen wir sofort ins Bett.

j) _____ mein Vater gestern meine Hausaufgaben kontrollierte, schimpfte er über meine Fehler.

24. Ergänzen Sie.

mit	an	um	für	auf	über

a) Meine Mutter schimpfte immer _____ *über* _____ Unordnung in unserem Zimmer.

b) Mein Vater regt sich oft _____ *über* _____ Fehler in meinen Hausaufgaben auf.

c) Wenn ich mich _____ *mei* _____ Vater unterhalten möchte, hat er meistens keine Zeit.

d) Ich möchte abends immer gern _____ *mei* _____ Eltern spielen.

e) Meine Mutter interessiert sich abends nur _____ *über* _____ Fernsehprogramm.

f) Früher kümmerte sich meistens nur die Mutter _____ *über* _____ Kinder.

g) Weil Adele sich sehr _____ Kinder freute, wollte sie lieber heiraten als einen Beruf lernen.

h) Marias Vater starb sehr früh. Ihre Mutter liebte ihn sehr. Deshalb dachte sie mehr _____ *ihr* _____ Mann als _____ *ihr* _____ Tochter.

25. Ergänzen Sie.

Nach Übung

13

im Kursbuch

ausziehen	damals	schließlich	unbedingt	Sorgen	anziehen
verschieden	früh	deutlich	hart	aufpassen	Wunsch	allein	Besuch

a) Obwohl sie Schwestern sind, sehen beide sehr _____ aus.

b) Wir warten schon vier Stunden auf dich. Wir haben uns _____ gemacht.

c) Was kann ich Holger und Renate zur Hochzeit schenken? Haben sie einen besonderen
   _____?

d) Rainer und Nils sind Brüder. Das sieht man sehr _____.

e) Vor hundert Jahren waren die Familien noch größer. _____ hatte man mehr
   Kinder.

f) Wenn ihre Mutter nicht zu Hause ist, muß Andrea auf ihren kleinen Bruder _____.

g) Michael ist erst vier Jahre alt, aber er kann sich schon alleine _____ und
   _____.

h) Weil viele alte Leute wenig _____ bekommen, fühlen sie sich oft _____.

i) Ulrike bekam sehr _____ ein Kind, schon mit 17 Jahren. Zuerst konnten ihre
   Eltern das nicht verstehen, aber _____ haben sie ihr doch geholfen. Denn für
   Ulrike war die Zeit mit dem kleinen Kind am Anfang sehr _____.

j) Ulrike wollte schon als Schülerin _____ anders leben als ihre Eltern.

26. Sagen Sie es anders.

Nach Übung

15

im Kursbuch

a) Mein ältester Bruder hat ein neues Auto. Es ist schon kaputt.
   Das neue Auto meines ältesten Bruders ist schon kaputt.

b) Mein zweiter Mann hat eine sehr nette Mutter.

c) Meine neue Freundin hat eine Schwester. Die hat geheiratet.

d) Mein jüngstes Kind hat einen Freund. Leider ist er sehr laut.

e) Meine neuen Freunde haben zwei Kinder. Sie gehen schon zur Schule.

f) Ich habe den alten Wagen verkauft, aber der Verkauf **war sehr schwierig**.

g) Das kleine Kind hat keine Mutter mehr. Sie ist vor zwei Jahren gestorben.

h) In der Hauptstraße ist eine neue Autowerkstatt. Der Chef ist mein Freund.

i) Die schwarzen Schuhe waren kaputt. Die Reparatur hat sehr lange gedauert.

der zweite Mann	die neue Freundin	das jüngste Kind	die neuen Freunde
die Mutter *meines zweiten Mannes*	die Schwester *meiner*	der Freund *m*	die Kinder *m*

der alte Wagen	die neue Werkstatt	das kleine Kind	die blauen Schuhe
der Verkauf *des alten Wagens*	der Chef *d*	die Mutter *d*	die Reparatur *d*

Lektion 5

Nach Übung

15

im Kursbuch

27. Was paßt nicht?

a) glücklich sein – sich wohl fühlen – zufrieden sein – sich langweilen

b) erziehen – Schule – Eltern – Jugend – Erziehung – Besuch

c) schlagen – töten – sterben – tot sein

d) möchten – Wunsch – Bitte – bitten – Gesetz – wollen

e) wecken – leben – aufstehen – aufwachen

f) kümmern – fühlen – sorgen – helfen

g) putzen – sich waschen – schwimmen – sich duschen – sauber machen – spülen

Nach Übung

15

im Kursbuch

28. Die Familie Vogel. Ergänzen Sie.

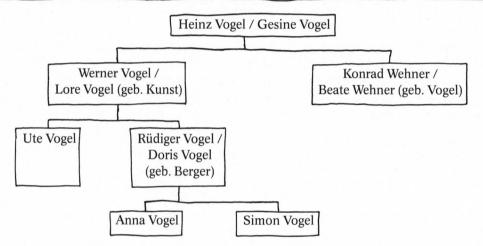

| Urgroßmutter | Tochter | Großmutter | Sohn | Onkel | Tante | Nichte | Enkelin |
| Urgroßvater | Mutter | Großvater | Eltern | Enkel | Neffe | Vater | |

a) Heinz Vogel ist der _____ von Werner Vogel.

b) Werner Vogel ist der _____ von Heinz und Gesine Vogel.

c) Beate Wehner ist die _____ von Heinz und Gesine Vogel.

d) Werner Vogel und Lore Vogel sind die _____ von Rüdiger Vogel.

e) Ute Vogel ist die _____ von Heinz und Gesine Vogel.

f) Lore Vogel ist die _____ von Anna Vogel.

g) Ute Vogel ist die _____ von Konrad Wehner und Beate Wehner.

h) Rüdiger Vogel ist der _____ von Konrad und Beate Wehner.

i) Ute Vogel ist die _____ von Heinz Vogel.

j) Konrad Wehner ist der _____ von Ute Vogel.

k) Werner Vogel ist der _____ von Simon Vogel.

l) Lore Vogel ist die _____ von Ute Vogel.

m) Gesine Vogel ist die _____ von Anna Vogel.

n) Heinz Vogel ist der _____ von Simon Vogel.

o) Simon Vogel ist der _____ von Lore Vogel.

Vocabulary

verbs

denken an	to think of	scheinen	to shine (sun)
feiern	to celebrate	schneien	to snow
fließen	to flow	trennen	to separate
herstellen	to produce	überraschen	to surprise
mitmachen	to join in, to take part	verbrennen	to burn (something)
mitnehmen	to take along	wegwerfen	to throw away
produzieren	to produce	werfen	to throw
regnen	to rain	zeigen	to show

nouns

r Abfall, ¨e	waste, rubbish	r Kunststoff, -e	plastic, man-made material
r Ausflug, ¨e	outing, trip		
r Bach, ¨e	stream	s Land, ¨er	country
r Bäcker, -	baker	e Landkarte, -n	map
r Berg, -e	mountain	e Limonade, -n	lemonade
r Boden	ground	e Lösung, -en	solution
e / r Deutsche, -n (ein Deutscher)	German (person)	e Luft	air
		r März	March
s Dorf, ¨er	village	s Meer, -e	sea, ocean
e Dose, -n	tin, can	e Menge, -n	quantity
s Drittel, -	third (of a whole)	r Meter, -	metre
s Eis	ice	r Nebel	fog
e Energie, -n	energy	r Norden	the North
s Feld, -er	field	r Osten	the East
r Filter, -	filter	(s) Österreich	Austria
s Fleisch	meat	s Papier	paper
r Fluß, Flüsse	river	r Park, -s	park
r Frühling	spring	e Party, -s	party (celebration)
s Gebirge, -	mountains, mountain range	e Pflanze, -n	plant
		s Plastik	plastic
s Getränk, -e	drink	r Rasen	lawn
s Gewitter, -	thunderstorm	r Regen	rain
s Gift, -e	poison	r Saft, ¨e	juice
s Grad, -e	degree	e Schallplatte, -n	record (musical)
e Grenze, -n	border	s Schiff, -e	ship, boat
r Handel	trade	r Schnee	snow
r Herbst	autumn, fall	r Schnupfen	cold, nasal catarrh
r Hügel, -	hill	e See	sea
e Industrie, -n	industry	r See, -n	lake
e Insel, -n	island	r Sommer	summer
r Käse	cheese	e Sonne, -n	sun
s Klima	climate	r Stoff, -e	here: material

Lektion 6

r Strand, ⸚e	*beach*	r Wein, -e	*wine*
e Strecke, -n	*distance*	r Westen	*the West*
r Süden	*the South*	r Wetterbericht, -e	*weather report*
s Tal, ⸚er	*valley*	e Wiese, -n	*meadow*
s Taschentuch, ⸚er	*handkerchief*	r Wind	*wind*
r Teil, -e	*part*	r Winter	*winter*
e Temperatur, -en	*temperature*	e Woche, -n	*week*
e Tonne, -n	*metric ton*	r Wohnort, -e	*place of residence*
s Ufer, -	*riverbank*	e Wurst, ⸚e	*sausage, cold meat*
r Wald, ⸚er	*wood, forest*	e Zeichnung, -en	*drawing*

adjectives

allmählich	*gradual*	meist-	*most*
besser	*better*	naß	*wet*
deutsch	*German*	persönlich	*personal*
erst-	*first*	plötzlich	*sudden*
flach	*flat*	sonnig	*sunny*
folgend	*following*	stark	*strong*
gleichzeitig	*simultaneous*	täglich	*daily*
heiß	*hot*	trocken	*dry*
herrlich	*marvellous, glorious*	typisch	*typical*
ideal	*ideal*	warm	*warm*
kalt	*cold*	zweit-	*second (in order)*
kühl	*cool*		

function words

wenige	*a few*	gegen Mittag	*around midday*
zwischen	*between*	immer noch	*(emphasised) still*
am Tage	*during the day*	jeden Tag	*every day*
baden gehen	*to go swimming*	jedes Jahr	*every year*
den ganzen Tag	*all day long*	noch mehr	*even more*
es gibt	*there is, there are*	noch nicht	*not ... yet*
etwas gegen den Müll tun	*to do something about the rubbish*	übrigbleiben	*to remain, to be left over*
gar nichts	*nothing at all*	von ... nach ...	*from ... to ...*

Grammar

1. Relative clauses

1.1. Sentence structure (§ 29 p. 145)

Relative clauses are inserted after a noun in the main clause and give further information about it. In English these clauses are introduced with the relative pronouns "who", "which" or "that" although these can sometimes be omitted. The relative pronouns in German are *der, die, das* and their declensions (see 1.2.) and are always required, e.g.

ex.
19
21

Wie heißt der Mann, <u>der</u> im 2. Stock wohnt?
What's the name of the man who lives on the second floor?

Read the following sentences carefully and observe the position of the relative pronoun and the verb.

preverbal position	verb$_1$	subject	qualifier	complement	verb$_2$	(verb$_1$) in sub
Wie	heißt	der Mann				
,der				im 2. Stock		wohnt?
,mit dem		du	immer	Tennis		spielst?
,den		Frau Heide	schon		besucht	hat?

The relative clause is a subordinate clause. Hence its verb$_1$ goes to the very end of the subordinate clause which is always preceded by a comma.

The relative pronoun introduces a subordinate clause but is not a subordinating conjunction. It is part of the relative clause and can be the subject or a complement of that clause. It always takes the preverbal position.

As the function of the relative clause is to give further information about a noun in the main clause it usually follows that noun immediately and is therefore inserted into the main clause. It must always be enclosed by commas, e.g.

Der Mann, <u>der im 2. Stock wohnt</u>, ist Polizist.

If the subordinate clause, however, would only be followed by one more word of the main clause, it is usually not inserted but follows at the end of the main clause.

possible version: Ich habe mit dem Mann, der im 2. Stock wohnt, gesprochen.
usual version: Ich habe mit dem Mann gesprochen, der im 2. Stock wohnt.

Lektion 6

1.2. The relative pronoun (§ 13 p. 135)

As the relative pronoun refers to a noun in the main clause it must agree with it in gender and number. Its case, however, depends on its grammatical function in the relative clause. The following examples will clarify that.

A. Der Mann, <u>der</u> im 2. Stock wohnt, ist Pilot.

The relative pronoun is *der* because
- it refers to *der Mann* and is therefore masculine
- it is in the nominative because it is the subject of the relative clause. *(Er wohnt im 2. Stock,* which is the idea underlying the relative clause.)

B. Der Mann, <u>den</u> ich besucht habe, ist Pilot.

The relative pronoun is *den* because
- it refers to *der Mann* and is therefore masculine
- it is in the accusative because it is the accusative object of the relative clause. *(Ich habe den Mann / ihn besucht,* which is the idea underlying the relative clause.)

C. Der Mann, mit <u>dem</u> ich Tennis gespielt habe, ist Pilot.

The relative pronoun is *dem* because
- it refers to *der Mann* and is therefore masculine
- it is in the dative because it comes after a preposition that is governed by the dative. *(Ich habe mit dem Mann / mit ihm Tennis gespielt,* which is the idea underlying the relative clause.)

D. Der Mann, <u>dem</u> ich die Stadt gezeigt habe, ist Pilot.

The relative pronoun is *dem* because
- it refers to *der Mann* and is therefore masculine
- it is in the dative because it is the dative object of the relative clause. *(Ich habe dem Mann / ihm die Stadt gezeigt,* which is the idea underlying the relative clause.)

E. Der Mann, <u>dessen</u> Auto gerade geprüft wird, ist Pilot.

The relative pronoun is *dessen* because
- it refers to *der Mann* and is therefore masculine
- it is in the genitive because it refers to the possessive genitive *(Das Auto des Mannes)* The English equivalent is "whose".

Remember: As shown in example (C.) the preposition must always precede the relative pronoun and can never go to the end of the sentence as in spoken English. Preposition and relative pronoun can never be contracted as in the case of preposition and article.

Das ist das Cafe, <u>in dem</u> (never *im*) ich gewartet habe.

Remember to use the genitive relative pronoun according to the noun you are referring back to, not according to the noun that follows.

These are the grammatical forms of the relative pronoun:

	nominative	accusative	dative	genitive
masculine	der	den	dem	**dessen**
feminine	die	die	der	**deren**
neuter	das	das	dem	**dessen**
plural	die	die	**denen**	**deren**

The relative pronouns in bold are those that differ from the forms of the definite article.

2. Expressions of time without a preposition

Expressions of time in conjunction with the words *jed-* (= every), *letzt-* / *vorig-* (= previous / last), *nächst-* (= next), *dies-* (= this) and *wenige* (= a few) are used without an article and are in the accusative, e.g.

ex.
7
13
14
15

jeden Tag	=	every day
voriges Jahr	=	last year
letzte Woche	=	last week
nächsten Sonntag	=	next Sunday
wenige Stunden	=	a few hours

Expressions of time with *ganz,* however, are used with an article, e.g.
den ganzen Tag   =   all day

3. The preposition *aus*

A. can be used to express the geographical origin:

ex.
22

Mein Mann kommt aus Deutschland.   =   My husband comes from Germany.

B. can also denote "made of" referring to materials

Der Kochtopf ist aus Glas.   =   The saucepan is made of glass.

4. *Dabei, nämlich*

These adverbs can be used to link sentences.

A. *dabei:*
It takes the preverbal position and can be translated with "(and) yet".

Die Produktion von Glas und Papier kostet viel Geld. <u>Dabei</u> gibt es eine bessere Lösung, das Recycling.

The production of glass and paper costs a lot of money. <u>And yet</u> there is a better solution, recycling.

B. *nämlich:*

It is used to indicate a cause or a reason for a preceding statement in the sense of English "because" / "as" and takes the position qualifier.

Altpapier muß man nicht wegwerfen. Daraus kann man <u>nämlich</u> neues Papier herstellen.	Waste paper does not have to be thrown away <u>because / as</u> new paper can be made out of it.

5. Writing

In chapter 2 you learnt how to write a formal letter. You can refer to that or read the letter on page 44 in the *Kursbuch* which is addressed to the town hall. It can serve as an example for the following exercise.

5.1. Exercise: Read the topic carefully. Then write a formal letter.

In Ihrer Heimatstadt ist der Müll zum Problem geworden. Es gibt keine Mülltonnen, sondern viele große, schwarze Tüten mit Abfall auf der Straße. Jetzt haben Sie über das neue Konzept zur Müllreduzierung in Aschaffenburg gelesen. Schreiben Sie an das Rathaus der Stadt Aschaffenburg:

- Stellen Sie sich vor.

- Schreiben Sie über das Problem mit dem Müll in Ihrer Heimatstadt.

- Was haben Sie über das Konzept in Aschaffenburg gelesen?

- Bitten Sie um genaue Informationen über das Konzept (z.B. Organisation, Kosten für Container und Sammelstellen).

- Warum finden Sie das Konzept so interessant?

1. Welche Adjektive passen am besten?

Nach Übung

1

im Kursbuch

a) Herbst, Regen, 8° C: _____ und _____
b) Sommer, 35° C, Sonne: _____ und _____
c) Winter, Schnee, −8° C: _____
d) Herbst, Nebel, 9° C: _____ und _____
e) Frühling, Sonne, 20° C: _____ und _____

> trocken warm
> kühl heiß
> naß
> kalt
> feucht

2. Wie ist das Wetter? Was kann man sagen?

Nach Übung

2

im Kursbuch

stark	angenehm	groß	freundlich	schön	billig	gut	schlecht	mild
höflich	hübsch	unfreundlich	unangenehm	nett	glücklich	gleichzeitig		

Das Wetter ist
angenehm, ... _____

3. Ordnen Sie.

Nach Übung

2

im Kursbuch

Landschaft/Natur	Wetter

> Tier   Pflanze   Gewitter   Grad   Meer
> Regen   Berg   Klima   Blume   Insel
> Wind   See   Strand   Fluß   Wald
> Wolke   Schnee   Eis   Boden   Wiese
> Sonne   Park   Nebel   Baum

4. Drei Wörter passen nicht.

Nach Übung

2

im Kursbuch

a) Der Regen ist | sehr / ziemlich / furchtbar / viel / zuviel / ganz / besonders / ein paar | stark.

c) Gestern gab es | viel / sehr / wenig / etwas / ein bißchen / besonders / ganz / keinen | Regen.

b) Es gibt hier | viele / ein bißchen / wenige / keine / sehr / ein paar / einige / zu viele / besonders | Tiere.

d) Es gibt hier | nie / selten / oft / ganz / wenig / keinen / häufig / manchmal / einige / zu viele | Regen.

Lektion 6

Nach Übung

2

im Kursbuch

5. Sagen Sie es anders. Verwenden Sie die folgenden Wörter.

a) In Bombay kennt man keinen Schnee.
In Bombay _____ nie.

es gibt…	es geht…	es regnet…
es schneit…	es klappt…	es ist…

b) Der Regen hat aufgehört. Wir können jetzt schwimmen gehen.
_____ nicht mehr. Wir können jetzt schwimmen gehen.

c) Hör mal! Da kommt gleich ein Gewitter.
Hör mal! Gleich _____ ein Gewitter.

d) Heute habe ich keine Zeit.
Heute _____ nicht.

e) Das Telefon ist immer besetzt. Du hast vielleicht mehr Glück, wenn du später anrufst.
Das Telefon ist immer besetzt. Vielleicht _____, wenn du später anrufst.

f) Das Wetter ist so kalt, daß die Kinder nicht im Garten spielen können.
_____, daß die Kinder nicht im Garten spielen können.

g) Wo kann man hier telefonieren?
Wo _____ hier ein Telefon?

Nach Übung

2

im Kursbuch

6. Ergänzen Sie.

Die Pronomen „er", „sie" und „es" bedeuten in einem Text gewöhnlich ganz bestimmte Sachen, zum Beispiel „der Film" = „er", „die Rechnung" = „sie" oder „das Hotel" = „es". Das Pronomen „es" kann aber auch eine allgemeine Sache bedeuten, zum Beispiel „Es ist sehr kalt hier." oder „Es schmeckt sehr gut." Ergänzen Sie in den folgenden Sätzen die Pronomen „er", „sie" und „es".

a) Wie hast du die Suppe gemacht? _____ schmeckt ausgezeichnet.
b) Dein Mann kocht wirklich sehr gut. _____ schmeckt ausgezeichnet.
c) Seit drei Tagen nehme ich Tabletten. Trotzdem tut _____ noch sehr weh.
d) Ich kann mit dem rechten Arm nicht arbeiten. _____ tut sehr weh.
e) Ich habe die Rechnung geprüft. _____ stimmt ganz genau.
f) Du kannst mir glauben. _____ stimmt ganz genau.
g) Sie brauchen keinen Schlüssel. _____ ist immer auf.
h) Es gibt keinen Schlüssel für diese Tür. _____ ist immer auf.
i) Morgen kann ich kommen. Da paßt _____ mir sehr gut.
j) Dieser Termin ist sehr günstig. _____ paßt mir sehr gut.
k) Der Spiegel war nicht teuer. _____ hat nur 14 Mark gekostet.
l) Ich habe nicht viel bezahlt. _____ hat nur 14 Mark gekostet.
m) Können Sie bitte warten? _____ dauert nur noch 10 Minuten.
n) Der Film ist gleich zu Ende. _____ dauert nur noch zehn Minuten.

In welchen Sätzen wird das allgemeine Pronomen „es" verwendet?

a)	b)	c)	d)	e)	f)	g)	h)	i)	j)	k)	l)	m)	n)

7. Ordnen Sie.

Nach Übung

2

im Kursbuch

plötzlich ~~für wenige Wochen~~ ~~jeden Tag~~ ~~gegen Mittag~~ langsam täglich
im Herbst nachts am Tage jedes Jahr manchmal selten allmählich
fünf Jahre ein paar Monate zwischen Sommer und Winter wenige Tage

wie?	wie oft?	wann?	wie lange?
plötzlich,	*jeden Tag,*	*gegen Mittag,*	*für wenige Wochen,*

8. Ergänzen Sie.

Nach Übung

4

im Kursbuch

No

9. Ergänzen Sie.

Nach Übung

4

im Kursbuch

a) Juni, Juli, August = _____
b) September, Oktober, November = _____
c) Dezember, Januar, Februar = _____
d) März, April, Mai = _____

10. Ergänzen Sie.

Nach Übung

4

im Kursbuch

am Nachmittag   früh am Morgen   spät am Abend
am Mittag   vor zwei Tagen   in zwei Tagen

a) vorgestern – _____
b) spät abends – _____
c) mittags – _____
d) übermorgen – _____
e) früh morgens – _____
f) nachmittags – _____

11. Was paßt?

Nach Übung

4

im Kursbuch

am späten Nachmittag   am Abend   am Mittag   am frühen Nachmittag
früh abends   spätabends   frühmorgens   am frühen Vormittag

a) 12.00 Uhr – *am Mittag*
b) 18.30 Uhr – _____
c) 23.00 Uhr – _____
d) 13.30 Uhr – _____
e) 17.30 Uhr – _____
f) 6.00 Uhr – _____
g) 8.00 Uhr – _____
h) 20.00 Uhr – _____

Lektion 6

Nach Übung

4

im Kursbuch

12. Ergänzen Sie.

Heute ist Sonntag. Dann ist (war)…

a) gestern mittag: _Samstag mittag_
b) vorgestern mittag: _____
c) übermorgen abend: _____

d) morgen vormittag: _____
e) morgen nachmittag: _____
f) gestern morgen: _____

Nach Übung

4

im Kursbuch

13. Was paßt wo? Ordnen Sie.

selten	nie	im Winter	bald	nachts	ein paar Minuten	kurze Zeit
oft	vorige Woche	den ganzen Tag	einige Jahre	damals	vorgestern	7 Tage
jetzt	früher	letzten Monat	am Abend	nächstes Jahr	immer	heute abend
frühmorgens	heute	sofort	jeden Tag	gegen Mittag	gleich	für eine Woche
um 8 Uhr	am Nachmittag	wenige Wochen	diesen Monat	fünf Stunden
am frühen Nachmittag	meistens	am Tage	manchmal	mittags	morgen

Wann?	Wie oft?	Wie lange?
im Winter	_selten_	_ein paar Minuten_

Nach Übung

4

im Kursbuch

14. Wann ist das? Wann war das?

Heute ist Dienstag, der 13. Oktober 1992

| nächst- | dies- | vorig-/letzt- |

a) November 1992? _nächsten Monat_
b) 1991? _____
c) 22. Oktober 1992? _____
d) 1993? _____

e) September 1992? _____
f) Oktober 1992? _____
g) 1992? _____
h) 5. Oktober 1992? _____

Nach Übung

6

im Kursbuch

15. Ihre Grammatik. Ergänzen Sie die Zeitangaben im Akkusativ.

der Monat	die Woche	das Jahr
den ganz_en_ Monat	die ganz____ Woche	das ganz____ Jahr
letzt____ Monat	letzt____ Woche	letzt____ Jahr
vorig____ Monat	vorig____ Woche	vorig____ Jahr
nächst____ Monat	nächst____ Woche	nächst____ Jahr
dies____ Monat	dies____ Woche	dies____ Jahr
jed____ Monat	jed____ Woche	jed____ Jahr

16. Schreiben Sie.

a) Andrew Stevens aus England schreibt an seinen Freund John:
- ist seit 6 Monaten in München
  Wetter: Föhn oft schlimm
- bekommt Kopfschmerzen
- kann nicht in die Firma gehen
- freut sich auf England

Schreiben Sie die zwei Karten zu b) und c).

Lieb ...
ich ...   Hier ...   so ..., daß ...
Dann ...   Deshalb ...

Nach Übung
6
im Kursbuch

Lieber John,

ich bin jetzt seit sechs Monaten in München. Hier ist der Föhn oft so schlimm, daß ich Kopfschmerzen bekomme. Dann kann ich nicht in die Firma gehen. Deshalb freue ich mich, wenn ich wieder zu Hause in England bin.

Viele Grüße,
Dein Andrew

b) Herminda Victoria aus Mexiko schreibt an ihre Mutter:
- studiert seit 8 Wochen in Bielefeld
- Wetter: kalt und feucht
- ist oft stark erkältet
- muß viele Medikamente nehmen
- fährt in den Semesterferien zwei Monate nach Spanien

c) Benno Harms aus Gelsenkirchen schreibt an seinen Freund Karl:
- ist Lehrer an einer Technikerschule in Bombay
- Klima: feucht und heiß
- bekommt oft Fieber
- kann nichts essen und nicht arbeiten
- möchte wieder zu Hause arbeiten

17. Was paßt nicht?

a) See – Strand – Fluß – Bach
b) Tal – Hügel – Gebirge – Berg
c) Dorf – Stadt – Ort – Insel
d) Feld – Wiese – Ufer – Rasen

Nach Übung
7
im Kursbuch

18. Ergänzen Sie „zum Schluß", „deshalb", „denn", „also", „dann", „übrigens", „und", „da", „trotzdem" und „aber".

Nach Übung
11
im Kursbuch

Warum nur Sommerurlaub an der Nordsee?

Auch der Herbst ist schön. Es ist richtig, daß der Sommer an der Nordsee besonders schön ist. _____ (a) kennen Sie auch schon den Herbst bei uns? _____ (b) gibt es sicher weniger Sonne, und baden können Sie auch nicht. _____ (c) gibt es nicht so viel Regen, wie Sie vielleicht glauben. Natur und Landschaft gehören Ihnen im Herbst ganz allein, _____ (d) die meisten Feriengäste sind jetzt wieder zu Hause. Sie treffen _____ (e) am Strand nur noch wenige Leute, _____ (f) in den Restaurants haben die Bedienungen wieder viel Zeit für Sie. Machen Sie _____ (g) auch einmal Herbsturlaub an der Nordsee. _____ (h) sind Hotels und Pensionen in dieser Zeit besonders preiswert. _____ (i) noch ein Tip: Herbst bedeutet natürlich auch Wind. _____ (j) sollten Sie warme Kleidung nicht vergessen.

Lektion 6

19. Wo möchten die Leute wohnen?

a)

...nicht sehr tief ist. (1)
...nur wenige Leute kennen. (2)
...man segeln kann. (3)
...man gut schwimmen kann. (4)

...Wasser warm ist. (5)
...es viele Fische gibt. (6)
...es keine Hotels gibt. (7)
...es mittags immer Wind gibt. (8)

b)

...ganz allein im Meer liegt.
...keinen Flughafen hat.
...nur wenige Menschen wohnen.
...es keine Industrie gibt.

...man nur mit einem Schiff kommen kann.
...Strand weiß und warm ist.
...es noch keinen Namen gibt.
...immer die Sonne scheint.

c)

...schöne Landschaften hat.
...das Klima trocken und warm ist.
...Sprache ich gut verstehe.
...die Luft noch sauber ist.

...man keinen Regenschirm braucht.
...sich alle Leute wohl fühlen.
...man immer interessant findet.
...Leute freundlich sind.

d)

...viele Parks haben.
...Straßen nicht so groß sind.
...noch Straßenbahnen haben.
...ein großer Fluß fließt.

...viele Brücken haben.
...man nachts ohne Angst spazierengehen kann.
...sich die Touristen nicht interessieren.
...man sich frei fühlt.

an dem	auf dem	über der	deren	dessen	den	für die
durch die	zu der			in dem		
für das	auf der	denen	in denen	die	der	das

a) *Ich möchte an einem See wohnen, der nicht sehr tief ist.* (1)
          , *den nur wenige Leute kennen.* (2)
          , *auf...* (3)
           (4)
           (5)
           (6)
           (7)
           (8)

b) _____

   ...

c) ...

d) ...

Ihre Grammatik. Ergänzen Sie die Sätze (1) bis (8) aus a).

Vorfeld	Verb$_1$	Subjekt	Erg.	Angabe	Ergänzung	Verb$_2$	Verb$_1$ im Nebensatz
Ich	möchte				an einem See	wohnen,	
(1) der				nicht	sehr tief		ist.
(2)							
(3)							
(4)							
(5)							
(6)							
(7)							
(8)							

20. Welche Nomen passen zusammen?

Nach Übung

14

im Kursbuch

Gerät Fleisch Pflanze Temperatur Bäcker Tonne Abfall Gift Benzin Plastik
Strom Regen Schallplatte Käse Limonade Schnupfen Strecke Medikament

a) Maschine – _____

b) Müll – _____

c) Öl – _____

d) Erde – _____

e) Wasser – _____

f) Energie – _____

g) Tablette – _____

h) Kilogramm – _____

i) Gefahr – _____

j) Kunststoff – _____

k) 10 Grad – _____

l) 30 Kilometer – _____

m) Musik – _____

n) Getränk – _____

o) Brot – _____

p) Erkältung – _____

q) Wurst – _____

r) Milch – _____

Lektion 6

Nach Übung

14

im Kursbuch

21. Herr Janßen macht es andes. Schreiben Sie.

a) kein Geschirr aus Kunststoff benutzen – nach dem Essen wegwerfen müssen
   Er benutzt kein Geschirr aus Kunststoff, das man nach dem Essen wegwerfen muß.

b) Putzmittel kaufen – nicht giftig sein

c) auf Papier schreiben – aus Altpapier gemacht sein

d) kein Obst in Dosen kaufen – auch frisch bekommen können

e) Saft trinken – in Pfandflaschen geben

f) Tochter Spielzeug schenken – nicht so leicht kaputtmachen können

g) Brot kaufen – nicht in Plastiktüten verpackt sein

h) Eis essen – keine Verpackung haben

i) keine Produkte kaufen – nicht unbedingt brauchen

Nach Übung

14

im Kursbuch

22. Was für Dinge sind das?

a) Blechdose – *eine Dose aus Blech*

b) Teedose – *eine Dose für Tee*

c) Holzspielzeug – _____

d) Plastikdose – _____

e) Suppenlöffel – _____

f) Kunststofftasse – _____

g) Wassereimer – _____

h) Kuchengabel – _____

i) Weinglas – _____

j) Papiertaschentuch – _____

k) Glasflasche – _____

l) Brotmesser – _____

m) Suppentopf – _____

n) Kinderspielzeug – _____

o) Kaffeetasse – _____

p) Milchflasche – _____

q) Papiertüte – _____

r) Kleiderschrank – _____

s) Papiercontainer – _____

t) Steinhaus – _____

u) Steinwand – _____

v) Goldschmuck – _____

Nach Übung

14

im Kursbuch

23. Sagen Sie es anders.

a) Man wäscht die leeren Flaschen und füllt sie dann wieder.
   Die leeren Flaschen werden gewaschen und dann wieder gefüllt.

b) Jedes Jahr werfen wir in Deutschland 30 Millionen Tonnen Abfall auf den Müll.

c) In Aschaffenburg sortiert man den Müll im Haushalt.

d) Durch gefährlichen Müll vergiften wir den Boden und das Grundwasser.

e) Ein Drittel des Mülls verbrennt man in Müllverbrennungsanlagen.

f) Altglas, Altpapier und Altkleider sammelt man in öffentlichen Containern.

g) Nur den Restmüll wirft man noch in die normale Mülltonne.

h) In Aschaffenburg kontrolliert man den Inhalt der Mülltonnen.

i) Auf öffentlichen Feiern in Aschaffenburg benutzt man kein Plastikgeschirr.

j) Vielleicht verbietet man bald alle Getränke in Dosen und Plastikflaschen.

24. Was wäre, wenn?

Nach Übung
14
im Kursbuch

a) weniger Müll produzieren → weniger Müll verbrennen müssen
Wenn man weniger Müll produzieren würde, dann müßte man weniger Müll verbrennen.

b) einen Zug mit unserem Müll füllen → 12 500 Kilometer lang sein

c) weniger Verpackungsmaterial produzieren → viel Energie sparen können

d) alte Glasflaschen sammeln → daraus neue Flaschen herstellen können

e) weniger chemische Produkte produzieren → weniger Gift im Grundwasser und im Boden haben

f) Küchen- und Gartenabfälle sammeln → daraus Pflanzenerde machen können

g) weniger Müll verbrennen → weniger Giftstoffe in die Luft kommen

25. Was paßt?

Nach Übung
14
im Kursbuch

mitmachen   überraschen   machen   produzieren   spielen   verbrennen

a) einen Spaziergang
eine Party
Kaffee
das Mittagessen
das Radio lauter
den Rock kürzer
ein Bücherregal

b) mit den Kindern
Tennis
Theater
Klavier
Schach

c) das Papier im Ofen
den Müll
die Zeitungen
das Holz

d) Schreibmaschinen
Autos
Müll
Papier

e) meinen Bruder
Frau Ludwig
meine Chefin
meine Kollegin

f) bei einer Arbeit
bei einem Quiz
bei einem Spiel

26. Was paßt am besten?

Nach Übung
14
im Kursbuch

scheinen   baden gehen   herstellen   wegwerfen   fließen
feiern   übrigbleiben   zeigen

a) Sonne – _____
b) Müll – _____
c) Schwimmbad – _____
d) Rest – _____

e) Fluß – _____
f) Hochzeit – _____
g) Industrie – _____
h) Finger – _____

Lektion 7

Vocabulary

verbs

beantragen	*to apply for*	klagen	*to complain*
besorgen	*to get hold of, to fix*	packen	*to pack*
bestellen	*to order*	planen	*to plan*
dasein	*to be there*	reinigen	*to clean, here: to dry-clean*
denken	*to think*		
(sich) einigen	*to reach agreement*	reisen	*to travel*
einwandern	*to immigrate*	reservieren	*to reserve*
empfehlen	*to recommend*	retten	*to rescue*
erkennen	*to recognise*	steigen	*to increase, to go up, to rise*
erledigen	*to take care of, to settle*		
		untersuchen	*here: to examine*
fahren	*to go (in a vehicle)*	verlassen	*to leave*
fliegen	*to fly*	vorschlagen	*to suggest*
gelten	*to be valid*	waschen	*to wash*
(sich) gewöhnen an	*to get used to*	wiegen	*to weigh*
glauben an	*to believe in*	zumachen	*to close*

nouns

e Apotheke, -n	*pharmacy*	s Fenster, -	*window*
e Art, -en	*here: nature, mentality*	r Flug, ⸚e	*flight*
s Ausland	*foreign country*	r Flughafen, ⸚	*airport*
r Ausländer, -	*foreigner*	s Flugzeug, -e	*aeroplane*
r Ausweis, -e	*here: identity card*	r Fotoapparat, -e	*(still) camera*
e Änderung, -en	*change*	e Fremdsprache, -n	*foreign language*
e Bahn, -en	*railway, railroad*	e Freundschaft, -en	*friendship*
r Bauer, -n	*farmer*	r Gast, ⸚e	*guest*
e Bedeutung, -en	*here: meaning*	s Gefühl, -e	*feeling*
e Besitzerin, -nen	*(female) owner*	s Handtuch, ⸚er	*towel*
s Bettuch, ⸚er	*sheet (bedding)*	e Heimat	*home, home town, native country*
s Blatt, ⸚er	*sheet (of paper)*		
r Bleistift, -e	*pencil*	s Hotel, -s	*hotel*
e Briefmarke, -n	*stamp*	e Jugendherberge, -n	*youth hostel*
e Buchhandlung, -en	*bookshop*	r Kaffee	*coffee*
s Camping	*camping*	e Kellnerin, -nen	*waitress*
(s) Deutschland	*Germany*	r Koffer, -	*suitcase*
e Diskussion, -en	*discussion*	r Kontakt, -e	*contact*
e Drogerie, -n	*chemist's, drugstore*	r Krankenschein, -e	*medical insurance voucher*
s Einkommen, -	*income*		
e Erfahrung, -en	*experience*	r Lehrling, -e	*apprentice*
e Fahrkarte, -n	*(travel) ticket*	s Licht, -er	*light*
r Fahrplan, ⸚e	*timetable*	e Liste, -n	*list*

s Medikament, -e	medication	r Schnaps, ̈e	spirits
e Mode, -n	fashion	r Schweizer, -	Swiss (man)
e Natur	nature	e Schwierigkeit, -en	difficulty
r Paß, Pässe	passport	e Seife, -n	soap
s Pech	bad luck	s Streichholz, ̈er	match
e Pension, -en	guest-house	e Tasche, -n	here: bag
s Pflaster, -	here: (sticking) plaster, bandaid, elastoplast	s Telefonbuch, ̈er	telephone directory
		r Tourist, -en	tourist
e Presse	press	e / r Verwandte, -n (ein Verwandter)	relative
e Regel, -n	regulation, rule		
e Reise, -n	journey	s Visum, Visa	visa
s Salz	salt	e Wäsche	washing
r Schirm, -e	umbrella	e Zahnbürste, -n	toothbrush
r Schlüssel, -	key	r Zweck, -e	purpose

adjectives

amerikanisch	American	notwendig	necessary
berufstätig	working, in employment	sozial	social
durstig	thirsty	vorig-	previous, last
eben	here: just, simply	zuverlässig	reliable

adverbs

also	here: so, therefore	oben	at the top
außerhalb	outside	raus	out
endlich	at last	unten	at the bottom
höchstens	here: not more than	zurück	back
normalerweise	normally, usually		

function words

alles	everything	sowohl .. als auch ...	both ... and ..., ... as well as ...
damit	so that		
nicht nur ... sondern auch ...	not only ... but also ...	um ... zu	(in order) to
		weder ... noch ...	neither ... nor ...
ob	whether	zwar ... aber ...	although ... still ...

expressions

Angst haben	to be afraid	immer mehr	more and more
dafür sein	to be for / in favour of it	immer wieder	again and again
die Prüfung bestehen	to pass the exam	noch etwas	something else
ein paar	a few	noch immer	(emphasised) still
ernst nehmen	to take seriously	vorbei sein	to be over
für ... sein	to be for / in favour of	was für?	what sort of?
genau das	exactly that	wie groß?	here: how good?

Lektion 7

Grammar

1. *Lassen*

ex.
5
6
7

In "Themen neu 1", chapter 8, 4. you were introduced to the verb *lassen*.

Lassen has two main meanings:

A. Mein kleiner Sohn <u>läßt</u> mich nicht lesen.   My little son doesn't let me read.
B. Ich <u>lasse</u> meinen Wagen reparieren.   I'm having my car repaired.

In both sentences *lassen* is used with an accusative object. In (A.) it is a person, in (B.) it is an object.

Mein kleiner Sohn <u>läßt</u> <u>mich</u> nicht <u>den Brief</u> lesen. My little son doesn't let me read the letter.
Ich <u>lasse</u> <u>meinen Bruder</u> <u>mein Auto</u> reparieren.   I have my brother repair my car.

Lassen always requires an accusative object (= transitive verb). If the second verb in the sentence is also a transitive verb two accusative objects are possible.

preverbal position	verb$_1$	subj.	complement	qualifiers	complement	verb$_2$
Ich	lasse		meinen Bruder	heute	meinen Wagen reparieren.	
Er	will		mich	nicht	den Brief lesen	lassen.

As you can see from the table above the person in the accusative takes the first complement position, the object in the accusative the second.

2. Indirect questions (§ 26 p. 142, 143)

ex.
14

A question can be expressed in two different ways:

– By means of a direct question (always a main clause) with a question mark and inverted commas.
  Sie fragt: „Wem gehört dieses Buch?"

– By means of an indirect question (always a subordinate clause) without a question mark and inverted commas after a verb or an expression that denotes curiosity, doubt, etc.. The indirect question is introduced in two different ways depending on how the direct question would start.

A. If the direct question starts with an interrogative the same then applies to the indirect question.
  direct question: „<u>Wer</u> braucht eine Arbeitserlaubnis?"
  indirect question: Ich möchte wissen, <u>wer</u> eine Arbeitserlaubnis braucht.

B.   If the direct question starts with a verb then the indirect question starts with *ob* which corresponds to English "whether".

direct question: „Braucht man eine Arbeitserlaubnis?"
indirect question: Ich möchte wissen, <u>ob</u> man eine Arbeitserlaubnis braucht.

conj	preverbal position	verb$_1$	subject	qualifier	complement	verb$_2$	verb$_1$ sub
	Sie	möchte				wissen,	
	wer				eine Arbeitserlaubnis		braucht.
	warum		man		eine Arbeitserlaubnis		braucht.
ob			man		eine Arbeitserlaubnis		braucht.

As the indirect question is a subordinate clause its conjugated verb$_1$ goes to the end of the sentence. The two clauses are separated by a comma. In the indirect question

A.   the interrogative is part of the sentence and takes the preverbal position
B.   the subordinating conjunction *ob* stands in front and is not part of the sentence. It is followed by the subject. Preverbal position and position verb$_1$ remain empty (see chapter 2, 2.1.).

Remember: In English "whether" or "if" can introduce an indirect question without an interrogative. In German only *ob* can be used.

3. Two-part conjunctions

The following conjunctions consist of two parts and link two clauses (sentences 1 and 2) or parts of clauses (sentences 3, see 3.5.):

ex. 21

3.1. *Entweder … oder …* (= either … or …)
Entweder can take three different positions in the sentence if it links two clauses:

–   the position outside the sentence, i.e. in front of the preverbal position
–   the preverbal position
–   the position qualifiers.

The position of the conjugated verb is determined by the position of *entweder*.
Oder is always outside the sentence structure, i.e. in front of the preverbal position (see chapter 2, 3.).

Lektion 7

		prev. pos.	verb$_1$	subj.	compl.	qual.	complement	verb$_2$
1a	Entweder	ich	habe				meinen Paß	verloren,
1b		Entweder	habe	ich			meinen Paß	verloren,
1c		Ich	habe			entweder	meinen Paß	verloren,
2	oder	(ich	habe)		ihn		zu Hause	gelassen.

3.2. *Nicht nur … sondern auch …* (= not only … but also …)

Im Ausland habe ich <u>nicht nur</u> einen Job, <u>sondern</u> (ich habe) <u>auch</u> Freunde gefunden.

I didn't only find a job abroad but friends, too.

In England hat Sonja <u>nicht nur</u> gearbeitet, <u>sondern</u> (sie hat) <u>auch</u> gelernt, selbständig zu sein.

Sonja didn't only work in England but also learned how to be independent.

Nicht nur takes position qualifiers, *sondern* is always outside the sentence structure (see chapter 2, 3.), *auch* takes position qualifiers.

3.3. *Weder … noch …* (= neither … nor …)

Ich hatte <u>weder</u> meinen Paß <u>noch</u> meinen Ausweis dabei.

I had neither my passport nor my identity card on me.

Man hat mir <u>weder</u> meinen Koffer gestohlen, <u>noch</u> habe ich ihn verloren.
<u>Weder</u> hat man mir meinen Koffer gestohlen, <u>noch</u> habe ich ihn verloren.

My suitcase was neither stolen nor had I lost it.

Remember: If *weder* and *noch* link whole clauses *weder* can take the preverbal position or the position qualifiers. *Noch* always takes the preverbal position.

	preverbal position	verb$_1$	subject	compl.	qualifiers	complement	verb$_2$
1a	Man	hat		mir	weder	meinen Koffer	gestohlen,
1b	Weder	hat	man	mir	meinen Koffer	gestohlen,	
2	noch	habe	ich	ihn			verloren.

3.4. *Zwar … aber …* (= may be … but … / although … still …)

Zwar lebe ich gern in England, aber das Wetter ist dort so schlecht.

I am happy living in England but the weather is so bad there.

Ich lebe zwar gern in England, aber das Wetter ist dort so schlecht.

Zwar either takes the preverbal position or the position qualifier, *aber* is outside the sentence structure (see chapter 2, 3.).

		preverbal position	verb$_1$	subject	qualifiers	complement	verb$_2$
1a 1b		Ich Zwar	lebe lebe	 ich	zwar gern gern	in England, in England,	
2	aber	das Wetter	ist		dort	so schlecht.	

3.5. Linking two parts of a clause

	prev. pos.	verb$_1$	sub.	compl.	qual.	complement	verb$_2$
	Ich	kaufe				entweder einen Audi oder einen VW.	
3	Ich	hatte				weder meinen Paß noch meinen Ausweis	dabei.
	Ich	bin				zwar klein, aber stark.	

3.6. Exercise: Translate the following sentences using *zwar ... aber ...* Remember that the word order can be varied.

a)   Germany may be an interesting country but the food in Spain is much better.

_____

_____

b) Although he is ill he's still playing football tomorrow.

_____

_____

c) It may be a good bicycle but mine is much better.

_____

_____

d) Although I won in the lottery I am still not very happy.

_____

_____

3.7. *Sowohl ... als auch ...* (= both ... and ... / ... as well as ...)
This two-part conjunction can only connect two parts of a sentence.

Ich habe <u>sowohl</u> Englisch <u>als auch</u> Deutsch gelernt.

I learnt both English and German. (I learnt English as well as German.)

Lektion 7

4. Clauses of purpose (final clauses) (§ 31, § 32, p. 146)

ex.
12
17
22
24

There are three different ways of expressing purpose:

A. Viele junge Leute fahren nach England, <u>damit</u> sie besser Englisch lernen. | Many young people go to England so that they can improve their English.

B. Viele junge Leute fahren ins Ausland, <u>um</u> dort <u>zu</u> studieren. | Many young people go abroad in order to go to university there.

C. Viele junge Leute fahren <u>zum Studieren</u> ins Ausland. | Many young people go abroad to study.

4.1. Subordinate clause with *damit*

Damit in a final clause introduces a subordinate clause which means that the subject of the subordinate clause follows the conjunction and its verb goes to the very end.

It can be used if the subjects of main and subordinate clause are identical as in example (A.) above. It is the only possible final clause if the two subjects are different, e.g.

<u>Familie Neudel</u> fährt nach England, <u>damit</u> <u>ihre Tochter</u> dort besser Englisch lernt. | The Neudels go to England so that their daughter can improve her English.

4.2. *Um ... zu ...* + INFINITIVE

If the subjects of the two clauses are the same *um ... zu ...* is to be preferred. It corresponds to English "in order to". In English, however, one often leaves out the words "in order". When the underlying meaning is "in order to" you must use *um ... zu ...* in German.

Herr Neudel möchte auswandern, <u>um</u> freier <u>zu</u> leben. | Herr Neudel wants to emigrate (in order) to live more freely.

The word order and punctuation of infinitive clauses with *um ... zu ...* are the same as in infinitive clauses with *zu* (see chapter 5, 1.2.) with *um* being at the beginning of the infinitive clause.

4.3. *Zum* + INFINITIVE

The shortest way to express the purpose of an action is to use *zum* + INFINITIVE. *Zum* turns the infinitive into a noun which is then capitalised. This combination is a qualifier, hence a part of the main clause. It can also take the preverbal position.

Ich möchte kochen. + Ich brauche einen Kochtopf.
→ <u>Zum Kochen</u> brauche ich einen Kochtopf. | For cooking I need a saucepan.

This construction can only be used if the infinitive stands on its own. If it has a complement a subordinate clause with *damit* or *um ... zu ...* must be used.

Ich möchte <u>Rinderbraten kochen</u>. + Ich brauche einen Kochtopf.

→ Ich brauche einen Kochtopf, um Rinder-   I need a saucepan to cook roast beef.
braten zu kochen.

In expressions like *Fußball spielen, Feuer machen, Auto fahren, Ski laufen*, infinitive and complement form a unit. *Zum* + INFINITIVE can be used in these cases. As you can see the infinitive then is not capitalised.

Zum <u>Feuer machen</u> braucht man Streichhölzer. For lighting a fire one needs matches.

5. Adjectives

5.1. *Ander-, verschieden, anders*

You will remember from chapter 1, 1.1. when adjectives take an ending and when they don't. ex. 19
When they are complements of a verb or after the verbs *sein, aussehen, wirken* or *finden*
they have no ending. When they stand directly in front of a noun and qualify that noun,
however, they must have an ending.

Read the following sentences carefully and tick in the table below which function the
underlined adjectives have in the sentence:

a) Verschiedene Frauen erzählen über ihre Reise ins Ausland.
b) Frau Künzel ist nach Paris gefahren. Eine andere Frau ist nach Rom gefahren.
c) Italien ist anders als Deutschland.
d) Italien und Deutschland sind verschieden.

Try covering up the answers following the table before you complete the exercise.

		complement of verb	qualifies a noun
a)	verschieden		
b)	ander-		
c)	anders		
d)	verschieden		

Anders (c) and *verschieden* (d) are complements of a verb, used here in comparisons, whilst
verschieden (a) and *ander-* (b) qualify a noun.

Now try to translate the sentences using the words "different" and "several".

	translation	usage
ander-	different	qualifies a noun
anders (als)	different (from)	complement of a verb
verschieden	several	qualifies a noun
verschieden	different	complement of a verb

Lektion 7

5.2. Exercise: Please supply *ander-, anders, verschieden-*.

a) Heute denken viele Ausländer _____ als früher über deutsche Touristen.

b) Ich war schon in Österreich und Italien, aber ich möchte gern noch in _____ Länder reisen und das Leben dort kennenlernen.

c) In den EU-Staaten brauchen Briten keine Arbeitserlaubnis. In den USA ist das

_____ .

d) Deutsche und Briten sind _____ . Briten nehmen die Regeln nicht so ernst wie die Deutschen.

e) Aber nicht alle Deutschen sind kühl und ernst. Viele sind _____ , offen und herzlich.

5.3. Exercise: Translate the following sentences.

a) I have a different opinion.

_____

b) I met several people in Spain last year.

_____

c) Are the Americans different from the Germans?

_____

d) I would like to live in a different country for a year.

_____

e) Lisa and Ann are sisters. But they look different.

_____

6. *Derselbe / dieselbe / dasselbe, der gleiche / die gleiche / das gleiche*

There is only one translation for both groups of words: "the same". There is, however, a nuance in meaning. They are declined like the definite article and have the same endings as adjectives.

A. Sie trägt denselben Pullover wie gestern.

She is wearing the same sweater as yesterday. (There is only one sweater.)

B. Sie trägt den gleichen Pullover wie ihre Freundin.

She is wearing the same sweater as her girlfriend. (There are two identical ones.)

6.1. Exercise: Which word would you use in the translation? Supply the complete form. Watch out for the declension and the adjective ending.

derselbe, ...	der gleiche, ...

a) ○ Where does your brother live?
 ☐ In the <u>same</u> house as I do.

b) ○ What presents did you get for your wedding?
 ☐ Many gave us the <u>same</u> present: a coffee-maker.

c) ○ Where did you meet your wife?
 ☐ We went to university in the <u>same</u> town.

d) ○ Are the two girls sisters?
 ☐ No, they are only wearing the <u>same</u> sweater.

7. *Wissen, kennen*

Both verbs are translated with "to know" but are not interchangeable in German.

A. Wissen = "to know information" usually goes with a subordinate clause or the pronouns *das, viel, wenig, alles, nichts, etwas.*

Ich <u>weiß</u> nicht, <u>wie ich einen Job in den USA finden soll.</u>

Der Anfang in einem fremden Land ist schwierig. <u>Das</u> <u>weiß</u> ich.

B. Kennen = "to be acquainted with someone or something" always goes with an accusative object which can either be a noun or a pronoun.

Sie <u>kennt</u> <u>das Land</u> nicht.

Sie <u>kennt</u> <u>niemanden</u> in den USA.

7.1. Exercise: Supply *kennst du* or *weißt du*.

a) _____ Manchester?

b) _____ , ob man in Deutschland leicht eine Stelle finden kann?

c) _____ Frau Neudel?

d) _____ alles für die Prüfung?

e) _____ , daß Ulrike in England studiert hat?

f) _____ diese Sendung?

g) _____ jemanden aus Frankfurt?

h) _____ , wo man Informationen über die USA bekommen kann?

Lektion 7

7.2. Exercise: Supply *wissen* or *kennen* in the correct verb form.

a) ○ _____ Sie, wer der Mann dort ist?

☐ Ja, den _____ ich gut.

b) ○ _____ du vielleicht ein Rezept für Rinderbraten?

☐ Nein, ich kann doch nicht kochen, aber ich _____ , wo ich eins finden kann.

c) ○ Ich will für ein Jahr nach Spanien gehen. _____ du , wo man in Frankfurt gut Spanisch lernen kann?

☐ Ich _____ eine gute Sprachenschule. Ich _____ auch, daß die Lehrer dort sehr gut sind.

8. *Noch, mehr*

A. *noch*:

Wohnst du <u>noch</u> bei deinen Eltern?   Do you still live with your parents?

Noch can also be used in conjunction with pronouns and adverbs, e.g.

noch jemand	=	somebody / anybody else	Kommt noch jemand?
noch ein-	=	another	Noch ein Bier, bitte.
noch etwas	=	something / anything else	Möchten Sie noch etwas?
noch viel	=	still a lot	Wir haben noch viel Käse.
noch ein bißchen	=	a little more	Wir haben noch ein bißchen Zeit.
noch nichts	=	not ... anything yet	Ich habe noch nichts gehört.
noch nicht	=	not ... yet	Ich habe ihn noch nicht besucht.
nur noch	=	only ... left	Wir haben nur noch DM 500.

Noch in conjunction with *immer (noch immer* or *immer noch)* expresses a pleasant or unpleasant surprise on the part of the speaker (= an emphasised "still").

Wohnst du <u>immer noch</u> bei deinen Eltern?   Do you <u>still</u> live with your parents?

Er hat <u>immer noch</u> nicht bezahlt.   He <u>still</u> hasn't paid.

B. *mehr*:

can be used with the following adverbs:

nichts mehr	=	not ... anyhing else	Ich möchte nichts mehr.
nicht mehr	=	not ... any more	Er arbeitet nicht mehr.
niemand mehr	=	nobody else	Heute kommt niemand mehr.

9. Writing: Read the topic carefully, then write a personal letter.

Sie machen im Urlaub eine Reise und schreiben von dort Ihrer Freundin / Ihrem Freund.
Schreiben Sie über folgende Punkte:

– Wo verbringen Sie Ihren Urlaub?

– Wie haben Sie die Reise vorbereitet?

– Wie sind Sie an den Urlaubsort gekommen?

– Wo wohnen Sie?

– Welche Sehenswürdigkeiten haben Sie schon besichtigt oder wollen Sie noch besichtigen?

Lektion 7

Nach Übung

2

im Kursbuch

1. Ergänzen Sie.

a) Nase : Taschentuch / Hand : _____

b) starke Verletzung : Verband / kleine Verletzung : _____

c) Hand : Seife / Zähne : _____

d) Frau : Bluse / Mann : _____

e) aufschließen : offen / abschließen : _____

f) wie groß? : messen / wie schwer? : _____

g) aufschließen : aufmachen / abschließen : _____

h) D : Deutscher / CH : _____

i) Sonne : Sonnenhut / Regen : _____

j) Flugzeug : Flugplan / Zug : _____

k) Lehrer : prüfen / Arzt : _____

l) Fenster : zumachen / Licht : _____

m) Auto : Motor / Taschenlampe : _____

n) eigenes Land : Inland / fremdes Land : _____

o) Auto : fahren / Flugzeug : _____

p) Bahnhof : Bahn / Flughafen : _____

q) kurz : Ausflug / lang : _____

r) mit Wasser : Kleidung waschen / chemisch : _____

Nach Übung

2

im Kursbuch

2. Was muß man vor einer Reise erledigen? Ordnen Sie.

Motor prüfen lassen   Wagen waschen lassen   Koffer packen   Heizung ausmachen

Fahrplan besorgen   Benzin tanken   Medikamente kaufen   Fenster zumachen

sich impfen lassen   Geld wechseln   Fahrkarten holen   Wäsche waschen

Krankenschein holen   Hotelzimmer reservieren   Reiseschecks besorgen

zu Hause	im Reisebüro	für das Auto	Gesundheit	Bank

Nach Übung

2

im Kursbuch

3. Was paßt zusammen? Ordnen Sie. Einige Wörter passen zweimal.

Schirm   Herd   Flasche   Auto   Hemd   Haus   Tasche   Motor   Licht
Hotelzimmer   Auge   Koffer   Heizung   Ofen   Radio   Fernseher   Buch   Tür

ausmachen/anmachen	zumachen/aufmachen	abschließen/aufschließen

4. Ergänzen Sie.

Nach Übung
2
im Kursbuch

| ein-   weg-   weiter-   *mit-*   zurück-   aus- |

a) Die Milch war sauer. Ich mußte sie leider _____gießen.

b) Hast Du Durst? Soll ich Dir ein Glas Limonade _____gießen.

c) Viel Spaß in Amerika! Am liebsten möchte ich _____fliegen.

d) Ich bleibe drei Wochen in den USA. Am 4. Oktober fliege ich nach Hause
_____.

e) Wenn Jugendliche Streit mit ihren Eltern haben, passiert es oft, daß sie von zu Hause
_____laufen.

f) Wir haben den gleichen Weg, ich kann bis zur Kirche _____laufen.

g) Laß uns eine Pause machen. Ich kann nicht mehr _____laufen.

h) Du fährst doch in die Stadt. Kannst du mich bitte _____nehmen?

i) ○ Ich habe gestern diese Strümpfe bei Ihnen gekauft, aber sie passen nicht.
   □ Tut mir leid, aber Strümpfe können wir nicht _____nehmen.

j) Die Post war leider schon geschlossen. Ich kann das Paket erst morgen früh
_____schicken.

k) Wenn im Sommer das Hotel voll ist, müssen die Kinder des Besitzers
_____arbeiten.

l) Fußball spielen macht mir großen Spaß. Laßt ihr mich _____spielen?

m) ○ Wollen die Kinder nicht zum Essen kommen?
   □ Nein, sie wollen lieber _____spielen.

n) Warum willst du denn diese Schuhe _____werfen? Sie sind doch noch ganz
neu!

o) Ich gehe ins Schwimmbad. Willst du _____kommen?

p) Erich ist schon drei Wochen im Urlaub. Wann wollte er denn _____kommen?

q) Wenn ich die Wohnung putze, will meine kleine Tochter immer _____helfen.

r) Ich komme gleich, ich will nur noch mein Bier _____trinken.

s) Ich habe gerade Tee gekocht. Willst Du eine Tasse _____trinken?

t) Wenn ich im Hotelzimmer bin, will ich erst duschen und dann in Ruhe meinen Koffer
_____packen.

u) Darf man ohne Visum in die USA _____reisen?

v) Du mußt jetzt schnell _____steigen, sonst fährt der Zug ohne dich ab.

w) ○ Verzeihung, ich möchte zum Rathausplatz. Muß ich an der nächsten Haltestelle
_____steigen?
   □ Nein, sie müssen noch zwei Stationen _____fahren.

5. „Lassen" hat verschiedene Bedeutungen.

Nach Übung
4
im Kursbuch

A. Meine Eltern lassen mich abends nicht alleine weggehen.
   (*„lassen" = erlauben/zulassen, „nicht lassen" = verbieten*)

B. Ich gehe morgen zum Tierarzt und lasse den Hund untersuchen.
   *„lassen" = eine andere Person soll etwas machen, das man selbst nicht machen kann oder
   möchte.*

Lektion 7

Welche Bedeutung (A oder B) hat „lassen" in den folgenden Sätzen?

a) Am Wochenende lassen wir die Kinder abends fernsehen.
b) Wo lassen Sie Ihr Auto reparieren?
c) Die Briefe lasse ich von meiner Sekretärin schreiben.
d) Sie läßt ihren Mann in der Wohnung nicht rauchen.
e) Du mußt dir unbedingt die Haare schneiden lassen. Sie sind zu lang.
f) Laß mich kochen. Ich kann das besser.
g) Laß ihn doch Musik hören. Er stört uns doch nicht.
h) Ich möchte die Bremsen prüfen lassen.
i) Bitte laß mich schlafen. Ich bin sehr müde.

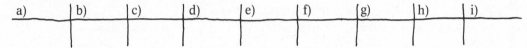

a)	b)	c)	d)	e)	f)	g)	h)	i)

Nach Übung

4

im Kursbuch

6. Sagen Sie es anders.

a) Eva darf im Büro nicht telefonieren. Ihr Chef will das nicht.
Ihr Chef läßt sie im Büro nicht telefonieren.

b) Ich möchte gern allein Urlaub machen, aber meine Eltern verbieten es.
c) Frau Taber macht das Essen lieber selbst, obwohl ihr Mann gerne kocht.
d) Rolfs Mutter ist einverstanden, daß er morgens lange schläft.
e) Herr Moser geht zum Tierarzt. Dort wird seine Katze geimpft.
f) Mein Paß muß verlängert werden.
g) Den Motor kann ich nicht selbst reparieren.
h) Ich habe einen Hund. Gisela darf mit ihm spielen.
i) Ingrid hat keine Zeit, die Wäsche zu waschen. Sie bringt sie in die Reinigung.
j) Herr Siems fährt nicht gern Auto. Deshalb muß seine Frau immer fahren.

Nach Übung

4

im Kursbuch

7. Schreiben Sie einen Text.

Herr Schulz will mit seiner Familie verreisen. Am Tag vor der Reise hat er noch viel zu tun.

Zuerst geht Herr Schulz zum Rathaus. Dort werden die Pässe und die Kinderausweise verlängert. Dann geht er zum Tierarzt. Der untersucht die Katze. In die Autowerkstatt fährt er auch noch. Die Bremsen ziehen nach links und müssen kontrolliert werden. Im Fotogeschäft repariert man ihm schnell den Fotoapparat. Später hat er noch Zeit, zum Friseur zu gehen, denn seine Haare müssen geschnitten werden. Zum Schluß fährt er zur Tankstelle und tankt. Das Öl und die Reifen werden auch noch geprüft. Dann fährt er nach Hause. Er packt den Koffer selbst, weil er nicht möchte, daß seine Frau das tut. Dann ist er endlich fertig.

Schreiben Sie den Text neu. Verwenden Sie möglichst oft das Wort „lassen". Benutzen Sie auch Wörter wie „zuerst", „dann", „später", „schließlich", „nämlich", „dort" und „bei", „in", „auf", „an".

Zuerst läßt Herr Schulz im Rathaus die Pässe und die Kinderausweise verlängern. Dann geht er ...

8. Was paßt nicht?

Nach Übung

6

im Kursbuch

a) Ofen – Gas – Öl – Kohle

b) Bleistift – Schlüssel – Schreibmaschine – Kugelschreiber

c) Krankenschein – Paß – Ausweis – Visum

d) Streichholz – Zigarette – Blatt – Feuer

e) Salz – Topf – Dose – Flasche – Tasche

f) Film – Fotoapparat – Foto – Papier

g) Messer – Uhr – Gabel – Löffel

h) Seife – Metall – Plastik – Wolle

i) Handtuch – Wolldecke – Pflaster – Bettuch

j) Fahrrad – Flug – Autofahrt – Schiffsfahrt

k) Visum – Paß – Liste – Ausweis

l) Seife – Zahnpasta – Waschmaschine – Zahnbürste

m) Liste – Zweck – Grund – Ziel

n) Campingplatz – Hotel – Telefonbuch – Pension

o) notwendig – unbedingt – auf jeden Fall – normalerweise

p) oben – üben – über – unten – unter

q) Saft – Bier – Wein – Schnaps

9. Ergänzen Sie.

Nach Übung

6

im Kursbuch

| bestellen überzeugen erledigen beantragen planen buchen retten einigen reservieren |

a) Das Restaurant ist immer voll. Wir müssen einen Tisch _____ lassen.

b) Klaus hat seine Reise sehr genau _____. Sogar das Taxi, das ihn vom Bahnhof zum Hotel bringen soll, hat er vorher bestellt.

c) Meine Urlaubsreisen _____ ich immer im Reisebüro in der Bergstraße. Die Angestellten dort sind sehr nett.

d) Das Visum für dieses Land muß man vier Wochen vor der Reise _____.

e) Der Fotoapparat, den Sie möchten, ist leider nicht da. Ich kann ihn aber _____. Das dauert ungefähr 10 Tage.

f) Am Anfang gab es sehr viele verschiedene Meinungen. Aber zum Schluß haben wir uns doch noch _____.

g) Also gut, ich bin einverstanden. Du hast mich _____.

h) Auf dem Rhein gab es gestern ein großes Schiffsunglück, aber alle Menschen konnten _____ werden.

i) Es ist zwar schon Feierabend, aber diese Arbeit müssen Sie unbedingt heute noch _____.

10. Ergänzen Sie „nicht", „nichts" oder „kein-".

Nach Übung

6

im Kursbuch

a) Auf dem Mond braucht man _____ Kompaß, auch ein Ofen würde dort _____ funktionieren.

b) Auf einer einsamen Insel braucht man bestimmt _____ Telefonbuch. Auch Benzin ist _____ notwendig, weil es dort _____ Autos gibt. Reiseschecks muß man auch _____ mitnehmen, denn dort kann man _____ kaufen, weil es _____ Geschäfte gibt.

c) In der Sahara regnet es _____. Deshalb muß man auch _____ Schirm mitnehmen. Dort braucht man Wasser und einen Kompaß, sonst _____.

Lektion 7

Nach Übung

6

im Kursbuch

11. Ordnen Sie.

Ich schlage vor, Benzin mitzunehmen.	Ich bin auch der Meinung, daß wir Benzin
Ich finde auch, daß wir Benzin mitnehmen	mitnehmen sollten.
müssen.	Wir müssen unbedingt Benzin mitnehmen.
Wir sollten Benzin mitnehmen.	Das ist wichtig.
Ich meine, daß wir Benzin mitnehmen	Benzin ist nicht wichtig, ein Kompaß wäre
sollten.	wichtiger.
Ich bin dagegen, Benzin mitzunehmen.	Ich bin nicht der Meinung, daß Benzin
Benzin? Das ist nicht notwendig.	wichtig ist.
Stimmt! Benzin ist wichtig.	Ich würde Benzin mitnehmen.
Ich finde es wichtig, Benzin mitzunehmen.	Ich bin einverstanden, daß wir Benzin
Es ist Unsinn, Benzin mitzunehmen.	mitnehmen.

etwas vorschlagen	die gleiche Meinung haben	eine andere Meinung haben
Ich schlage vor, Benzin mitzunehmen.	*Ich finde auch, daß wir Benzin mitnehmen müssen.*	*Ich bin dagegen, Benzin mitzunehmen.*

Nach Übung

6

im Kursbuch

12. Sagen Sie es anders.

a) Wenn man waschen will, braucht man Wasser.
   Zum Waschen braucht man Wasser.

b) Wenn man kochen will, braucht man einen Herd.

c) Wenn man Ski fahren will, braucht man Schnee.

d) Wenn man schreiben will, braucht man Papier und einen Kugelschreiber.

e) Wenn man fotografieren will, braucht man einen Fotoapparat und einen Film.

f) Wenn man telefonieren muß, braucht man oft ein Telefonbuch.

g) Wenn man liest, sollte man gutes Licht haben.

h) Wenn man schlafen will, braucht man Ruhe.

i) Wenn man wandert, sollte man gute Schuhe haben.

j) Wenn ich lese, brauche ich eine Brille.

Nach Übung

7

im Kursbuch

13. Welches Fragewort paßt?

a) *Wer / Wohin / Wo*   kann ich eine Arbeitserlaubnis bekommen?

b) *Womit / Wieviel / Was*   kann ich im Ausland am meisten Geld verdienen?

c) *Worauf / Warum / Womit*   braucht man für die USA ein Visum?

d) *Wer / Woher / Woran*   kann mir bei der Reiseplanung helfen?

e) *Wie / Wer / Was*   finde ich im Ausland am schnellsten Freunde?

f) *Was / Wieviel / Wie*   Gepäck kann ich im Flugzeug mitnehmen?

g) *Wann / Womit / Wo*   lasse ich meine Katze, wenn ich im Urlaub bin?

h) *Wohin / Woher / Wofür*   kann ich ohne Visum reisen?

i) *Was / Wer / Woher*   bekomme ich alle Informationen?

j) *Woran / Wohin / Worauf*   muß ich vor der Abreise denken?

k) *Wie / Was / Wo*   muß ich machen, wenn ich im Ausland krank werde?

14. Sagen Sie es anders.

Nach Übung

7

im Kursbuch

a) Ute überlegt: Soll ich in Spanien oder in Italien arbeiten?

Ute überlegt, ob sie in Spanien oder in Italien arbeiten soll.

b) Stefan und Bernd fragen sich: Bekommen wir beide eine Arbeitserlaubnis?

c) Herr Braun möchte wissen: Wo kann ich ein Visum beantragen?

d) Ich frage mich: Wie schnell kann ich im Ausland eine Stelle finden?

e) Herr Klar weiß nicht: Wie lange darf man in den USA bleiben?

f) Frau Seger weiß nicht: Sind meine Englischkenntnisse gut genug?

g) Frau Möller fragt sich: Wieviel Geld brauche ich in Portugal?

h) Herr Wend weiß nicht: Wie teuer ist die Fahrkarte nach Spanien?

i) Es interessiert mich: Kann man in London leicht eine Wohnung finden?

Ihre Grammatik. Ergänzen Sie die Sätze b), c) und d).

Junkt.	Vorfeld	Verb$_1$	Subjekt	Erg.	Angabe	Ergänzung	Verb$_2$	Verb$_1$ im Nebensatz
a)	*Ute*	*überlegt*						
ob			*sie*			*in Spanien oder in Italien*	*arbeiten*	*soll.*
b)	*S. und B.*							
c)								
d)								

15. Wie heißen die Wörter richtig?

Nach Übung

9

im Kursbuch

a) Ich möchte gern im ANDLAUS arbeiten. _____

b) Er spricht keine DRACHEMSPREF. _____

c) Ich wohne in einer JUNGBERGHEREDE. _____

d) Jan und ich haben eine herzliche SCHEUDFRANFT. _____

e) Er wohnt in Italien, aber seine HAMTEI ist Belgien. _____

f) Hast du STANG, alleine in den Urlaub zu fahren? _____

g) Sonja hat gestern ihre FUNGPRÜ bestanden. _____

h) Thomas arbeitet noch nicht lange. Er hat erst wenig ERUNGFAHR in seinem Beruf.

i) Ich möchte bestellen. Ruf bitte die NUNGDIEBE. _____

j) In der LUNGHANDBUCH „Horn" kann man sehr gute Reisebücher kaufen. _____

k) Ich bezahle das Essen. Sie sind mein STAG. _____

Lektion 7

Nach Übung

9

im Kursbuch

16. Was können Sie auch sagen?

a) *Ich möchte meine Freunde nicht aus den Augen verlieren.*

   Ⓐ Ich möchte meine Freunde nicht mehr sehen.

   Ⓑ Ich möchte nicht den Kontakt zu meinen Freunden verlieren.

   Ⓒ Ich schaue meinen Freunden immer in die Augen.

b) *Ulrike ist in die Stadt Florenz verliebt.*

   Ⓐ Ulrike mag Florenz ganz gern.

   Ⓑ Ulrike liebt einen jungen Mann aus Florenz.

   Ⓒ Ulrike findet Florenz phantastisch.

c) *Die Deutschen leben, um zu arbeiten.*

   Ⓐ Für die Deutschen ist die Arbeit wichtiger als ein schönes Leben.

   Ⓑ Die Deutschen leben nicht lange, weil sie zu viel arbeiten müssen.

   Ⓒ In Deutschland kann man nur leben, wenn man viel arbeitet.

d) *Frankreich ist meine zweite Heimat.*

   Ⓐ Ich habe zwei Häuser in Frankreich.

   Ⓑ In Frankreich fühle ich mich wie zu Hause.

   Ⓒ Ich habe einen französischen Paß.

Nach Übung

9

im Kursbuch

17. Bilden Sie Sätze mit „um zu" und „weil".

a) Warum gehst du ins Ausland?   (arbeiten/wollen)

   Ich gehe ins Ausland, um dort zu arbeiten.

   Ich gehe ins Ausland, weil ich dort arbeiten will.

b) Warum arbeitest du als Bedienung?   (Leute kennenlernen/möchten)

c) Warum machst du einen Sprachkurs?   (Englisch lernen/möchten)

d) Warum wohnst du in einer Jugendherberge?   (Geld sparen/müssen)

e) Warum gehst du zum Rathaus?   (Visum beantragen/wollen)

f) Warum fährst du zum Bahnhof?   (Koffer abholen/wollen)

g) Warum fliegst du nach Ägypten?   (Pyramiden sehen/möchten)

Nach Übung

9

im Kursbuch

18. Ergänzen Sie.

a) (Männer/tolerant) Die deutschen Frauen haben _____ _____

b) (Problem/ernst) Ich glaube, Maria hat ein _____

c) (Ehemann/egoistisch) Sie hat einen _____ _____

d) (Freundschaft/herzlich) Wir haben eine _____ _____

e) (Leute/nett) Ich habe in Spanien _____ _____ getroffen.

f) (Gefühl/komisch) Zuerst war es ein _____ _____, alleine im Ausland zu sein.

g) (Junge/selbständig) Peter ist erst 14 Jahre alt, aber er ist ein _____ _____

h) (Hund/dick) Ich sehe ihn jeden Tag, wenn er mit seinem _____ _____ spazierengeht.

i) (Mutter/alt) Sie wohnt bei ihrer _____ _____

19. Ergänzen Sie.

Nach Übung

9

im Kursbuch

gleich	anders	ähnlich	verschieden	ander-	dieselbe

a)

b)

c)

a) Die Frau in Jeans ist _____ Frau wie die im Abendkleid.

b) Frau A und Frau B sehen ganz _____ aus, aber sie tragen die
   _____ Kleider.
   (Frau A sieht _____ aus als Frau B, aber sie trägt das
   _____ Kleid wie Frau B.)

c) Die eine Frau ist klein, die _____ ist groß, aber sie tragen
   _____ Kleider.

Ihre Grammatik. Ergänzen Sie.

	Hut	Bluse	Kleid	Schuhe
Das ist	derselbe der gleiche ein anderer			
Sie trägt	de den glei einen and			
Das ist die Frau mit	de dem einem			

Lektion 7

20. Ergänzen Sie.

Einkommen	Gefühl	Bedeutung	Angst	Zweck	Schwierigkeiten	Erfahrung	Kontakt	Pech

a) Das Wort „Bank" hat zwei verschiedene _____ .

b) Franz hat ein sehr gutes _____ . Er verdient 7500 Mark im Monat.

c) Frau Weber arbeitet schon 15 Jahre in unserer Firma. Sie hat sehr viel
_____ in ihrem Beruf.

d) Carlo wohnt schon sechs Jahre in Deutschland, aber er hat immer noch wenig
_____ mit Deutschen.

e) Herr Drechsler hat großes _____ gehabt; drei Tage vor seinem
Urlaub hatte er einen Autounfall.

f) Kannst du bitte etwas lauter sprechen? Ich habe _____ , dich richtig
zu verstehen.

g) Karin hat sich gut vorbereitet, trotzdem hat sie große _____ vor der
Prüfung.

h) Ich weiß es nicht genau, aber ich habe das _____ , daß Alexandra
sich verliebt hat.

i) Es hat keinen _____ , Dirk anzurufen. Er ist nicht zu Hause.

21. Was paßt zusammen?

A	Die Städte sind sowohl sauber
B	Für Mütter mit kleinen Kindern gibt es weder Erziehungsgeld
C	Die Frauen müssen entweder nach drei Monaten Babypause zurück an den Arbeitsplatz,
D	In den Städten können sowohl Autos fahren
E	Die Frauen arbeiten nicht nur im Beruf,
F	Die Deutschen haben weder Zeit für sich selbst
G	Die Männer helfen nicht nur bei der Erziehung der Kinder,
H	Entweder müssen die Frauen berufstätig sein,

1	sondern auch bei der Hausarbeit.
2	als auch Radfahrer.
3	noch für andere Leute.
4	oder die Familie hat zu wenig Geld.
5	als auch menschenfreundlich.
6	oder sie verlieren ihre Stelle.
7	sondern machen auch die ganze Hausarbeit alleine.
8	noch eine Reservierung der Arbeitsstelle.

A	B	C	D	E	F	G	H

22. Bilden Sie Sätze mit „um...zu" oder „damit".

Nach Übung

18

im Kursbuch

Warum ist Carlo Gottini nach Deutschland gekommen?

a) Er will hier arbeiten.

<u>*Er ist nach Deutschland gekommen,*</u>
<u>*um hier zu arbeiten.*</u>

b) Seine Kinder sollen bessere Berufschancen haben.

<u>*Er ist nach Deutschland gekommen,*</u>
<u>*damit seine Kinder bessere*</u>
<u>*Berufschancen haben.*</u>

c) Er will mehr Geld verdienen.
d) Er möchte später in Italien eine Autowerkstatt kaufen.
e) Seine Kinder sollen Deutsch lernen.
f) Seine Frau muß nicht mehr arbeiten.
g) Er möchte in seinem Beruf später mehr Chancen haben.
h) Seine Familie soll besser leben.
i) Er wollte eine eigene Wohnung haben.

23. Was paßt am besten?

Nach Übung

18

im Kursbuch

Mode	Regel	Diskussion	Schwierigkeit	Bedeutung	Presse	Gefühl

Lohn/Einkommen	Ausländer(in)	Verwandte	Besitzer(in)	Änderung	Bauer

a) hübsch aussehen – Kleidung – modern: _____
b) Problem – Sorge – Ärger: _____
c) Sprache – Spiel – Grammatik: _____
d) Arbeit – Geld verdienen – Arbeitgeber – Arbeitnehmer: _____
e) Meinungen – sprechen – dafür/dagegen sein – sich streiten: _____
f) Zeitung – Zeitschrift: _____
g) Wiesen – Kühe – Hühner – Land – Gemüse – Milch – Fleisch – Eier: _____
h) Onkel – Tante – Bruder – Schwester – Großeltern: _____
i) traurig – glücklich – mögen – hassen: _____
j) gehören – Haus/Auto/... – eigen- – sein/mein/...: _____
k) einwandern – im fremden Land wohnen – aus einem anderen Land kommen:
_____
l) anders machen – nicht wie immer machen: _____
m) Wort – Lexikon – erklären – nicht kennen: _____

Lektion 7

Nach Übung

18

im Kursbuch

24. Ergänzen Sie „daß", „weil", „damit", „um...zu" oder „zu". (Bei „zu" bleibt eine Lücke frei.)

Immer mehr Deutsche kommen in die ausländischen Konsulate, _____(a) sie auswandern wollen. Manche haben Angst, _____(b) arbeitslos _____(c) werden, andere wollen ins Ausland geben, _____(d) ihre Familien dort freier leben können. Die meisten hoffen, _____(e) in ihrem Traumland reich _____(f) werden. Aber viele vergessen, _____(g) auch andere Länder wirtschaftliche Probleme haben. _____(h) zum Beispiel nach Australien auswandern _____(i) können, muß man einen Beruf haben, der dort gebraucht wird. Auch in anderen Ländern ist es schwer, _____(j) eine Arbeitserlaubnis _____(k) bekommen. Man sollte sich also vorher genau informieren. Man muß auch ein bißchen Geld gespart haben, _____(l) man in der ersten Zeit im fremden Land leben kann. Man kann nicht sicher sein, _____(m) sofort eine Stelle _____(n) finden. Manche Auswanderer kommen enttäuscht zurück. Dieter Westphal zum Beispiel ist seit ein paar Monaten wieder in Deutschland. Er sagt: „Ich bin nach Kanada gegangen, _____(o) mehr Geld _____(p) verdienen. Das Leben dort ist nicht leicht. Ich hatte keine Lust mehr, _____(q) 60 Stunden _____(r) arbeiten, _____(s) 580 Dollar _____(t) verdienen. Erst jetzt weiß ich, _____(u) es den Deutschen eigentlich gut geht."

Nach Übung

18

im Kursbuch

25. Ergänzen Sie.

noch	schon	nicht mehr	noch nicht

a) Er hat gerade angefangen zu arbeiten. – Er arbeitet _____.
b) Seine Arbeit beginnt in zwei Stunden. – Er arbeitet _____.
c) Er macht heute später Feierabend. – Er arbeitet _____.
d) Er hat schon Feierabend. – Er arbeitet _____.

nichts mehr	schon etwas	noch etwas	noch nichts

e) Er hat sein Essen gerade bekommen. – Er hat _____.
f) Er wartet auf sein Essen. – Er hat _____.
g) Er möchte mehr essen. – Er möchte _____.
h) Er ist satt. – Er möchte _____.

noch immer	nicht immer	schon wieder	immer noch nicht

i) Obwohl sie wieder gesund ist, arbeitet sie nicht. – Sie arbeitet _____.
j) Obwohl sie noch krank ist, hat sie gestern angefangen zu arbeiten. – Sie arbeitet _____.
k) Obwohl sie müde ist, hört sie nicht auf zu arbeiten. – Sie arbeitet _____.
l) Sie arbeitet nur manchmal. – Sie arbeitet _____.

26. Ergänzen Sie.

Nach Übung

18

im Kursbuch

a) Hunger : hungrig / Durst : _____

b) Anfang : anfangen / Ende : _____

c) studieren : Student / Beruf lernen : _____

d) Geschäft : Verkäuferin / Restaurant : _____

e) keine Stelle haben : arbeitslos / eine Stelle haben : _____

f) nicht weniger : mindestens / nicht mehr : _____

g) ins Haus gehen : reingehen / das Haus verlassen : _____

h) Bücher : Buchhandlung / Medikamente : _____

i) jetzt : diese Woche / vor sieben Tagen : _____

j) nach unten : fallen / nach oben : _____

27. Ergänzen Sie die Verben und die Präpositionen.

Nach Übung

18

im Kursbuch

Kontakt finden   Schwierigkeiten haben   interessieren   sein   beschweren
sagen   helfen   hoffen   gelten
gewöhnen   denken   Angst haben   sprechen
klagen   arbeiten   denken

vor   an   zu   über   in   mit   auf   für   bei

a) Johanna hat an die Zeitschrift geschrieben, weil sie sich _____ eine Arbeitsstelle im Ausland _____ .

b) Das Gesetz _____ nicht nur _____ Deutschland, sondern auch _____ die anderen EG-Bürger in den anderen Staaten.

c) Ludwig _____ seit acht Jahren _____ derselben Computerfirma.

d) Doris hat _____ ihrer Freundin _____ ihren Plan _____ .

e) Frauke _____ zuerst ein wenig _____ _____ den Franzosen, aber dann gefiel es ihr dort doch sehr gut.

f) Am Anfang kannte sie niemanden, aber dann hat sie schnell _____ _____ den Leuten _____ .

g) Eigentlich mag Simone England, aber sie _____ immer noch _____ _____ der kühlen Art der Engländer.

h) Viele Deutsche glauben, daß die Ausländer schlecht _____ sie _____ .

i) Kannst Du mir morgen _____ der Arbeit im Garten _____ ?

j) Deutsche Frauen _____ sich zuviel _____ die Hausarbeit.

k) Maria Moro aus Italien meint, daß die Deutschen zuviel _____ die Arbeit und _____ Geld _____ .

l) Norbert hat sich schnell _____ das Leben in Portugal _____ .

m) Viele wandern aus, weil sie im Ausland _____ ein besseres Leben _____ .

n) Julio meint, daß die Deutschen zu viel _____ Probleme _____ , obwohl es ihnen eigentlich sehr gut geht.

o) Ich habe gehört, was du _____ meinen Plan _____ hast.

p) Ich _____ _____ Deine Idee, nicht dagegen.

Lektion 8

Vocabulary

verbs

annehmen	*here: to accept*	gewinnen	*to win*
begleiten	*to accompany*	nennen	*to name, to call*
beschließen	*to decide on, to pass*	öffnen	*to open*
demonstrieren	*to demonstrate*	rufen	*to call*
entscheiden	*to decide*	schließen	*to close*
(sich) entschließen	*to decide*	streiken	*to strike*
erinnern	*to remind*	unterschreiben	*to sign*
erreichen	*to achieve*	verreisen	*to go away, to go on a trip*
folgen	*to follow*		
fordern	*to demand, to call for*	wählen	*here: to vote (in an election)*
führen	*to lead*		

nouns

e Armee, -n	*(armed) forces*	e Geschichte	*here: history*
r Aufzug, ¨e	*lift, elevator*	e Gesellschaft	*here: society*
e Ausreise, -n	*leaving the country*	e Gruppe, -n	*group*
r Bau	*construction, building*	s Hochhaus, ¨er	*high rise building*
r Beginn	*the beginning*	r Juli	*July*
r Briefumschlag, ¨e	*envelope*	s Kabinett, -e	*cabinet*
r Bund	*the federal government (and its institutions)*	e Katastrophe, -n	*catastrophe*
		s Knie, -	*knee*
r Bus, -se	*bus*	e Koalition, -en	*coalition*
r Bürger, -	*citizen*	e Konferenz, -en	*conference, meeting*
e DDR	*GDR*	r König, -e	*king*
e Demokratie	*democracy*	e Königin, -nen	*queen*
e Demonstration, -en	*demonstration*	s Krankenhaus, ¨er	*hospital*
e Deutsche Demokratische Republik	*German Democratic Republic (former East Germany)*	r Krieg, -e	*war*
		e Krise, -n	*crisis*
		e Macht	*power*
r Dienstag	*Tuesday*	e Mauer, -n	*wall*
e Diktatur, -en	*dictatorship*	r Minister, -	*secretary, minister (in government)*
r Einfluß, ¨sse	*influence*		
r Empfang, ¨e	*reception*	s Mitglied, -er	*member*
s Ende	*end, ending, finish*	e Nachricht, -en	*piece of news*
s Ereignis, -se	*event*	r November	*November*
e Fabrik, -en	*factory*	r Oktober	*October*
r Fahrer, -	*driver*	e Operation, -en	*operation*
s Feuer	*fire*	e Opposition	*opposition*
r Fotograf, -en	*photographer*	r Ort, -e	*place*
r Friede	*peace*	s Paket, -e	*parcel*
s Geschäft, -e	*business, shop*	s Parlament	*parliament*

e Partei, -en	(political) party	r Streik, -s	strike
s Päckchen, -	small packet	s System, -e	system
e Politik	politics, political programme	e Uhr, -en	watch, clock
		e Umwelt	environment
e Post	post office, mail	s Unglück	accident, disaster
r Präsident, -en	president	r Unterschied, -e	difference
r Protest, -e	protest	e Unterschrift, -en	signature
s Rathaus, ¨er	town hall	e Verfassung	constitution
r Raucher, -	smoker	e Verletzung, -en	injury
e Reform, -en	reform	s Volk, ¨er	people
e Regierung, -en	government	r Vorschlag, ¨e	suggestion, proposal
s Schloß, Schlösser	palace, castle	e Wahl, -en	election
e Seite, -n	page	r Weg, -e	way
r Sonntag	Sunday	(s) Weihnachten	Christmas
r Sozialdemokrat, -en	social democrat	e Welt, -en	world
r Sportplatz, ¨e	sports field, playing fields	r Weltkrieg, -e	world war
		e Zahl, -en	number
r Staat, -en	state	e Zeitung, -en	newspaper
s Stadion, Stadien	stadium	s Ziel, -e	target, aim
e Straßenbahn, -en	tram	r Zoll	customs

adjectives

ausländisch	foreign	national	national
dankbar	grateful	politisch	political
demokratisch	democratic	sozialdemokratisch	social-democratic
eng	narrow	sozialistisch	socialist
enttäuscht	disappointed	verletzt	injured, hurt
international	international	völlig	total
kapitalistisch	capitalist	wahrscheinlich	probable
kommunistisch	communist	westlich	Western
leer	empty	wirtschaftlich	economic
liberal	liberal		

adverbs

allerdings	though, mind you	lange	long
beinahe	almost, nearly	noch	just
ein bißchen	a little		

function words

außer	except for	ohne	without
gegen	against	während	here: whilst
jedoch	however	wegen	because of

Lektion 8

expressions

ein Gespräch führen	*to have a conversation*	noch größer	*bigger still*
		vor allem	*above all*
immer größer	*bigger and bigger*	wie oft?	*how often?*

Grammar

1. Adjectives, nouns and verbs with prepositions (§ 18 p. 137, § 34, 35 p. 147, 148)

ex.
7
19

In chapter 3, 2. you were introduced to verbs with prepositions, e.g. *Peter spricht über seine Arbeit.* In addition to verbs there are also nouns and adjectives that are followed by prepositions.

Viele Leute sind glücklich über die Öffnung der Mauer.
Kennst du seine Meinung über die Öffnung der Mauer?

As with verbs and prepositions, nouns and adjectives with prepositions form a fixed unit and have to be learnt as such. The prepositions can rarely be translated literally. You also have to learn which case is followed by every preposition.

1.1. Exercise: Which case goes with the following prepositions (D or A)?

Try covering up the answers below this exercise before completing it.

a) denken an + _____		h) ein Gespräch über + _____	
b) warten auf + _____		i) der Grund für + _____	
c) arbeiten bei + _____		j) Angst vor + _____	
d) sprechen mit + _____		k) glücklich über + _____	
e) fragen nach + _____		l) dankbar für + _____	
f) bitten um + _____		m) enttäuscht von + _____	
g) gehören zu + _____		n) verheiratet mit + _____	

Remember: *bei, mit, vor, nach, zu, von* take the dative case, *auf, für über, um* the accusative case.

Now make sentences with each verb.

1.2. List of adjectives with prepositions (not complete)

abhängig von + D	dependent on	dankbar für + A	grateful for
einverstanden (sein) mit + D	to agree with	enttäuscht über + A	disappointed about
		froh über + A	happy about
überzeugt von + D	convinced of	glücklich über + A	happy about
verheiratet mit + D	married to	ideal für + A	ideal for
zufrieden mit + D	pleased, happy, satisfied with	traurig über + A	sad about
		typisch für + A	typical of

1.3. List of nouns with prepositions (not complete)

Angst (haben) vor + D	to be frightened of	die Demonstration	the demonstration
Erfolg (haben) mit + D	to be successful with	für / gegen + A	for / against
Probleme mit + D	problems with	die Diskussion über + A	the discussion about / on
		das Gespräch über + A	the conversation about
		die Information über + A	the information on
		Lust (haben) auf + A	to feel like doing, to fancy doing
		die Meinung über + A	the opinion on
		der Streik für / gegen + A	the strike for / against
		Zeit (haben) für + A	time for

1.4. List of verbs with prepositions (not complete)

drohen mit + D	to threaten with	denken an + A	to think of
gehören zu + D	to belong to	denken über + A	to have an opinion about, to think of
kommen zu + D	to get round to		
sich unterhalten mit + D	to talk to, to have a conversation with	sich entscheiden für + A	to decide for
		sich erinnern an + A	to remember
		es geht um + A	it is about
		gelten für + A	to apply for, to be valid for
		sich gewöhnen an + A	to get used to
		sich kümmern um + A	to take care of, to look after
		sorgen für + A	to take care of, to look after

Remember: Verbs can take different prepositions and then take on different meanings (e.g. *denken*). Some corresponding verbs do not have prepositions in English at all (e.g. "to remember").

1.5. The position of the prepositional phrase

In the case of adjectives and nouns the prepositional phrase may precede or follow the adjective or noun.

Viele Leute sind <u>glücklich</u>   <u>über die Öfffnung der Mauer.</u>
Viele Leute sind   <u>über die Öffnung der Mauer</u>   <u>glücklich</u>.

Ich habe <u>Angst</u>   <u>vor einer Umweltkatastrophe.</u>
Ich habe   <u>vor einer Umweltkatastrophe</u>   <u>Angst</u>.

Lektion 8

1.6. Exercise: Supply the correct prepositions and endings.

a) Sie ist _____ ein____ Ausländer verheiratet.

b) Viele Ausländer in Deutschland wären froh _____ ein____ neu____ Wahlrecht.

c) Fast alle Angestellten sind _____ d____ Gehaltserhöhung von 3,5% zufrieden.

d) Pünktlichkeit ist typisch _____ d____ Deutschen.

e) Sind Sie _____ d____ neu____ Gesetz einverstanden?

f) Ich bin Ihnen sehr dankbar _____ d____ Hilfe.

g) Der junge Mann verdient nicht genug, er ist finanziell immer noch _____ sein____ Eltern abhängig.

h) Mein Kollege ist _____ d____ Plan leider nicht überzeugt.

1.7. Exercise: Supply the correct prepositions and endings.

a) Ich habe große Lust _____ ein____ Ausflug in die Berge.

b) Meine Eltern hatten nie Zeit _____ mein____ Probleme.

c) Am Bahnhof kannst du Informationen _____ d____ Abfahrtszeiten der Züge nach München bekommen.

d) Was ist denn Ihre Meinung _____ d____ Wahlrecht für Ausländer in Deutschland?

e) Viele englische Sänger haben auch in Deutschland Erfolg _____ ihr____ Liedern.

f) Immer wieder habe ich _____ mein____ Chef Probleme. Ich will kündigen.

g) Gestern habe ich ein langes Gespräch _____ mein____ Chef geführt.

h) Im Fernsehen wurde am Abend eine Diskussion _____ d____ neu____ Gesetz geführt.

1.8. Exercise: Supply the correct prepositions and endings.

a) Das allgemeine Wahlrecht gilt leider nicht _____ d____ Ausländer, die in Deutschland leben.

b) Meine Frau hat sich immer noch nicht _____ d____ indisch____ Küche gewöhnt.

c) Er hat sich lange _____ d____ jung____ Kollegen unterhalten.

d) Was denken Sie _____ d____ Gehaltserhöhung für die Angestellten?

e) Der Mann mit der Maske drohte mir _____ ein____ Pistole.

f) Bei den Wahlen konnten sich viele Wähler bis zur letzten Minute _____ kein____ Partei entscheiden.

g) Schottland gehört _____ d____ schönsten Regionen Großbritanniens.

h) Kümmerst du dich heute abend _____ d____ Kinder?

2. n-declension (§ 3 p. 131)

You have learnt so far that nouns are declined in the following way:

	masculine	feminine	neuter	plural
nom.	der Mann	die Frau	das Kind	die Leute
acc.	den Mann	die Frau	das Kind	die Leute
dat.	dem Mann	der Frau	dem Kind	den Leuten
gen.	des Mannes	der Frau	des Kindes	der Leute

As you can see from the table above the noun itself is only declined in the masculine and neuter genitive and the dative plural.

There is, however, another group of nouns which is declined differently. These nouns are all masculine and always have the ending -(e)n in the plural.

	singular	plural	singular	plural
nom.	der Mensch	die Menschen	der Kollege	die Kollegen
acc.	den Menschen	die Menschen	den Kollegen	den Kollegen
dat.	dem Menschen	den Menschen	dem Kollegen	den Kollegen
gen.	des Menschen	der Menschen	des Kollegen	der Kollegen

As you can see from the table above also all singular forms with the exception of the nominative have the ending -(e)n.

The following guidelines will help you recognise nouns belonging to this group:

- masculine nouns ending in -e: der Junge, der Schotte, der Affe ... (exception: der Käse)
- masculine nouns ending in -ent, -ant: der Student, der Demonstrant ...
- masculine nouns ending in -at, -af: der Demokrat, der Fotograf ... (exception: der Salat)
- masculine nouns ending in -ist: der Tourist ...

There are, however, some nouns which can only be recognised as belonging to this group by the plural -(e)n: der Mensch, der Bauer, der Nachbar, der Bär, der Papagei ...

Remember the following exceptions: Some nouns have an additional -s in the genitive: der Name / des Namens, der Buchstabe / des Buchstabens, der Gedanke / des Gedankens, das Herz / des Herzens ...
Herr adds -n in the singular but -en in the plural: der Herr / des Herrn / die Herren.

2.1. Exercise: Supply endings where necessary

a) Wie schreibt man denn Ihren Name___ ? Buchstabieren Sie bitte!

b) Die Minister werden vom Ministerpräsident___ ernannt.

c) In dieser Firma arbeiten viele Ausländer: Schotte___ , Türke___ und Spanier___ . Es gibt sogar einen Chinese___ .

d) Bei einem Unfall wurde ein Tourist___ verletzt. Ein Unfallwagen brachte den Franzos___ ins Städtische Krankenhaus.

Lektion 8

e) Kennen Sie diesen Herr___ ? Ist er nicht Fotograf___ bei der BILD-Zeitung?

f) Der Name___ des Junge___ , der DM 10 000 gefunden hat, ist Robert Enzinger.

g) Sozialist___ und Sozialdemokrat___ haben lange über das neue Gesetz diskutiert.

h) Das Wahlrecht ist ein fundamentales Recht jedes Mensch___ .

3. The prepositions *außer, wegen*

ex.
3
4

A. *außer* takes the dative and is translated with "except for", "apart from".
Außer dem Fahrer wurde niemand verletzt.

B. *wegen* takes the genitive or, in colloquial German, the dative and is translated with "because of".
Wegen einer Grippe konnte er nicht arbeiten gehen.

4. Expressions of time

4.1. Expressions of time with a preposition

4.1.1. The following prepositions indicate a specific moment in time or period of time and are used in reply to the question beginning with *wann?*:

ex.
10

A. *bei* takes the dative and cannot be translated literally but corresponds to the concept of "on the occasion of" (see also chapter 5, 9.).
bei der Eröffnung der Messe (= at the opening of the trade fair), bei seiner Ankunft (= on his arrival), bei Regen (= when it rains) …

B. *nach* takes the dative and is translated with "after".
nach dem Bau der Mauer …

C. *vor* takes the dative and is translated with "before".
vor dem Bau der Mauer …

D. *während* takes the genitive and is translated with "during".
während meiner Schulzeit …

E. *zwischen* takes the dative and is translated with "between".
zwischen 1961 und 1989 …

4.1.2. The following prepositions indicate the duration of a process or a state and are used in reply to questions beginning with *wie lange?*:

A. *bis* is used in expressions not containing an article and is translated with "until".
bis 1961, bis 5 Uhr …

B. *bis zu* is used in expressions containing an article and is translated with "until".
bis zum Bau der Mauer … *(zum is derived from zu dem)*

C. *von ... bis ...* is used in expressions not containing an article and is translated with "from ... to / until ...".
<u>von</u> 1961 <u>bis</u> 1989 ...

D. *von ... bis zu ...* is used in expressions containing an article and is translated with "from ... to / until ...".
<u>vom</u> Bau <u>bis zur</u> Öffnung der Mauer ... *(vom is derived from von dem, zur is derived from zu der)*

E. *seit* takes the dative and can be translated with "since" (point in time) or "for" (period of time).
<u>seit</u> der Wiedervereinigung ... (= since reunification ...)
<u>seit</u> zwei Jahren ... (= for two years ...)

Remember: Whenever the perfect tense is used in English, German requires the present tense.

Silvia <u>arbeitet</u> <u>seit</u> zwei Jahren in Berlin.
Silvia <u>has worked</u> in Berlin <u>for</u> two years.

4.2. Expressions of time without a preposition (§ 17 p. 137)
A. alle 5 Wochen, alle 5 Monate, alle 5 Jahre ... (= every five weeks, ...)
B. die 60er Jahre ... (= the sixties ...)
C. ... 1961 ... (= in 1961), never use *in*.
D. zwei Jahre lang ... (= for two years ...)

5. The subordinating conjunctions *während, bis*

You have been introduced to these words as prepositions meaning "during" and "until" (see 4.1.). They are also conjunctions introducing a subordinate clause.

<u>Während</u> ich das Essen kochte, räumte sie die Wohnung auf.
While I was doing the cooking she tidied up the flat.

<u>Während</u> ich am liebsten Weißwein trinke, trinkt sie lieber Rotwein.
Whilst I like white wine best she prefers to drink red wine.

Remember: the conjunction *während* can either express contrast or simultaneity.

<u>Bis</u> das Essen fertig ist, räume ich die Wohnung auf.
Until the food is ready I tidy up the flat.

Lektion 8

Nach Übung

im Kursbuch

1. Was ist hier passiert?

Stuttgart

Deggendorf

Linz

a) *In Stuttgart ist ein Bus gegen einen Zug gefahren.*

b) _____

c) _____

Basel

New York

Duisburg

d) _____

e) _____

f) _____

Nach Übung

5

im Kursbuch

2. Was paßt zusammen?

> Aufzug – Beamter – Briefumschlag – Bus – Gas – Kasse – Lebensmittel – Öl – Wohnung –
> Päckchen – Paket – Paß – Stock – Straßenbahn – Strom – U-Bahn – Verkäufer – Zoll

a) Grenze   b) Heizung   c) Hochhaus   d) Post   e) Supermarkt   f) Verkehr

_____   _____   _____   _____   _____   _____

_____   _____   _____   _____   _____   _____

Nach Übung

5

im Kursbuch

3. Sagen Sie es anders. Verwenden Sie die Präpositionen „ohne", „mit", „gegen", „außer", „für" und „wegen".

a) Das Auto fährt, aber es hat kein Licht.
   Das Auto fährt ohne Licht.

b) Ich habe ein Päckchen bekommen. In dem Päckchen war ein Geschenk.

_____

c) Wir hatten gestern keinen Strom. Der Grund war ein Gewitter.

d) Diese Kamera funktioniert mit Sonnenenergie. Sie braucht keine Batterie.

e) Ich konnte gestern nicht zu dir kommen. Der Grund war das schlechte Wetter.

f) Jeder in meiner Familie treibt Sport. Nur ich nicht.

g) Der Arzt hat mein Bein operiert. Ich hatte eine Verletzung am Bein.

h) Ich bin mit dem Streik nicht einverstanden.

i) Die Industriearbeiter haben demonstriert. Sie wollen mehr Lohn.

j) Man kann nicht nach Australien fahren, wenn man kein Visum hat.

4. Ihre Grammatik. Ergänzen Sie.

Nach Übung

5

im Kursbuch

	ein Streik	eine Reise	ein Haus	Probleme
für	*einen Streik*			
gegen				
mit				
ohne				
wegen				
außer				

5. Was kann man nicht sagen?

Nach Übung

7

im Kursbuch

a) einen Besuch   *machen / anmelden / geben / versprechen*
b) eine Frage   *haben / verstehen / anrufen / erklären*
c) einen Krieg   *anfangen / abschließen / gewinnen / verlieren*
d) eine Lösung   *besuchen / finden / zeigen / suchen*
e) eine Nachricht   *bekommen / kennenlernen / schicken / verstehen*
f) ein Problem   *erklären / sehen / vorschlagen / verstehen*
g) einen Streik   *verlieren / vorschlagen / wollen / verlängern*
h) einen Unterschied   *machen / sehen / beantragen / kennen*
i) einen Vertrag   *unterschreiben / abschließen / unterstreichen / feiern*
j) eine Wahl   *gewinnen / feiern / verlieren / finden*
k) einen Weg   *bekommen / kennen / gehen / finden*

Lektion 8

Nach Übung

7

im Kursbuch

6. Wie heißt das Nomen?

a) meinen _die Meinung_

b) ändern

c) antworten

d) ärgern

e) beschließen

f) demonstrieren

g) diskutieren

h) erinnern

i) fragen

j) besuchen

k) essen

l) fernsehen

m) operieren

n) reparieren

o) regnen

p) schneien

q) spazierengehen

r) sprechen

s) streiken

t) untersuchen

u) verletzen

v) vorschlagen

w) wählen

x) waschen

y) wohnen

z) wünschen

Nach Übung

7

im Kursbuch

7. Ergänzen Sie: „für", „gegen", „mit", „über", „von", „vor" oder „zwischen".

a) Im Fernsehen hat es eine Diskussion _____ Umweltprobleme gegeben.

b) Deutschland hat einen Vertrag _____ Frankreich abgeschlossen.

c) Viele Menschen haben Angst _____ einem Krieg.

d) Der Präsident _____ Kamerun hat die Schweiz besucht.

e) 30 000 Bürger waren auf der Demonstration _____ die neuen Steuergesetze.

f) Der Wirtschaftsminister hat den Vertrag _____ wirtschaftliche Kontakte _____ Algerien unterschrieben.

g) Die Ausländer sind froh _____ das neue Gesetz.

h) Die Gewerkschaft ist _____ dem Vorschlag der Arbeitgeber zufrieden.

i) Der Unterschied _____ der CDU und der CSU ist nicht groß.

j) Dieses Problem ist typisch _____ die deutsche Politik.

Nach Übung

11

im Kursbuch

8. Welche Wörter werden definiert?

| Schulden | Partei | Steuern | Wähler | Koalition |
| Monarchie | Minister | Mehrheit | Wahlrecht | Abgeordneter |

a) die meisten Stimmen = _____

b) das Recht, ein Parlament zu wählen = _____

c) eine politische Gruppe = _____

d) eine Regierung aus mehreren politischen Gruppen = _____

e) ein Mitglied eines Parlaments = _____

f) das Geld, das die Bürger dem Staat geben müssen = _____

g) ein Mitglied einer Regierung = _____

h) das Geld, das man von jemand geliehen hat = _____

i) alle Bürger, die ein Parlament wählen können = _____

j) ein politisches System, in dem ein König der Staatschef ist = _____

9. Was paßt?

Nach Übung

11

im Kursbuch

| Minister | Ministerpräsident | Landtag | Bürger | Präsident | Finanzminister |

a) Bundesrepublik : Bundestag / Bundesland : _____
b) Partei : Mitglied / Volk : _____
c) Fabrik : Buchhalter / Staat : _____
d) Monarchie : König / Republik : _____
e) Bundesregierung : Bundeskanzler / Landesregierung : _____
f) Parlament : Abgeordneter / Regierung : _____

10. Ergänzen Sie.

Nach Übung

12

im Kursbuch

| seit | zwischen | nach | in | von...bis | wegen | während | vor | für | gegen |

a) _____ 1969 gab es keine politischen Kontakte zwischen der Bundesrepublik und der DDR.
b) Die Bundesrepublik und die DDR gab es _____ 1949.
c) _____ 1949 _____ 1963 war Konrad Adenauer Bundeskanzler.
d) Erst _____ dem „Kalten Krieg" gab es politische Gespräche zwischen den beiden deutschen Staaten.
e) _____ 1949 und 1969 war die Zeit des „Kalten Krieges".
f) _____ Jahr 1956 bekamen die beiden deutschen Staaten wieder eigene Armeen.
g) _____ des Ost-West-Konflikts gab es 1949 zwei deutsche Staaten.
h) Die Sowjetunion war 1952 _____ einen neutralen deutschen Staat.
i) Die West-Alliierten und die Bundesregierung waren 1952 _____ einen neutralen deutschen Staat.
j) _____ des „Kalten Krieges" gab es keine politischen Gespräche zwischen der DDR und der Bundesrepublik.

11. „Wann?" oder „wie lange?" Welche Frage paßt?

Nach Übung

12

im Kursbuch

a) Anna hat vor zwei Tagen ein Baby bekommen.
b) Es hat vier Tage geschneit.
c) Während des Krieges war er in Südamerika.
d) Es regnet immer gegen Mittag.
e) Nach zweiundzwanzig Jahren ist er nach Hause gekommen.
f) Bis zu seinem sechzigsten Geburtstag war er gesund.
g) Ich habe eine halbe Stunde im Regen gestanden.
h) Er ist zweiundzwanzig Jahre in Afrika gewesen.
i) In drei Tagen hat er sein Abitur.
j) Seit drei Tagen hat er nichts gegessen.

	wann?	wie lange?
a)	✗	
b)		
c)		
d)		
e)		
f)		
g)		
h)		
i)		
j)		

Lektion 8

Nach Übung

12

im Kursbuch

12. Setzen Sie die Sätze ins Passiv.

a) In der DDR bestimmte die Sowjetunion die Politik.
In der DDR wurde die Politik von der Sowjetunion bestimmt.

b) Konrad Adenauer unterschrieb das Grundgesetz der BRD.
c) 1952 schlug die Sowjetunion einen Friedensvertrag vor.
d) Die West-Alliierten nahmen diesen Plan nicht an.
e) 1956 gründeten die DDR und die BRD eigene Armeen.
f) Seit 1953 feierte man den „Tag der deutschen Einheit".
g) In Berlin baute man 1961 eine Mauer.
h) Man schloß die Grenze zur Bundesrepublik.
i) Politische Gespräche führte man seit 1969.
j) Im Herbst 1989 öffnete man die Grenze zwischen Ungarn und Österreich.

Nach Übung

12

im Kursbuch

13. Schreiben Sie die Zahlen.

a) neunzehnhundertachtundsechzig *1968*
b) achtzehnhundertachtundvierzig _____
c) neunzehnhundertsiebzehn _____
d) siebzehnhundertneunundachtzig _____
e) achtzehnhundertdreißig _____

f) sechzehnhundertachtzehn _____
g) neunzehnhundertneununddreißig _____
h) tausendsechsundsechzig _____
i) vierzehnhundertzweiundneunzig _____

Nach Übung

13

im Kursbuch

14. Welche Sätze sagen dasselbe, welche nicht dasselbe?

	dasselbe	nicht dasselbe
a)		
b)		
c)		
d)		
e)		
f)		
g)		

a) Meine Mutter kritisiert immer meine Freunde. /
   Meine Mutter ist nie mit meinen Freunden zufrieden.

b) Wenn man das Abitur hat, hat man bessere Berufschancen. /
   Mit Abitur hat man bessere Abiturchancen.

c) Man sollte mehr Krankenhäuser bauen. Das finde ich auch. /
   Man sollte mehr Krankenhäuser bauen. Ich bin auch dagegen.

d) Wenn es keine Kriege geben würde, wäre die Welt schöner. /
   Ohne Kriege wäre die Welt schöner.

e) Er erklärt, daß das Problem sehr schwierig ist. /
   Er erklärt das schwierige Problem.

f) Niemand hat einen guten Vorschlag. /
   Jemand hat einen schlechten Vorschlag.

g) Während des „Kalten Krieges" gab es nur Wirtschaftskontakte. /
   Im „Kalten Krieg" gab es nur Wirtschaftskontakte.

15. Was können Sie auch sagen?

Nach Übung

im Kursbuch

a) *Er ist vor zwei Tagen angekommen.*
- Ⓐ Er ist seit zwei Tagen hier.
- Ⓑ Er ist für zwei Tage hier.
- Ⓒ Er kommt in zwei Tagen an.

b) *Gegen Abend kommt ein Gewitter.*
- Ⓐ Es ist Abend. Deshalb kommt ein Gewitter.
- Ⓑ Am Abend kommt ein Gewitter.
- Ⓒ Ich bin gegen ein Gewitter am Abend.

c) *Mein Vater ist über 60.*
- Ⓐ Mein Vater wiegt mehr als 60 kg.
- Ⓑ Mein Vater fährt schneller als 60 km/h.
- Ⓒ Mein Vater ist vor mehr als 60 Jahren geboren.

d) *Während meiner Reise war ich krank.*
- Ⓐ Auf meiner Reise war ich krank.
- Ⓑ Seit meiner Reise war ich krank.
- Ⓒ Wegen meiner Reise war ich krank.

e) *Seit 1952 wurden die DDR und die BRD immer verschiedener.*
- Ⓐ Vor 1952 waren die DDR und die BRD ein Staat.
- Ⓑ Nach 1952 wurden die Unterschiede zwischen der DDR und der BRD immer größer.
- Ⓒ Bis 1952 waren die BRD und die DDR zwei verschiedene Staaten.

f) *In zwei Monaten heiratet sie.*
- Ⓐ Ihre Heirat dauert zwei Monate.
- Ⓑ Sie heiratet für zwei Monate.
- Ⓒ Es dauert noch zwei Monate. Dann heiratet sie.

g) *Mit 30 hatte er schon 5 Häuser.*
- Ⓐ Er hatte schon 35 Häuser.
- Ⓑ Als er 30 Jahre alt war, hatte er schon 5 Häuser.
- Ⓒ Vor 30 Jahren hatte er 5 Häuser.

h) *Erst nach 1978 gab es Kontakte zwischen den beiden Staaten.*
- Ⓐ Vor 1978 gab es keine Kontakte zwischen den beiden Staaten.
- Ⓑ Seit 1978 gab es keine Kontakte zwischen den beiden Staaten mehr.
- Ⓒ Schon vor 1978 gab es Kontakte zwischen den beiden Staaten.

i) *In Deutschland dürfen alle Personen über 18 Jahre wählen.*
- Ⓐ Vor 18 Jahren durften in Deutschland alle Personen wählen.
- Ⓑ Nur Personen, die wenigstens 18 Jahre alt sind, dürfen in Deutschland wählen.
- Ⓒ In Deutschland dürfen alle Personen nach 18 Jahren wählen.

16. Sagen Sie es anders. Benutzen Sie „daß", „ob" oder „zu".

Nach Übung
13
im Kursbuch

a) Die Studenten haben beschlossen: Wir demonstrieren.
Die Studenten haben beschlossen zu demonstrieren.

b) Die Abgeordneten haben kritisiert: Die Steuern sind zu hoch.
Die Abgeordneten haben kritisiert, daß die Steuern zu hoch sind.

c) Sandro möchte wissen: Ist Deutschland eine Republik?

d) Der Minister hat erklärt: Die Krankenhäuser sind zu teuer.

e) Die Partei hat vorgeschlagen: Wir bilden eine Koalition.

f) Die Menschen hoffen: Die Situation wird besser.

Lektion 8

g) Herr Meyer überlegt: Soll ich nach Österreich fahren?

_____

h) Die Regierung hat entschieden: Wir öffnen die Grenzen.

_____

i) Die Arbeiter haben beschlossen: Wir streiken.

_____

j) Der Minister glaubt: Der Vertrag wird unterschrieben.

_____

Nach Übung

16

im Kursbuch

17. Was paßt zusammen?

a)	Ich erinnere mich gut	1.	an eine schöne Zukunft.
b)	1989 kam es in der DDR	2.	für den freundlichen Empfang.
c)	In unserer Familie sorgt der Vater	3.	in den Westen frei.
d)	Die meisten Leute waren dankbar	4.	mit dem Staat und seinen Behörden.
e)	Manche Leute hatten Probleme	5.	an meine Kindheit.
f)	Viele Leute glauben nicht	6.	über die neue Freiheit.
g)	Bei der Demonstration ging es	7.	zwischen der BRD und der DDR waren groß.
h)	Die meisten DDR-Bürger waren glücklich	8.	für die Kinder.
i)	1989 wurde der Weg	9.	um freie Wahlen.
j)	Die Unterschiede	10.	zu Massendemonstrationen.

a)	b)	c)	d)	e)	f)	g)	h)	i)	j)

Nach Übung

16

im Kursbuch

18. Setzen Sie ein: „ein", „einen", „einem", „einer".

a) Maria ist vor _____ Woche angekommen.

b) Werner möchte in _____ neuen Beruf arbeiten.

c) Carlo ist wegen _____ Frau nach Deutschland gekommen.

d) In der Diskussion geht es um _____ politisches Problem.

e) Was ist der Unterschied zwischen _____ Diktatur und _____ demokratischen Staat?

f) Seit _____ Jahr sind alle Grenzen offen.

g) Wir haben die gute Nachricht durch _____ Freund bekommen.

h) Ohne _____ richtiges Parlament gibt es keine Demokratie.

i) Gerd und Lena haben sich während _____ Demonstration kennengelernt.

j) In _____ Monat fahre ich nach Berlin.

19. Setzen Sie ein: „der", „die", „das", „den", „dem".

Nach Übung

16

im Kursbuch

a) Viele Leute sind mit _____ Regierung nicht einverstanden.

b) Wir haben ein Gespräch über _____ Probleme der Arbeiter geführt.

c) Viele Leute haben Angst vor _____ Krieg.

d) Außer _____ Finanzminister sind alle Regierungsmitglieder für _____ neue Gesetz.

e) Während _____ Zeit des „Kalten Krieges" gab es nur Wirtschaftskontakte zwischen _____ beiden deutschen Staaten.

f) Hier kann jeder seine Meinung über _____ Staat sagen.

g) Wegen _____ Verletzung kann der Bundeskanzler nicht ins Ausland fahren.

h) Martina freut sich auf _____ neue Arbeit.

i) Die Leute waren dankbar für _____ neue Freiheit.

j) Die Leute denken oft an _____ Zeit vor dem 9. November 1989.

20. Bilden Sie ganze Sätze.

Nach Übung

16

im Kursbuch

In Schlagzeilen fehlen meistens Artikel und Verben. Machen Sie aus den Schlagzeilen ganze Sätze. Benutzen Sie folgende Verben:

> werden – unterschreiben – gewählt werden – es gibt – feiern – führen – bekommen – finden – sein

(Es gibt mehrere mögliche Formulierungen. Vergleichen Sie Ihre Lösung mit dem Lösungsschlüssel.)

a) Wegen Armverletzung: Boris Becker zwei Wochen im Krankenhaus.
   Wegen seiner Armverletzung liegt Boris Becker zwei Wochen im Krankenhaus.

b) Ausländer: bald Wahlrecht?

c) Regierungen Chinas und Frankreichs: Politische Gespräche.

d) Bundeskanzler mit Vorschlägen des Finanzministers nicht einverstanden.

e) Neues Parlament in Sachsen.

f) Nach Öffnung der Grenze: Tausende auf Straßen von Berlin.

g) Regierung: Lösung der Steuerprobleme.

h) Vertrag über Kultur zwischen Rußland und Deutschland.

i) Zuviel Müll in Deutschlands Städten.

j) Wetter ab morgen wieder besser.

Lektion 9

Vocabulary

verbs

ausziehen	*here: to move out*	umziehen	*to move house*
backen	*to bake*	(sich) verabreden	*to arrange to meet, to make a date*
(sich) beeilen	*to hurry*		
bieten	*to offer*	verwenden	*to use, to make use of*
danken	*to thank*	vorbeikommen	*to call in (on someone)*
einfallen	*to think of, to occur to*		
gehören	*to belong*	wandern	*to walk, to hike*
holen	*to fetch*	warten	*to wait*
regieren	*to govern*	wünschen	*to wish*
schicken	*to send*	ziehen zu	*to move in with*
treffen	*to meet*		

nouns

(s) Afrika	*Africa*	r Kugelschreiber, -	*(ball point) pen*
r Anfang, ¨e	*beginning*	e Lage, -n	*location, situation*
e / r Angehörige, -n	*relative*	e Liebe	*love*
r Aufenthalt, -e	*stay*	s Messer, -	*knife*
e Bäckerei, -en	*bakery*	r Moment, -e	*moment*
e Bedingung, -en	*condition*	s Möbel, -	*furniture*
s Bett, -en	*bed*	s Museum, Museen	*museum*
e Bevölkerung	*population*	e Nachbarin, -nen	*(female) neighbour*
e Bibliothek, -en	*library*	s Paar, -e	*couple*
e Bürste, -n	*brush*	s Regal, -e	*shelves*
e Erinnerung, -en	*here: memento*	e Rente, -n	*pension*
s Fahrrad, ¨er	*bicycle*	s Schwimmbad, ¨er	*swimming pool*
e Freiheit, -en	*liberty, freedom*	e Steckdose, -n	*socket*
r Handwerker, -	*workman, manual worker*	r Tanz, ¨e	*dance*
		r Tänzer, -	*(male) dancer*
s Heim, -e	*here: (old people's) home*	e Tätigkeit, -en	*activity*
		r Tod	*death*
e Hilfe, -n	*help*	e Toilette, -n	*toilet*
r Hof, ¨e	*yard (outside the house)*	e Veranstaltung, -en	*event, function, activity*
s Holz	*wood*	r Verein, -e	*club, society*
e Idee, -n	*idea*	s WC, -s	*WC, toilet*
e / r Jugendliche, -n, (ein Jugendlicher)	*youth, young person*	s Werkzeug, -e	*tool*
		e Wohngemein-schaft, -en	*people sharing a flat, commune*
r Junge, -n	*boy*	r Zettel, -	*note, piece of paper*
e Kirche, -n	*church*		
r Kuchen, -	*cake*		

adjectives

besonder-	*special*	nächst-	*next*
ernst	*serious*	offenbar	*obvious*
evangelisch	*Protestant*	privat	*private*
hell	*light*	schnell	*quick*
lieb	*dear*	schrecklich	*terrible*
modern	*modern*	ständig-	*permanent*

adverbs

bald	*soon*	natürlich	*certainly, of course*
bitte	*please*	nein	*no*
da	*here: then*	selber	*(one)self*
doch	*(emphatic) do*	so	*here: like this, in such a way*
eigentlich	*really (often followed by aber)*	sogar	*even*
(ein)mal	*just*	vorher	*before(hand)*
genug	*enough*	wirklich	*really*
heute	*here: nowadays*	wohl	*"I assume"*
inzwischen	*in the meantime*		

function words

ab	*from*	etwas	*something*
bei	*here: with*	neben	*here: apart from*
beide	*both*		
bevor	*before*		

expressions

allein bleiben	*to stay / be alone*	Interesse haben	*to be interested*
am Schluß	*at the end*	Liebe auf den ersten Blick	*love at first sight*
Das soll mir erst einer nachmachen!	*I'd like to see anyone else do that!*	nicht ganz	*not quite*
eine Anzeige aufgeben	*to put in an advert*	noch mal	*(once) again*
		von Beruf sein	*to do for a living*
gar nicht	*not at all*	zu Fuß	*on foot*
Gott sei Dank	*thank God*	zum Glück	*fortunately*
in der Nähe	*in the neighbourhood*		

Lektion 9

Grammar

1. Reflexive verbs with a reflexive pronoun in the dative (§ 10 p. 134)

ex.
3
5 In chapter 3, 1. you were introduced to reflexive verbs. These verbs are accompanied by a reflexive pronoun.

Remember: Many reflexive verbs can be used in a reflexive or non-reflexive manner.

Er hat <u>sich</u> schon <u>gewaschen</u>. (himself = reflexive)

○ Hat er den Pullover schon <u>gewaschen</u>?

□ Ja, er hat ihn schon <u>gewaschen</u>. (non-reflexive)

Both the reflexive pronoun and the personal pronoun are in the accusative case because *waschen* is a transitive verb. Some reflexive verbs, however, require a dative object (1) or both a dative and an accusative object (2). If it requires two objects, the person (which is represented by the reflexive pronoun) is in the dative case, the thing in the accusative case.

(1) Du hast <u>dir</u> schon wieder <u>widersprochen</u>. (You contradicted yourself once again.)
(2) Hast du <u>dir</u> schon <u>die Hände</u> gewaschen? (Have you washed your hands?)

reflexive pronouns in the accusative			dative			
ich	wasche	**mich**	ich	wasche	**mir**	die Hände
du	wäscht	**dich**	du	wäscht	**dir**	die Hände
er / sie / es	wäscht	sich	er / sie / es	wäscht	sich	die Hände
wir	waschen	uns	wir	waschen	uns	die Hände
ihr	wascht	euch	ihr	wascht	euch	die Hände
sie / Sie	waschen	sich	sie / Sie	waschen	sich	die Hände

As you can see from the table above only the first and second person singular vary in form.

Remember: All reflexive verbs use *haben* to form the perfect tense.

1.1. Exercise: Supply the reflexive pronoun and fill in "A" for accusative and "D" for dative in the brackets.

a) Viele alte Leute können _____ ( ) nicht mehr allein helfen.

b) Ich habe _____ ( ) gestern Tomatensuppe gekocht.

c) Wir haben _____ ( ) einen alten Film angesehen.

d) Vor dem Essen sollen die Kinder _____ ( ) die Hände waschen.

e) Vor dem Essen sollen die Kinder _____ ( ) waschen.

f) Ich kann _____ ( ) nicht mehr allein anziehen.

g) Worüber regt ihr _____ ( ) denn so auf?

h) Zu Weihnachten wünsche ich _____ ( ) eine Lederjacke.

i) Gestern habe ich _____ ( ) schon um halb zehn ins Bett gelegt.

2. Reciprocal verbs (§ 11 p. 134)

Xaver liebt Ilona.
Ilona liebt Xaver. ⟩ Xaver und Ilona lieben sich (= X. and I. love each other).

ex. 20

Sich lieben does not have a reflexive meaning but expresses a reciprocal relationship between two people or two groups of people. The reciprocal pronoun *sich* is declined in the same way as the reflexive pronoun *sich* but can obviously only occur in the plural, e.g.

ich and *du / er / sie:*	Wir lieben uns.
du and *er / sie:*	Ihr liebt euch.
er / sie / es and *er / sie / es:*	Sie lieben sich.
sie (plural) and *sie* (plural):	Sie lieben sich.

2.1. Exercise: Supply the verbs in their correct forms

sich besuchen	sich schreiben	sich treffen
sich verlieben	sich verloben	sich sehen

○ Mama, wie hast du Papa kennengelernt?

□ Er war mein Brieffreund. Wir haben _____ drei Jahre lang _____(a) .

○ Und wann habt ihr _____ zum ersten Mal _____(b) ?

□ 1961. Im Juni. Da haben wir _____ zum ersten Mal _____(c) . Ich fand DeinenVater sehr attraktiv.

○ Habt ihr _____ sofort _____(d) ?

□ Ja, es war Liebe auf den ersten Blick.

○ Und dann?

□ Dein Vater lebte in einer anderen Stadt. Aber wir haben _____ oft _____(e) . Und im Dezember haben wir _____ dann _____(f) .

3. Sentence structure: sentences containing two objects (§ 33 p. 146)

You know from sentence structure exercises in previous chapters that the verb has a central and fixed role in the German sentences. The other positions are more flexible. In „Themen neu 1", chapter 9, 3., you came across verbs with two complements, one in the dative and one in the accusative case.

ex. 13 14 15

The word order in this case can be rather complex. (You can find examples for the following rules in the table below.)

Lektion 9

Rule 1. If both objects are nouns the object in the dative case always comes before the object in the accusative case. In this order they can
   a. both be in the first complement position (1)
   b. both be in the second complement position (2)
   c. be split up into first and second complement position (3).

Rule 2. The sentence structure is different if one object is a pronoun, the other one a noun. Then the pronoun always comes before the noun. In this order
   a. they can both be in the first complement position (4) (5)
   b. the pronoun can be in the first, the noun in the second complement position (6) (7).

Rule 3. If both objects are personal pronouns then they both take the first complement position in the order accusative, dative **(different from the word order for nouns!!!)** (8).

Rule 4. If the accusative object is a definite pronoun *(den, die, das)* then both objects take the first complement position in the order dative, accusative (9) (10).

	prev. pos.	verb$_1$	subj.	complement		qualif.	complement	verb$_2$
1		Kannst	du	deinem Vater	die Farbe	jetzt		bringen?
2		Kannst	du			jetzt	deinem Vater die Farbe	bringen?
3		Kannst	du	deinem Vater		jetzt	die Farbe	bringen?
4		Kannst	du	ihm	die Farbe	jetzt		bringen?
5		Kannst	du	sie	deinem Vater	jetzt		bringen?
6		Kannst	du	ihm		jetzt	die Farbe	bringen?
7		Kannst	du	sie		jetzt	deinem Vater	bringen?
8		Kannst	du	sie	ihm	jetzt		bringen?
9		Kannst	du	deinem Vater	die	jetzt		bringen?
10		Kannst	du	ihm	die	jetzt		bringen?

3.1. Exercise: Translate the following sentences (a). Then replace first the accusative object (b), then the dative object (c) and finally both (d) by a pronoun.

A. Have you already bought the present for your sister?

a) *Hast du deiner Schwester das Geschenk schon gekauft?*

b) *Hast du **es** deiner Schwester schon gekauft?*

c) *Hast du **ihr** das Geschenk schon gekauft?*

d) *Hast du **es ihr** schon gekauft?*

B. Can you explain the homework to your friend?

a) _____

b) _____

c) _____

d) _____

C. Yesterday I sent my brother the money.

a) _____

b) _____

c) _____

d) _____

4. The relative clause with *was*

In Chapter 6, 1. you were introduced to relative clauses. They are subordinate clauses which give further information about a noun in the main clause and are always introduced by a relative pronoun that refers back to that noun.

Mein <u>Vater, der</u> bei uns wohnt, ist schon 79 Jahre alt.
My father who lives with us is 79 years of age.

Remember: The relative pronouns you have learnt so far correspond to the definite articles *der, die, das* or are derived from them (see chapter 6, 1.2.).

There are also relative clauses which are introduced by the relative pronoun *was*.

A. If a relative pronoun does not refer back to a noun but to a neuter indefinite like *alles, nichts, etwas, vieles, weniges, folgendes,* the relative pronoun is then *was* which in English is translated with "that" but is very often omitted.

Ich danke meinem Vater für <u>alles, was</u> er getan hat.
I thank my father for everything (that) he did.

Lektion 9

B. It can also refer back to the indefinite *das* and is then translated with "what".

Ich habe meinem Vater (<u>das</u>) erzählt, <u>was</u> passiert ist.
I told my father what happened.

Das is usually omitted but is always implied.

C. *Was* is also used when referring to a neuter adjectival noun in the superlative and is translated with "that".

Streit ist <u>das Schlimmste, was</u> es in einer Familie geben kann.
Arguing is the worst thing that can happen in a family.

D. When the relative pronoun *was* refers back to a whole clause it is translated with "which".

<u>Er hat sein Abitur gemacht, was</u> gut für seine Zukunft ist.
He took his A-levels which is good for his future.

4.1. Exercise: *der, die, das, was*. Supply the correct relative pronoun.

a) Im Brief stand etwas, _____ ich nicht verstanden habe.

b) Diese Neuigkeit ist das Beste, _____ ich heute gehört habe.

c) Das Buch, _____ ich letzte Woche gelesen habe, war phantastisch.

d) Seine Frau regt sich über alles auf, _____ er macht.

e) Der Arzt, _____ mich gestern untersucht hat, ist Herzspezialist.

f) Er macht immer, _____ ihm gefällt.

g) Wir haben gestern die Freunde getroffen, _____ mit uns im Urlaub waren.

i) Er hat meinen Brief nicht beantwortet, _____ mich sehr geärgert hat.

5. The subordinate conjunction *bevor* (§ 24 p. 141)

Bevor is a conjunction of time and introduces a subordinate clause. It is the usual equivalent of English "before".

Ich lebte ruhig, <u>bevor</u> mein Mann Rentner wurde.
I had a quiet life before my husband retired.

6. Writing: Congratulations

On certain special occasions we write greeting cards. Here are a few examples of how congratulations can be expressed.

Geburtstag (birthday):

Herzlichen Glückwunsch zum Geburtstag!
Ich gratuliere Dir / Ihnen herzlich zum Geburtstag!
Ich wünsche Dir / Ihnen alles Gute zum Geburtstag!

Jubiläum (anniversary):

Ich wünsche Dir / Euch / Ihnen alles Gute zur Goldenen Hochzeit! , ... zum 25. Dienstjubiläum!

Weihnachten (Christmas):

Frohe Weihnachten!
Ich wünsche Dir / Euch / Ihnen ein frohes Weihachtsfest!

Ostern (Easter):

Frohe Ostern!

Neujahr (New Year):

Ein gesundes neues Jahr!
Ich wünsche Dir / Euch / Ihnen einen guten Rutsch ins neue Jahr.

On any other occasion:
(e.g. on passing an exam,
on marriage, on the birth
of a child)

Herzlichen Glückwunsch zum / zur ...!
Ich gratuliere Dir / Euch / Ihnen zum / zur ...!
Ich wünsche Dir / Euch / Ihnen alles Gute zum / zur ...!

6.1. Exercise: Read the topic carefully. Then write a letter.

Sie haben von Ihrem deutschen Brieffreund / Ihrer deutschen Brieffreundin ein Weihnachtspaket bekommen. Schreiben Sie jetzt einen Brief und beachten Sie dabei folgende Punkte:

- Bedanken Sie sich für das Paket.

- Erzählen Sie über Ihre Pläne für Weihnachten und fragen Sie Ihren Brieffreund / Ihre Brieffreundin nach seinen / ihren Plänen für die Feiertage.

- Beschreiben Sie, wie man in Ihrem Land Weihnachten feiert.

- Beenden Sie Ihren Brief mit Glückwünschen zu Weihnachten und zum Neuen Jahr.

Lektion 9

Nach Übung

1

im Kursbuch

1. Ergänzen Sie: „auf", „für", „mit", „über", „von" oder „zu".

a) Die Großeltern können _____ die Kinder aufpassen, wenn die Eltern abends weggehen.
b) Man muß den Eltern _____ alles danken, was sie getan haben.
c) Viele Leute erzählen immer nur _____ früher.
d) Viele Eltern sind _____ ihre Kinder enttäuscht, wenn sie im Alter allein sind.
e) Die Großeltern warten oft _____ Besuch von ihren Kindern.
f) Ich unterhalte mich gern _____ meinem Großvater _____ Politik.
g) Ich meine, die alten Leute gehören _____ uns.
h) Die Kinder spielen gern _____ den Großeltern.
i) Großmutter regt sich immer _____ Ingrids Kleider auf.
j) Ich finde es interessant, wenn meine Großeltern _____ ihrer Jugendzeit erzählen.

Nach Übung

1

im Kursbuch

2. Stellen Sie Fragen.

a) Ich denke gerade *an meinen Urlaub.*   *Woran denkst du gerade?*
b) Im Urlaub fahre ich *nach Schweden.*   _____
c) Ich freue mich schon *auf den Besuch der Großeltern.*   _____
d) Der Mann hat *nach der Adresse des Altersheims* gefragt.   _____
e) Ich möchte mich *über das laute Hotelzimmer* beschweren.   _____
f) Ich denke oft *über mein Leben* nach.   _____
g) Ich komme *aus der Schweiz.*   _____
h) Ich habe mein ganzes Geld *für Bücher* ausgegeben.   _____
i) Karin hat uns lange *von ihrer Reise* erzählt.   _____
j) Viele Leute sind *über die Politik der Regierung* enttäuscht.   _____

Nach Übung

2

im Kursbuch

3. Ergänzen Sie: „mir" oder „mich"?

a) Ich wasche _____ nur mit klarem Wasser.
b) Ich sehe _____ manchmal gern alte Fotos an.
c) Am Wochenende ruhe ich _____ meistens aus.
d) Ich rege _____ nicht über die jungen Leute auf.
e) Ich ziehe _____ gern modern an.
f) Ich möchte _____ über das Essen beschweren.
g) Ich bestelle _____ gern einen guten Wein.
h) Ich kann _____ einfach nicht entscheiden.
i) Entschuldigen Sie _____ bitte!
j) Ich kaufe _____ gern ein gutes Buch.

k) Um die anderen Leute kümmere ich _____ nicht.
l) Ich langweile _____ oft.
m) Einmal im Jahr leiste ich _____ einen Urlaub.
n) Ich wünsche _____ nicht, sehr alt zu werden.
o) Ich setze _____ am liebsten auf mein altes Sofa.
p) Auf _____ kann man sich immer verlassen.
q) Das habe ich _____ gut überlegt.
r) Ich glaube, ich habe _____ nicht sehr verändert.
s) Hier fühle ich _____ wohl.
t) Ich koche _____ mein Essen fast immer selbst.

4. Ergänzen Sie: „sie" oder „ihnen".

Nach Übung

2

im Kursbuch

a) Was kann man für alte Menschen tun,
   die allein sind?
   Man kann

   _____ besuchen,

   _____ Briefe schreiben,

   _____ auf einen Spaziergang
   mitnehmen,

   _____ Pakete schicken,

   _____ zuhören, wenn sie
   ihre Sorgen erzählen,

   _____ manchmal anrufen.

b) Was muß man für alte Menschen tun,
   die sich nicht allein helfen können?
   Man muß

   _____ morgens anziehen,

   _____ abends ausziehen,

   _____ die Wäsche waschen,

   _____ das Essen bringen,

   _____ waschen,

   _____ im Haus helfen,

   _____ ins Bett bringen.

5. Alt sein heißt oft allein sein. Ergänzen Sie: „sie", „ihr" oder „sich".

Nach Übung

2

im Kursbuch

Frau Möhring fühlt _____(a) oft allein.

Sie hat niemanden, der _____(b) zuhört, wenn sie Sorgen hat oder

wenn sie _____(c) unterhalten will.

Sie muß _____(d) selbst helfen, weil niemand _____(e) hilft.

Niemand besucht _____(f), niemand schreibt _____(g), niemand

ruft _____(h) an.

Aber ab nächsten Monat bekommt sie einen Platz im Altersheim.

Sie freut _____(i) schon, daß sie dann endlich wieder unter

Menschen ist.

6. Sagen Sie es anders.

Nach Übung

3

im Kursbuch

a) Ist das Ihr Haus?   *Gehört das Haus Ihnen?*

b) Ist das der Schlüssel von Karin?   _____

c) Ist das euer Paket?   _____

d) Du kennst doch Rolf und Ingrid. Ist das ihr Wagen?   _____

e) Ist das sein Ausweis?   _____

f) Herr Baumann, ist das Ihre Tasche?   _____

g) Das ist mein Geld!   _____

h) Sind das eure Bücher?   _____

i) Sind das Ihre Pakete, Frau Simmet?   _____

j) Gestern habe ich Linda und Bettina getroffen.   _____
   Das sind ihre Fotos.

7. Kursbuch S. 110: Lesen Sie noch einmal den Brief von Frau Simmet.
Schreiben Sie:

Nach Übung

3

im Kursbuch

Familie Simmet wohnt seit vier Jahren mit der Mutter von Frau Simmet
zusammen, weil ihr Vater gestorben ist. Ihre Mutter kann ...

Lektion 9

8. Was paßt zusammen?

-abend	-versicherung	-heim	-amt	-jahr	-raum
-tag	-paar	-schein	-haus		-platz

a) Senioren- / Alten- / Pflege- / Studenten- _____

b) Renten- / Kranken- / Pflege- / Lebens- _____

c) All- / Arbeits- / Geburts- / Feier- _____

d) Feier- / Lebens- / Sonn- _____

e) Arbeits- / Park- / Sport- _____

f) Kranken- / Eltern- / Gast- / Kauf- / Rat- _____

g) Kranken- / Führer- _____

h) Arbeits- / Sozial- _____

i) Hobby- / Koffer- / Maschinen- _____

j) Ehe- / Liebes- _____

k) Früh- / Ehe- / Lebens- _____

9. Lebensläufe.

a) Ergänzen Sie.

Mein Name ist Franz Kühler. Ich bin am 14. 3. 1927 in Essen geboren. Mein Vater war Beamter, meine Mutter Hausfrau. Die Volksschule habe ich in Bochum besucht, von 1933 bis 1941. Danach habe ich eine Lehre als Industriekaufmann gemacht. 1944 bin ich noch Soldat geworden. Nach dem Krieg habe ich meine spätere Frau kennengelernt: Helene Wiegand. Am 16. 8. 1949 haben wir geheiratet. Unsere beiden Söhne Hans und Norbert sind 1951 und 1954 geboren. Bei der Firma Bolte & Co. in Gelsenkirchen bin ich 1956 Buchhalter geworden. In diesem Beruf habe ich später noch bei den Firmen Hansmann in Dortmund, Wölke in Kamen und zuletzt bei der Firma Jellinek in Essen gearbeitet. Meine Frau ist 1987 gestorben. 1992 bin ich in Rente gegangen. Ich wohne jetzt in einer Altenwohnung im „Seniorenpark Essen-Süd". Meine Söhne leben im Ausland. Ich bekomme 1800 Mark Rente im Monat.

Name:	_____
Geburtsdatum:	_____
Geburtsort:	_____
Familienstand:	_____
Kinder:	_____
Schulausbildung:	_____
Berufsausbildung:	_____
früherer Beruf:	*Buchhalter*
letzte Stelle:	_____
Alter bei Anfang der Rente:	_____
Rente pro Monat:	_____
jetziger Aufenthalt:	_____

b) Schreiben Sie einen Text: Es gibt mehrere mögliche Formulierungen. Vergleichen Sie Ihre Lösung mit dem Schlüssel zu dieser Übung.

Name: *Gertrud Hufendiek*
Geburtsdatum: *21. 1. 1935*
Geburtsort: *Münster*
Familienstand: *ledig*
Kinder: *keine*
Schulausbildung: *Volksschule 1941–1945; Realschule 1945–1951*

Berufsausbildung: *Lehre als Kauffrau*
früherer Beruf: *Exportkauffrau*
letzte Stelle: *Fa. Piepenbrink, Bielefeld*
Alter bei Anfang der Rente: *58*
Rente pro Monat: *1600 Mark*
jetziger Aufenthalt: *Seniorenheim „Auguste-Viktoria", Bielefeld*

Mein Name ist ... Ich bin am ... in ...

10. Wie heißt das Gegenteil?

Nach Übung

9

im Kursbuch

> Minderheit   Ursache   Scheidung   Friede   Nachteil   Jugend   Junge
> Erwachsener   Freizeit   Gesundheit   Tod   Stadtmitte

a) Alter – _____
b) Mehrheit – _____
c) Arbeit – _____
d) Stadtrand – _____

e) Vorteil – _____
f) Jugendlicher – _____
g) Heirat – _____
h) Leben – _____

i) Krieg – _____
j) Krankheit – _____
k) Konsequenz – _____
l) Mädchen – _____

11. Was können Sie auch sagen?

Nach Übung

9

im Kursbuch

a) *Die Mehrheit der Bevölkerung ist über 30.*
   Ⓐ Die meisten Einwohner des Landes sind älter als 30 Jahre.
   Ⓑ Die meisten Einwohner des Landes sind Rentner.
   Ⓒ Die meisten Einwohner des Landes sind ungefähr 30 Jahre alt.

b) *Die Kosten für die Rentenversicherung steigen.*
   Ⓐ Die Rentenversicherung wird leichter.
   Ⓑ Die Rentenversicherung wird teurer.
   Ⓒ Die Rentenversicherung wird billiger.

c) *Herr Meyer hat eine Pflegeversicherung.*
   Ⓐ Herr Meyer wird von einer Versicherung gepflegt.
   Ⓑ Herr Meyer hat eine Versicherung, die später seine Pflege bezahlt.
   Ⓒ Herr Meyer hat eine private Krankenversicherung.

d) *Alte Menschen brauchen Pflege.*
   Ⓐ Alte Menschen müssen versorgt werden.
   Ⓑ Alte Menschen müssen verlassen werden.
   Ⓒ Alte Menschen brauchen eine gute Versicherung.

e) *Alte Leute haben oft den Wunsch nach Ruhe.*
   Ⓐ Alte Leute brauchen selten Ruhe.
   Ⓑ Alte Leute wollen immer nur Ruhe.
   Ⓒ Alte Leute möchten oft Ruhe haben.

f) *Die Industrie muß mehr Artikel für alte Menschen herstellen.*
   Ⓐ Die Industrie muß mehr Altenheime bauen.
   Ⓑ Die Industrie soll keine Artikel für junge Menschen mehr herstellen.
   Ⓒ Die Industrie muß mehr Waren für alte Menschen produzieren.

Lektion 9

Nach Übung

10

im Kursbuch

12. Wie heißen die fehlenden Wörter?

Pflaster   Handwerker   Seife   Bürste   Steckdose
Farbe   Regal   Bleistift   Werkzeug   Zettel

Heute will Herr Baumann endlich das _____(a) für die Küche bauen. Das ist nicht schwer für ihn, weil er _____(b) ist. Zuerst macht er einen Plan. Dazu braucht er einen _____(c) und einen _____(d). Dann holt er das Holz und das _____(e). Um die Teile zu schneiden, braucht er Strom. Wo ist denn bloß eine _____(f)? Au! Jetzt hat er sich in den Finger geschnitten und braucht ein _____(g). Er ist fast fertig, nur die _____(h) fehlt noch. Das Regal soll grün werden. Zum Schluß ist Herr Baumann ganz schmutzig. Er geht zum Waschbecken, nimmt die _____(i) und eine _____(j) und wäscht sich die Hände.

Nach Übung

11

im Kursbuch

13. Was paßt zusammen?

a) Auf dem Tisch liegt mein Füller.
b) Heute habe ich Zeit, die Uhr zu reparieren.
c) Uli hat seinen Pullover bei uns vergessen.
d) Wir haben das Problem nicht verstanden.
e) Dein neues Haus ist sicher sehr schön.
f) Die Wörterbücher sind noch im Wohnzimmer.
g) Ich habe mir eine Kamera gekauft.
h) Das Fotobuch hat Maria sehr gut gefallen.

1. Erklärst du uns das bitte?
2. Gibst du ihn mir mal?
3. Holst du sie mir?
4. Kannst du mir die mal holen?
5. Schenken wir es ihr?
6. Soll ich dir die mal zeigen?
7. Soll ich ihm den schicken?
8. Wann willst du es uns zeigen?

a)	b)	c)	d)	e)	f)	g)	h)

Nach Übung

11

im Kursbuch

14. Wo steht das Pronomen?

a) Diese Suppe schmeckt toll. Kochst du ___—___ mir _die_ auch mal? (die)
b) Das ist mein neuer Mantel. Meine Eltern haben _____ mir _____ geschenkt. (ihn)
c) Diese Frage ist sehr schwierig. Kannst du _____ Hans _____ vielleicht erklären? (sie)
d) Ich möchte heute abend ins Kino gehen, aber meine Eltern haben _____ mir _____ verboten. (das)
e) Diese Lampe nehme ich. Können Sie _____ mir _____ bitte einpacken? (sie)
f) Ich brauche die Streichhölzer. Gibst du _____ mir _____ mal? (die)
g) Wie findest du die Uhr? Willst du _____ deiner Freundin _____ nicht zum Geburtstag schenken? (sie)
h) Wir haben hier einen Brief in dänischer Sprache. Können Sie _____ uns _____ bitte übersetzen? (den)
i) Die Kinder wissen nicht, wie man den Fernseher anmacht. Zeigst du _____ ihnen _____ mal? (es)
j) Das sind französische Zigaretten. Ich habe _____ meinem Lehrer _____ aus Frankreich mitgebracht. (sie)

Nach Übung

11

im Kursbuch

15. Ihre Grammatik. Ergänzen Sie.

a) Können Sie mir bitte die Grammatik erklären?
b) Können Sie mir die Grammatik genauer erklären?
c) Können Sie mir die Grammatik bitte genauer erklären?
d) Können Sie mir die bitte erklären?
e) Können Sie sie mir bitte erklären?
f) Ich habe meinem Bruder gestern mein neues Auto gezeigt.
g) Holst du mir bitte die Seife?
h) Ich suche dir gern deine Brille.

h) Ich bringe dir dein Werkzeug sofort.
i) Zeig mir das doch mal!
j) Ich zeige es dir gleich.
k) Geben Sie mir die Lampe jetzt?
l) Holen Sie sie sich doch!
m) Dann können Sie mir das Geld ja vielleicht schicken.
n) Diesen Mantel habe ich ihr vorige Woche gekauft.

| | | | Ergänzung | | | | Ergänzung | |
	Vorfeld	Verb₁	Subjekt	Akkusativ (Personal-pronomen)	Dativ (Nomen/Pers.-Pron.)	Akkusativ (Nomen/Definit-Pron.)	Angabe	Ergänzung	Verb₂
a)		Können	Sie		mir		bitte	die Grammatik	erklären?
b)									
c)									
d)									
e)									
f)									
g)									
h)									
i)									
j)									
k)									
l)									
m)									
n)									

Lektion 9

Nach Übung

12

im Kursbuch

16. Was hat Herr Schibilsky, Rentner, 66, gestern alles gemacht? Schreiben Sie.

a) *Um 8 Uhr hat er die Kinder in die Schule gebracht.*

b) _____

c) _____

d) _____

e) _____

f) _____

g) _____

h) _____

i) _____

j) _____

k) _____

l) _____

17. Setzen Sie die Sätze ins Präteritum.

Nach Übung

14

im Kursbuch

a) Xaver hat immer nur Ilona geliebt.
Xaver liebte immer nur Ilona.

b) Das hat er seiner Frau auf einer Postkarte geschrieben.

c) Viele Männer haben ihr die Liebe versprochen.

d) Sie haben in ihrer Drei-Zimmer-Wohnung gesessen.

e) Sie haben ihre alten Liebesbriefe gelesen.

f) Mit 18 haben sie sich kennengelernt.

g) Xaver ist mit einem Freund vorbeigekommen.

h) Die Mädchen haben zugehört, wie die Jungen gesungen haben.

i) Dann haben sie sich zu ihnen gesetzt.

j) 1916 haben sie geheiratet.

k) Die Leute im Dorf haben über sie geredet.

l) Aber sie haben es verstanden.

m) Jeden Sonntag ist er in die Berge zum Wandern gegangen.

n) Sie hat gewußt, daß Mädchen dabeigewesen sind.

o) Darüber hat sie sich manchmal geärgert.

p) Sie hat ihn nie gefragt, ob er eine Freundin gehabt hat.

18. Ergänzen Sie: „erzählen", „reden", „sagen", „sprechen", „sich unterhalten".

Nach Übung

15

im Kursbuch

a) Der Großvater ——————————— den Kindern oft Märchen.

b) ——————————— du auch Englisch?

c) Gestern haben Karl und Elisabeth uns von ihrer Reise nach Ägypten ———————————.

d) Karin hat Probleme in der Schule. Hast du dich schon mal mit ihr darüber ———————————?

e) ——————————— mir, was du jetzt machen willst!

f) Du ——————————— immer soviel! Kannst du nicht mal einen Augenblick lang still sein?

g) Was haben Sie gerade zu ihrem Nachbarn ———————————?

h) Die Situation ist sehr schlimm. Man kann von einer Katastrophe ———————————.

i) Worüber wollen wir uns denn jetzt ———————————?

j) Heinz ist Punk. Es ist klar, daß die Kollegen über ihn ———————————.

19. Ergänzen Sie: „sich setzen", „sitzen", „stehen", „liegen".

Nach Übung

15

im Kursbuch

a) Mein Zimmer ist sehr niedrig. Man kann kaum darin ———————————.

b) Bitte ——————————— Sie sich doch!

c) Anja ——————————— schon im Bett.

d) Ich ——————————— nicht so gern im Sessel, sondern lieber auf einem Stuhl.

e) Potsdam ——————————— bei Berlin.

f) Wo ——————————— die Weinflasche denn?

g) Es gab keine Sitzplätze mehr im Theater. Deshalb mußten wir ———————————.

h) Im Deutschkurs hat Angela sich zu mir ———————————.

i) Im Restaurant habe ich neben Carlo ———————————.

j) Deine Brille ——————————— im Regal.

Lektion 9

Nach Übung

16

im Kursbuch

20. Sagen Sie es anders.

a) Sie hat ihn in der U-Bahn kennengelernt, er hat sie in der U-Bahn kennengelernt.
Sie haben sich in der U-Bahn kennengelernt.

b) Ich liebe dich, du liebst mich.
c) Er besucht sie, sie besucht ihn.
d) Ich helfe ihnen, sie helfen mir.
e) Ich höre Sie, Sie hören mich.
f) Du brauchst ihn, er braucht dich.

g) Er mag sie, sie mag ihn.
h) Er hat ihr geschrieben, sie hat ihm geschrieben.
i) Ich sehe Sie bald, Sie sehen mich bald.
j) Er wünscht sich ein Auto, sie wünscht sich ein Auto.

Nach Übung

16

im Kursbuch

21. Sagen Sie es anders. Benutzen Sie „als", „bevor", „bis", „während", „weil", „wenn".

a) Bei Regen gehe ich nie aus dem Haus. _Wenn es regnet, gehe ich nie aus dem Haus._
b) Vor seiner Heirat hat er viele Mädchen gekannt.
c) Wegen meiner Liebe zu dir schreibe ich dir jede Woche einen Brief.
d) Bei Schnee ist die Welt ganz weiß.
e) Es dauert noch ein bißchen bis zum Anfang des Films.
f) Bei seinem Tod haben alle geweint.
g) Während des Streiks der Kollegen habe ich gearbeitet.

Nach Übung

17

im Kursbuch

22. Sagen Sie es anders. Verbinden Sie die Sätze mit dem Relativpronomen.

a) Frau Heidenreich ist eine alte Dame. Sie war früher Lehrerin.
Frau Heidenreich ist eine alte Dame, die früher Lehrerin war.

b) Sie hat einen Verein gegründet. Dieser Verein vermittelt Leihgroßmütter.
c) Frau H. hat Freundinnen eingeladen. Den Freundinnen hat sie von ihrer Idee erzählt.
d) Die älteren Damen kommen in Familien. Diese Familien brauchen Hilfe.
e) Frau H. hat sich früher um ein kleines Mädchen gekümmert. Es lebte in der Nachbarschaft.
f) Eine Dame ist ganz zu einer Familie gezogen. Bei der Familie war sie vorher Leihgroßmutter.
g) Eine Dame kam in eine andere Familie. Diese Familie suchte nur jemanden für die Hausarbeit.
h) Es gibt viele alte Menschen. Ihnen fehlt eine richtige Familie.
i) Alle Leute brauchen einen Menschen. Für den Menschen können sie da sein.
j) Manchmal gibt es Probleme. Über die Probleme kann man aber in der Gruppe reden.

Nach Übung

17

im Kursbuch

23. Ergänzen Sie die Sätze.

a) Manche Leute arbeiten, obwohl…
b) Frau Heidenreich hat einen Verein für Leihgroßmütter gegründet, um… zu…
c) Herr Schulz hat sich immer einsam gefühlt. Deshalb…
d) Frau Meyer ist schon zum zweitenmal verwitwet. Trotzdem…
e) Wir können die alten Leute nicht ins Altersheim schicken, denn…
f) Herr Müller wohnt in einem Altersheim, aber…
g) Herr Bauer ist schon seit einem Jahr Rentner. Trotzdem…
h) Herr und Frau Dengler sind 65 Jahre verheiratet, und…

> sich immer noch lieben
> sich immer wieder Arbeit suchen
> Familien ohne Großmutter helfen
> noch einmal heiraten wollen
> sich dort wohl fühlen
> Rentner sein
> zu uns gehören
> eine Heiratsanzeige aufgeben

Vocabulary

verbs

atmen	to breathe	merken	to realise
aufmachen	to open	mögen	to like
ausschütten	to pour, to tip	nähen	to sew
bauen	to build	nehmen	to take
beschreiben	to describe	ordnen	to order, to arrange
bleiben	to stay, to remain	schenken	to give as a present
einschlafen	to fall asleep	sehen	to see
essen	to eat	springen	to jump
fallen	to fall	stehen	to stand
fehlen	to be missing	(sich) stellen	to (go and) stand
heben	to lift	tragen	to wear, to carry
kommen	to come	tun	to do
laufen	to walk, to run	verändern	to change
lesen	to read	wohnen	to live, to dwell
liegen	to lie (down)	zählen	to count

nouns

r Abend, -e	evening	s Gedicht, -e	poem
s Alter	age	s Gemüse	vegetable
e Arbeiterin, -nen	(female) worker	s Glas, ¨er	glass, jar
r August	August	s Gras	grass
e Autorin, -nen	authoress	e Hand, ¨e	hand
e Badewanne, -n	bath(tub)	e Hausfrau, -en	housewife
e Bank, ¨e	bench	s Herz, -en	heart
e Bäuerin, -nen	(female) farmer	r Hund, -e	dog
s Bier, -e	beer	r Hunger	hunger
e Blume, -n	flower	e Kartoffel, -n	potato
s Blut	blood	e Katze, -n	cat
s Boot, -e	boat, ship	s Lebensmittel, -	food(stuff)s
r Brief, -e	letter	die Leute (plural)	people
s Brot, -e	bread	s Mehl	flour
e Brust, ¨e	chest	r Mensch, -en	person, man / woman
s Buch, ¨er	book	e Milch	milk
r Dezember	December	s Militär	military
s Ding, -e	thing, object	e Nacht, ¨e	night
e Erlaubnis	permission	r Name, -n	name
s Essen	food	r Nationalsozialist, -en	national socialist
r Fisch, -e	fish	r Nazi, -s	Nazi
e Freude, -n	joy	s Obst	fruit
s Frühstück	breakfast	r Raum, ¨e	room
r Garten, ¨	garden	s Rezept, -e	recipe

Lektion 10

r Roman, -e	*novel*		r Titel, -	*title*
r Satz, ⸚e	*sentence, phrase*		e Torte, -n	*gateaux*
s Schwein, -e	*pig*		e Tür, -en	*door*
r Soldat, -en	*soldier*		s Vieh	*lifestock*
e Stadt, ⸚e	*town, city*		r Vogel, ⸚	*bird*
e Stunde, -n	*hour*		e Wand, ⸚e	*(internal) wall*
e Suppe, -n	*soup*		e Wolke, -n	*cloud*
r Tip, -s	*tip, advice*		r Zufall, ⸚e	*coincidence*

adjectives

amtlich	*official*		häufig	*frequent*
breit	*wide*		krank	*ill, sick*
bunt	*coloured, colourful*		laut	*loud*
einzig-	*only, sole*		müde	*tired*
frisch	*fresh*		offiziell	*official*
ganz	*whole*		sauer	*sour*
geboren	*born*		tief	*deep*
gerade	*just*		weiblich	*female*
hart	*hard*			

adverbs

anders	*different*		hier	*here*
außerdem	*besides, in addition*		morgens	*in the morning*
daher	*that is why*		nun	*now*
diesmal	*this time*		schon	*already*
dort	*there*		wieder	*again*
drinnen	*inside, indoors*		zusammen	*together*
gestern	*yesterday*			

function words

als	*here: when*		nichts	*nothing*
an	*to / on / at*		niemand	*nobody*
ander-	*different*		oder	*or*
aus	*from*		und	*and*
bis	*until*		unter	*under, below*
hinter	*behind*		von	*here: of*
jemand	*somebody*		wo ... doch	*especially since*
nach	*here: after*		zu	*to*

expressions

fertig sein	*to be finished*		nicht genug	*not enough*
es tut mit leid	*I am sorry*		nicht mehr	*not any longer*

1. Wie heißen diese Dinge?

Zu Lektion
1
Wiederholung

a) _____ e) _____ i) _____ m) _____
b) _____ f) _____ j) _____ n) _____
c) _____ g) _____ k) _____ o) _____
d) _____ h) _____ l) _____ p) _____

Lektion 10

Zu Lektion
1
Wiederholung

2. Wie sind die Menschen?

traurig	vorsichtig	pünktlich	schmutzig	ehrlich	gefährlich
langweilig	lustig	neugierig	dumm	freundlich	dick	ruhig

a) Erich wiegt zuviel. Er ist zu _____ .

b) Viele Leute haben Angst vor Punks. Sie glauben, Punks sind _____ .

c) Meine kleine Tochter wäscht sich nicht gern. Sie ist meistens _____ .

d) Herr Berg kommt nie zu spät und nie zu früh. Er ist immer _____ .

e) Peter erzählt selbst sehr wenig, er hört lieber zu. Er ist ein sehr
_____ Mensch.

f) Jörg lacht selten. Meistens sieht er sehr _____ aus.

g) Veronika fährt immer langsam und paßt gut auf. Sie ist eine _____
Autofahrerin.

h) Erich lügt nicht. Er ist immer _____ .

i) Die Gespräche mit Eva sind uninteressant und _____ . Ich könnte
dabei manchmal einschlafen.

j) Über Bert haben wir schon oft gelacht. Alle finden ihn sehr _____ .

k) Holger will immer alles wissen. Er ist ziemlich _____ .

l) Susanne ist eine gute Kellnerin. Sie ist immer nett und _____ .

m) Kurt ist nicht sehr intelligent. Er ist ziemlich _____ .

Zu Lektion
1
Wiederholung

3. Ergänzen Sie.

a) Das weiß_____ Hemd, die blau_____ Hose und der grau_____ Mantel passen
gut zusammen.

b) Sie trägt eine rot_____ Hose mit einer blau_____ Bluse.

c) Ich mag keine schwarz_____ Schuhe. Braun_____ Schuhe gefallen mir besser.

d) Zieh einen warm_____ Pullover an, draußen ist es ziemlich kalt.

e) Für die Hochzeit hat sie sich extra ein neu_____ Kleid gekauft.

f) Bring bitte den schwarz_____ Rock, das rot_____ Kleid, die braun_____ Hose
und die weiß_____ Blusen in die Reinigung.

g) Eine grün_____ Bluse und ein blau_____ Rock passen nicht zusammen.

h) In dem rot_____ Rock mit der weiß_____ Bluse sieht Irene sehr hübsch aus.

i) Mit diesem häßlich_____ Kleid und mit den komisch_____ Schuhen kannst Du
nicht zu der Feier gehen. Das ist unmöglich.

j) Ein rot_____ Kleid mit schwarz_____ Strümpfen sieht gut aus.

k) Gestern habe ich Sonja zum ersten Mal in einem hübsch_____ Kleid gesehen. Sonst
trägt sie immer nur Hosen.

l) Mit schmutzig_____ Schuhen darfst du nicht in die Wohnung gehen.

m) Die schwarz_____ Schuhe sind kaputt.

n) Ihr Mann trug eine grau_____ Hose mit einem gelb_____ Pullover.

4. Was paßt nicht?

Zu Lektion

2

Wiederholung

a) Chefin – Arbeitgeber – Kantine – Handwerker – Arbeiter – Beamtin – Arbeitnehmer – Kaufmann – Verkäuferin – Kollege – Soldat

b) Schulklasse – Studentin – Schüler – Lehrling – Lehrer

c) Gehalt – Lohn – Rente – Steuern – Stelle

d) Diplomprüfung – Examen – Ausbildung – Prüfung – Test

e) Betrieb – Job – Firma – Geschäft – Büro – Fabrik – Werk

f) Sprachkurs – Lehre – Studium – Ausbildung – Unterricht – Beruf

g) Grundschule – Universität – Gymnasium – Wissenschaft – Kindergarten

5. Sagen Sie es anders. Verwenden Sie Nebensätze mit „weil", „wenn" oder „obwohl".

Zu Lektion

2

Wiederholung

a) Gerda hat erst seit zwei Monaten ein Auto. Trotzdem ist sie schon eine gute Autofahrerin.
   Obwohl Gerda erst seit zwei Wochen ein Auto hat, ist sie schon eine gute Autofahrerin.

b) Das Auto fährt nicht gut. Es war letzte Woche in der Werkstatt.

c) Ich fahre einen Kleinwagen, denn der braucht weniger Benzin.

d) In zwei Jahren verdient Doris mehr Geld. Dann kauft sie sich ein Auto.

e) Jens ist zu schnell gefahren. Deshalb hat die Polizei ihn angehalten.

f) Nächstes Jahr wird Andrea 18 Jahre alt. Dann möchte sie den Führerschein machen.

g) Thomas hat noch keinen Führerschein. Trotzdem fährt er schon Auto.

6. Was paßt?

Zu Lektion

3

Wiederholung

Sendung	Zuschauer	Orchester	Maler	Fernseher	Kino
Bild/Zeichnung	Schauspieler	singen	Eintritt	Künstler	

a) hören : Radio / sehen : _____

b) fotografieren : Foto / zeichnen : _____

c) Theater : Veranstaltung / Fernsehen : _____

d) tanzen : Tänzer / malen : _____

e) Fußball spielen : Mannschaft / Musik spielen : _____

f) Musik : spielen / Lied : _____

g) Konzert : Musiker / Film : _____

h) Theaterstück spielen : Schauspieler / Theaterstück sehen : _____

i) Handwerk : Handwerker / Kunst : _____

j) Oper, Konzert, Theaterstücke : im Theater / Filme : _____

k) Wohnung : Miete / Museum : _____

Lektion 10

Zu Lektion

3

Wiederholung

7. Sagen Sie es anders.

Erinnern Sie sich noch an Frau Bauer? Sie hat ihre Freundin Christa gefragt, was sie machen soll. Das sind Christas Antworten.

a) Er kann dir doch im Haushalt helfen.   *Er könnte dir* _____

b) Back ihm doch keinen Kuchen mehr.   *Ich würde ihm* _____

c) Kauf dir doch wieder ein Auto.

d) Er muß sich eine neue Stelle suchen.

e) Er soll sich neue Freunde suchen.

f) Ärgere dich doch nicht über ihn.

g) Er kann doch morgens spazierengehen.

h) Sag ihm doch mal deine Meinung.

i) Er soll selbst einkaufen gehen.

j) Sprich doch mit ihm über euer Problem.

Zu Lektion

3

Wiederholung

8. Was paßt wo? (Einige Ergänzungen passen zu verschiedenen Verben.)

von seiner Krankheit	für die schlechte Qualität	für eine Schiffsreise
vom Urlaub mit der Schule	für den Brief über ihren Hund	auf den Sommer
von seinem Bruder mit der Untersuchung	um eine Zigarette	für meine Tochter
auf das Wochenende auf den Urlaub	auf eine bessere Regierung	um Auskunft
mit dem Frühstück um die Adresse	um eine Antwort	für die Verspätung
auf besseres Wetter mit der Arbeit	von ihrem Unfall	über die Regierung
auf das Essen für ein Haus	um Feuer über den Sportverein	auf Sonne

a) sich _____ | ärgern
   _____ | aufregen
   ... | unterhalten

b) _____ ... aufhören

c) _____ ... bitten

d) sich _____ ... entschuldigen

e) _____ ... | sprechen
                        | erzählen

f) sich _____ ... freuen

g) _____ ... hoffen

h) _____ ... sparen

Zu Lektion

3

Wiederholung

9. In welchen Sätzen kann oder muß man „sich" ergänzen, in welchen nicht?

a) Sie hat _____ den Mantel ausgezogen.

b) Sie hat _____ die Wohnung aufgeräumt.

c) Sie hat _____ ein Steak gegessen.

d) Sie hat _____ ein Steak bestellt.

e) Sie hat _____ ein Auto geliehen.

f) Sie hat _____ das Fahrrad bezahlt.

g) Sie hat _____ die Zähne geputzt.

h) Sie hat _____ die Hände gewaschen.

i) Sie hat _____ den Termin vergessen.

j) Sie hat _____ an den Termin nicht erinnert.

k) Sie hat _____ einen Platz reservieren lassen.

l) Sie hat _____ das Auto noch nicht angemeldet.

m) Sie hat _____ für den Sprachkurs angemeldet.

n) Sie hat _____ ein gutes Essen gekocht.

o) Sie hat _____ schnell Deutsch gelernt.

p) Sie hat _____ eine Halskette gewünscht.

q) Sie hat _____ eine Zeitung gelesen.

r) Sie hat _____ eine Wohnung gemietet.

10. Was paßt nicht?

Zu Lektion

4

Wiederholung

a) Die Arbeit ist *anstrengend – angenehm – arm – gefährlich – interessant.*

b) Ludwig arbeitet *selbständig – sozial – schnell – langsam – alleine.*

c) Die Fabrik produziert *Exporte – Autos – Waschmaschinen – Lastwagen – Kleidung.*

d) In der Firma werden *Lampen – Batterien – Glühbirnen – Spiegel – Jobs* hergestellt.

11. Wo passen die Wörter am besten?

Zu Lektion

4

Wiederholung

Wirtschaft	Handel	Besitzer	Geld	Energie	Arbeitnehmer	Auto	Industrie

a) Diesel – Benzin – Öl – Gas: _____

b) Import – Export – Kaufmann – verkaufen: _____

c) Fabrik – Technik – Maschinen – Arbeiter – produzieren: _____

d) Lohn – Gehalt – Rente – Steuern: _____

e) Handel – Industrie – Export – Import – kapitalistisch – Konkurrenz: _____

f) Job – Lohn – arbeiten – kündigen – streiken – arbeitslos: _____

g) Benzin – Motor – Bremse – Tankstelle – Werkstatt – Panne: _____

h) Chef – Arbeitgeber – reich – Firma – Fabrik: _____

12. Sagen Sie es anders.

Zu Lektion

4

Wiederholung

Man hat vergesssen,

a) das Auto zu waschen,　　*Das Auto wurde nicht gewaschen.*

b) das Fahrlicht zu reparieren.　　*Das Fahrlicht* _____

c) die Reifen zu wechseln.　　_____

d) den neuen Spiegel zu montieren.　　_____

e) die Handbremse zu prüfen.　　_____

f) die Sitze zu reinigen.　　_____

g) das Blech am Wagenboden zu schweißen.　　_____

13. Ergänzen Sie.

Zu Lektion

5

Wiederholung

sich unterhalten	kennenlernen	sich aufregen	sich streiten	heiraten
küssen	lügen	flirten	lieben	

a) Mann, Frau, Kirche, Ring: _____

b) Menschen, neu, sich vorstellen: _____

c) Problem, sich nicht verstehen, laut sprechen: _____

d) Menschen, Mund, Gesicht, sich mögen: _____

e) Menschen, sich sehr gern haben: _____

f) über etwas sprechen, Gespräch: _____

g) sich ärgern, laut sein, nervös sein, schimpfen: _____

h) nicht die Wahrheit sagen, nicht ehrlich sein: _____

i) Mann, Frau, sympathisch finden, anschauen, nett sein, sich unterhalten: _____

Lektion 10

14. Ordnen Sie.

| Tante | Angestellte | Ehemann | Bekannte | Tochter | Bruder | Vater |

Chef · Opa · Mutter · Sohn

Schwester · Freundin · Großmutter · Kollegin · Nachbar · Eltern · Onkel

verwandt	nicht verwandt
Mutter	

15. Sagen Sie es anders. Verwenden Sie einen Infinitivsatz oder einen „daß"-Satz. Manchmal sind auch beide möglich.

a) Skifahren kann man lernen. Versuch es doch mal! Es ist nicht schwierig.
   Versuch doch mal, Skifahren zu lernen. Es ist nicht schwierig.

b) Im nächsten Sommer fahre ich wieder mit dir in die Türkei. Das verspreche ich dir.

c) Bei diesem Wetter willst du das Auto waschen? Das hat doch keinen Zweck.

d) Ich suche meinen Regenschirm. Kannst du mir dabei helfen?

e) Johanna und Albert haben viel zu früh geheiratet. Das ist meine Meinung.

f) Es schneit nicht mehr. Es hat aufgehört.

g) Ich möchte gerne ein bißchen Fahrrad fahren. Hast du Lust?

h) Heute gehe ich nicht schwimmen. Ich habe keine Zeit.

i) Du solltest weniger rauchen, finde ich.

16. Ordnen Sie.

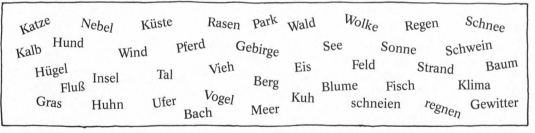

Katze · Nebel · Küste · Rasen · Park · Wald · Wolke · Regen · Schnee
Kalb · Hund · Wind · Pferd · Gebirge · See · Sonne · Schwein
Hügel · Insel · Tal · Vieh · Eis · Feld · Strand · Baum
Fluß · Berg · Blume · Fisch · Klima
Gras · Huhn · Ufer · Vogel · Kuh · schneien · regnen · Gewitter
Bach · Meer

Tiere	Pflanzen	Landschaft	Wetter

17. Ergänzen Sie.

Zu Lektion

6

Wiederholung

a) Das ist meine Schwester, _____ jetzt in Afrika lebt.

b) Das ist das Haus, _____ _____ ich lange gewohnt habe.

c) Das ist mein Bruder Bernd, _____ _____ ich dir gestern erzählt habe.

d) Hier siehst du den alten VW, _____ ich zwölf Jahre gefahren habe.

e) Das ist der Mann, _____ _____ ich den ersten Kuß bekommen habe.

f) Das sind Freunde, _____ _____ ich vor zwei Jahren im Urlaub war.

g) Das sind die Nachbarn, _____ _____ Kinder ich manchmal aufpasse.

h) Und hier ist die Kirche, _____ _____ ich geheiratet habe.

i) Hier siehst du einen Bekannten, _____ _____ Schwester ich studiert habe.

j) Das ist die Tante, _____ alten Schrank ich bekommen habe.

k) Hier siehst du meine Großeltern, _____ jetzt im Altersheim wohnen.

18. Was paßt nicht?

Zu Lektion

7

Wiederholung

a) *ausziehen:* den Mantel, aus der Wohnung, aus der Stadt, die Jacke

b) *beantragen:* einen Paß, ein Visum, einen Ausweis, eine Frage, eine Erlaubnis

c) *bestehen:* die Untersuchung, den Test, das Examen, die Prüfung, das Diplom

d) *fliegen:* in den Urlaub, nach Paris, mit einem kleinen Flugzeug, über den Wolken, mit dem Auto

e) *verstehen:* die Sprache, kein Wort, den Text, den Fernseher, das Problem, die Frage, Frau Behrens, den Film

f) *vorschlagen:* einen Plan, eine Lösung des Problems, eine Reise nach Berlin, eine Schwierigkeit, ein neues Gesetz

g) *reservieren:* das Gepäck, ein Hotelzimmer, einen Platz im Flugzeug, eine Theaterkarte

h) *packen:* den Koffer, eine Reisetasche, das Hemd in den Koffer, das Auto in die Garage

19. Ergänzen Sie.

Zu Lektion

7

Wiederholung

a) Hand : Seife / Zähne : _____

b) Geschirr : spülen / Wäsche : _____

c) Seife, Waschmittel, Zahnpasta, … : Drogerie / Medikamente : _____

d) Hände : waschen / Zähne : _____

e) Auto : Benzin / Waschmaschine : _____

Lektion 10

f) Licht : Schalter / Feuer : _____

g) Fleisch braten : Pfanne / Suppe kochen : _____

h) einen Tag : Ausflug / mehrere Tage : _____

i) zwischen zwei Zimmern : Tür / zwischen zwei Staaten : _____

j) Montag bis Freitag : Arbeitstage / Samstag und Sonntag : _____

k) Hotel : Zimmer / Campingplatz : _____

l) Suppe : Löffel / Fleisch : _____ und Messer

m) Wörter : Lexikon / Telefonnummern : _____

n) klein : Dorf / groß : _____

o) sieben Tage : Woche / 365 Tage : _____

p) das eigene Land : Heimatland / das fremde Land : _____

Zu Lektion

7

Wiederholung

20. Ergänzen Sie die Fragesätze.

Birgits Freund Werner hatte einen Autounfall. Eine Freundin ruft sie an und möchte wissen, was passiert ist. Birgit weiß selbst noch nichts. Was sagt Birgit?

a) ○ Wurde Werner schwer verletzt?
  □ Ich weiß auch noch nicht, *ob er* _____

b) ○ Wie lange muß er im Krankenhaus bleiben?
  □ Der Arzt konnte mir nicht sagen, *wie lange* _____

c) ○ Wo ist der Unfall passiert?
  □ Ich habe noch nicht gefragt, _____

d) ○ War noch jemand im Auto?
  □ Ich kann dir nicht sagen, _____

e) ○ Wohin wollte er denn fahren?
  □ Er hat mir nicht erzählt, _____

f) ○ Ist der Wagen ganz kaputt?
  □ Ich weiß nicht, _____

g) ○ Kann man ihn schon besuchen?
  □ Ich habe den Arzt noch nicht gefragt, _____

h) ○ Bezahlt die Versicherung die Reparatur des Wagens?
  □ Ich habe die Versicherung noch nicht gefragt, _____

21. Welches Verb paßt nicht?

Zu Lektion

8

Wiederholung

a) verlieren – fordern – streiken – verlangen – demonstrieren

b) erklären – erinnern – beschreiben – zeigen

c) diskutieren – sprechen – erzählen – sagen – lachen

d) kontrollieren – prüfen – kritisieren – testen – untersuchen

e) passieren – geschehen – los sein – hören

f) trinken – schreiben – lesen – hören – sprechen

g) stehen – liegen – hängen – schaffen – stellen – legen

h) schaffen – feiern – Erfolg haben – klappen – gewinnen

i) hören – sehen – fühlen – erinnern – schmecken

j) fehlen – weg sein – nicht da sein – finden

k) bringen – treffen – holen – nehmen

l) lachen – weinen – sterben – Spaß haben – traurig sein

22. Schlagzeilen aus der Presse. Ergänzen Sie die Präpositionen.

Zu Lektion

8

Wiederholung

> zwischen   unter   bei   durch   während   von … bis   über   seit   nach   auf
> mit   gegen   von … nach   aus   in   bis

a) Autobahn _____ das Rothaargebirge wird doch nicht gebaut

b) Ostern: Wieder viel Verkehr _____ unseren Straßen

c) 1000 Arbeiter _____ VW entlassen

d) U-Bahn _____ Bornum _____ List fertig: 40 000 fahren jetzt
   täglich _____ der Erde

e) _____ Bremen und Glasgow gibt es jetzt eine direkte Flugverbindung

f) Autobahn A 31 jetzt _____ Amsterdam fertig

g) Flüge _____ den Atlantik werden billiger

h) Lastwagen _____ Haus gefahren. Fahrer schwer verletzt _____
   Krankenhaus

i) Theatergruppe _____ China zu Gast _____ Düsseldorf

j) Parken im Stadtzentrum _____ 9.00 _____ 18.00 Uhr jetzt ganz
   verboten

k) Halbe Preise bei der Bahn für Jugendliche _____ 25 und für Rentner
   _____ 60

l) Apotheker streiken: _____ der Feiertage kein Notdienst?

m) Stadt muß sparen: Weniger U-Bahnen _____ Mitternacht

n) Probleme in der Landwirtschaft: _____ fünf Wochen kein Regen

o) Der Sommer beginnt: _____ zwei Wochen öffnen die Schwimmbäder

p) Aktuelles Thema bei der Frauenärzte-Konferenz: _____ 40 Jahren noch ein
   Kind?

q) Stadtbibliothek noch _____ Montag geschlossen

r) Alkoholprobleme in den Betrieben: Viele trinken auch _____ der Arbeitszeit

Lektion 10

Zu Lektion

8

Wiederholung

23. Ergänzen Sie.

Katastrophe	Demokratie	Bürger	Krieg		Zukunft		Soldaten
Kabinett		Präsident		Partei		Gesetze	Nation

a) Volk, Bevölkerung : Bürger / Armee, Militär : _____

b) Firma : Chef / Staat : _____

c) Verein : Mitglieder / Staat : _____

d) Sport : Verein / Politik : _____

e) zwischen Menschen : Streit / zwischen Staaten : _____

f) Fußballspieler : Mannschaft / Minister : _____

g) wenige Menschen bestimmen : Diktatur / das Volk entscheidet : _____

h) Spiel: Regel / Staat : _____

i) Verwandte : Familie / Bürger : _____

j) gestern : Geschichte / morgen : _____

k) schlimm : Problem / besonders schlimm : _____

Zu Lektion

9

Wiederholung

24. Was paßt?

a) Kopf : denken / Herz : _____

b) Bett : liegen / Stuhl : _____

c) Brief : schreiben / Telefon : _____

d) Sache : wissen / Person : _____

e) Geschirr : spülen / Wäsche : _____

f) Mund : sprechen / Ohr : _____

g) Geschichte : erzählen / Lied : _____

h) wissen : antworten / wissen wollen : _____

i) traurig sein : weinen / sich freuen : _____

j) sauber machen : putzen / Ordnung machen : _____

Zu Lektion

9

Wiederholung

25. Ordnen Sie.

sich verbrennen	sich gewöhnen	sich interessieren	sich bewerben
sich unterhalten	sich begrüßen	sich erinnern	sich verstehen sich beeilen
sich beschweren	sich schlagen	sich besuchen	sich treffen sich anrufen
sich duschen	sich ärgern	sich anziehen	sich setzen
sich streiten	sich ausruhen	sich verabreden	sich einigen

man macht es allein	man macht es zusammen mit einer anderen Person

26. Ergänzen Sie die Pronomen.

Zu Lektion

9

Wiederholung

a) ○ Bernd, soll ich ___*dir*___ das Essen warm machen?

　　□ Nein danke, ich mache _____ _____ selber warm.

b) ○ Kinder, soll ich _____ die Hände waschen?

　　□ Nein, wir waschen _____ _____ selber.

c) ○ Kann deine Tochter _____ die Schuhe selber anziehen?

　　□ Ja, sie kann _____ _____ selber anziehen, aber sie braucht dafür sehr viel Zeit.
　　Deshalb ziehe ich _____ _____ meistens an. Das geht schneller.

d) ○ Frau Herbart, soll ich _____ Ihre Jacke bringen?

　　□ Nein danke, ich hole _____ _____ selber.

e) ○ Mama, wir sind durstig. Kannst du _____ zwei Flaschen Saft geben?

　　□ Nein, ihr müßt _____ selber aus dem Kühlschrank holen.

f) ○ Haben Ines und Georg _____ dieses tolle Auto wirklich gekauft?

　　□ Nein, es gehört nicht ihnen, sie haben _____ _____ geliehen.

27. Ergänzen Sie.

Zu Lektion

10

Wiederholung

weiblich	Gemüse	drinnen	springen	Badewanne	Hunger	Autor	Monate
		Titel		Gras	Boot		Vieh
Wolke	nähen	Geburt	zählen	atmen	schütten	Soldat	Rezept

a) Mensch : Name / Buch : _____

b) Straße : Auto / Fluß : _____

c) 6 + 5 = 11 : rechnen / 1, 2, 3, 4, 5, … : _____

d) trinken : Durst / essen : _____

e) Ende : Tod / Anfang : _____

f) Haus : bauen / Kleider : _____

g) Saft, Wasser, Wein : gießen / Zucker, Mehl, Salz : _____

h) im Garten : draußen / im Haus : _____

i) Mann : männlich / Frau : _____

j) schwimmen und baden : Schwimmbad / sich baden und waschen :

_____

k) 2 Kilometer, 2 Stunden : gehen / 6 Meter weit, 2 Meter hoch : _____

l) Straße : Stein / Wiese : _____

m) Wasser : trinken / Luft : _____

n) Haus bauen : Bauplan / kochen : _____

o) im Haus, in der Wohnung : Haustiere / im Stall auf dem Bauernhof :

_____

p) Bild, Zeichnung : Maler / Roman, Gedicht : _____

q) Feuer : Rauch / Regen : _____

r) Apfel : Obst / Gurke : _____

s) Dienstag, Donnerstag : Tage / August, Dezember : _____

t) Polizei : Polizist / Militär : _____

Lektion 10

28. Ordnen Sie.

a) Ort und Raum

auf der Brücke   über unserer Wohnung   aus Berlin   oben   neben der Schule   nach Italien   dort   draußen   drinnen   gegen den Stein   vom Einkaufen   hinter der Tür   nach links   bei Dresden   aus der Schule   bei Frau Etzard   rechts im Schrank   im Restaurant   unten   ins Hotel   aus dem Kino   hier   zwischen der Kirche und der Schule   aus dem Haus   zu Herrn Berger   vor dem Haus   am Anfang der Straße   vom Arzt   bis zur Kreuzung   von der Freundin

wo?	woher?	wohin?

b) Zeit

bald   damals   danach   dann   dauernd   am folgenden Tag   in der Nacht   schon drei Wochen   früher   gestern   gleich   um halb acht   heute   immer   häufig   irgendwann   oft   am letzten Montag   manchmal   eine Woche lang   im nächsten Jahr   meistens   morgens   jetzt   regelmäßig   seit gestern   selten   sofort   später   ständig   täglich   jeden Abend   letzte Woche   vorher   während der Arbeit   zuerst   zuletzt   dienstags   den ganzen Tag   sechs Stunden   vor dem Mittagessen   bis morgen

wann?	wie lange (schon/noch)?	wie häufig?

29. Was paßt am besten?

Glas   Tip   laufen   frisch   tief   krank   breit   hart   Milch   einschlafen   oder   müde   Wand   schenken   selbst   Brot   geboren   Satz

a) schmal – _____
b) hoch – _____
c) und – _____
d) Mauer – _____
e) allein – _____
f) Wort – _____

g) Flasche – _____
h) alt – _____
i) Rat – _____
j) gestorben – _____
k) gesund – _____
l) weich – _____

m) Käse – _____
n) Mehl – _____
o) aufwachen – _____
p) stehen – _____
q) schlafen – _____
r) Geburtstag – _____

30. Schreiben Sie eine Zuammenfassung für den Text von Anna Wimschneider.

Zu Lektion

10

Wiederholung

Lesen Sie vorher noch einmal den Text von Anna Wimschneider auf den Seiten 126 und 127 im Kursbuch. Sie können die folgenden Hilfen verwenden.

- mit ihrern Eltern und Großeltern auf einem Bauernhof in Bayern (Anna)
- acht Geschwister
- im Sommer 1927 bei der Geburt des achten Kindes sterben (Mutter)
- keine Mutter mehr (Familie)
- im Haus und bei der Ernte helfen (Nachbarn)
- viel Arbeit, bald keine Lust mehr (Nachbarn)
- müssen arbeiten (Kinder)
- die Hausarbeit machen (Anna)
- zeigen, wie man kocht (Nachbarin)
- morgens Schule, nachmittags und abends arbeiten (Anna)
- mit neun Jahren kochen können (Anna)
- vor allem Milch, Kartoffeln und Brot essen (Familie)
- sehr arm sein, sehr einfach leben (Familie)
- oft Hunger haben, Kartoffeln für die Schweine essen (Kinder)
- schlafen (Vater, Großeltern, Kinder)
- kaputte Kleider nähen und flicken, bis abends um 10 Uhr (Anna)
- schwere Arbeit, traurig, oft weinen (Anna)
- älter sein, einen Mann (Albert) kennenlernen (Anna)
- den Hof seiner Eltern bekommen (Albert)
- 1939 heiraten (Albert und Anna)
- nicht feiern, am Hochzeitstag arbeiten (Albert und Anna)
- für die Familie und Eltern von Albert sorgen (Anna)
- sehr arm sein, sehr viel arbeiten
- zur Armee gehen müssen (Albert)
- Feldarbeit und Hausarbeit machen (Anna)
- helfen (niemand)
- nichts tun (Schwiegermutter)
- sehr unglücklich (Anna)

Schlüssel

Lektion 1

1. positiv: nett, lustig, sympathisch, intelligent, freundlich, attraktiv, ruhig, hübsch, schön, schlank, gemütlich
negativ: dumm, langweilig, unsympathisch, häßlich, dick, komisch, nervös, unfreundlich

2. a) hübsch b) intelligent c) alt d) attraktiv e) häßlich f) jung g) nett

3. a) finde · – b) ist · – / sieht · aus c) ist · – d) finde · – e) ist · – / sieht · aus f) ist · –
g) ist · – h) ist · – / sieht · aus i) finde · –

4. a) ein bißchen / etwas b) über (etwa / ungefähr) c) nur / bloß (genau) d) viel e) mehr f) über
g) fast h) genau

5. a) Die kleine Nase · Die schwarzen Haare · Das hübsche Gesicht · Die braune Haut
b) Die gefährlichen Augen · Das schmale Gesicht · Die dünnen Haare · Die helle Haut
c) Das lustige Gesicht · Die starken Arme · Der dicke Bauch · Der große Appetit
d) Die langen Beine · Die dicken Lippen · Der dünne Bauch · Die große Nase

6. a) stark b) schlank c) rund d) groß e) kurz

7. a) Den billigen Fotoapparat hat Bernd ihm geschenkt. b) Die komische Uhr hat Petra ihm geschenkt.
c) Das langweilige Buch hat Udo ihm geschenkt. d) Den häßlichen Pullover hat Inge ihm geschenkt.
e) Den alten Kuchen hat Carla ihm geschenkt. f) Den sauren Wein hat Dagmar ihm geschenkt.
g) Die unmoderne Jacke hat Horst ihm geschenkt. h) Den kaputten Kugelschreiber hat Holger ihm
geschenkt. i) Das billige Radio hat Rolf ihm geschenkt.

8. a) gelb b) rot (gelb) c) weiß d) blau (grün) e) schwarz f) grün g) braun

9. a) Welches Kleid findest du besser, das lange oder das kurze? b) Welchen Mantel findest du besser,
den gelben oder den braunen? c) Welche Jacke findest du besser, die grüne oder die weiße?
d) Welchen Pullover findest du besser, den dicken oder den dünnen? e) Welche Mütze findest du
besser, die kleine oder die große? f) Welche Hose findest du besser, die blaue oder die rote?
g) Welche Handschuhe findest du besser, die weißen oder die schwarzen?

10. nie → fast nie / sehr selten → selten → manchmal → oft → sehr oft → meistens / fast immer → immer

11. a) Wie häßlich! So ein dicker Hals gefällt mir nicht. b) ... So eine lange Nase gefällt mir nicht.
c) ... So ein trauriges Gesicht gefällt mir nicht. d) ... So ein dicker Bauch gefällt mir nicht. e) ... So
kurze Beine gefallen mir nicht. f) ... So dünne Arme gefallen mir nicht. g) ... So ein großer Mund
gefällt mir nicht. h) ... So eine schmale Brust gefällt mir nicht.

12. a) die Jacke b) das Kleid c) die Schuhe d) die Bluse e) der Rock f) die Strümpfe g) die Mütze
h) der Mantel i) der Pullover j) die Handschuhe k) die Hose

13. a) Haare b) Kleidung c) Mensch / Charakter d) Aussehen

14. a) ... einen dicken Bauch. ... kurze Beine. ... große Füße. ... kurze Haare. ... eine runde Brille. ... ein
schmales Gesicht. ... eine lange (große) Nase. ... einen kleinen Mund. b) Sein Bauch ist dick. ... kurz.
... groß. ... kurz. ... rund. ... schmal. ... lang (groß). ... klein. c) Sie hat große Ohren. ... lange Haare.
... eine kleine Nase. ... einen schmalen Mund. ... lange Beine. ... ein rundes Gesicht. ... kleine Füße.
... einen dicken Hals. d) Ihre Ohren sind groß. ... lang. ... klein. ... schmal. ... lang. ... rund. ... klein.
... dick.

15. a) schwarzen · weißen b) blauen · gelben c) schwere · dicken d) dunklen · roten
e) weißes · blauen f) braune · braunen

16. ein roter Mantel   einen roten Mantel   einem roten Mantel
eine braune Hose   eine braune Hose   einer braunen Hose
ein blaues Kleid   ein blaues Kleid   einem blauen Kleid
neue Schuhe   neue Schuhe   neuen Schuhen

17. a) schwarzen · weißen b) blaue · roten c) braunen · grünen d) helle · gelben e) rote · schwarzen

18. der rote Mantel   den roten Mantel   dem roten Mantel
die braune Hose   die braune Hose   der braunen Hose
das blaue Kleid   das blaue Kleid   dem blauen Kleid
die neuen Schuhe   die neuen Schuhe   den neuen Schuhen

19. a) ○ Du suchst doch eine Bluse.
    Wie findest du die hier?
    ❑ Welche meinst du?
    ○ Die weiße.
    ❑ Die gefällt mir nicht.
    ○ Was für eine möchtest du denn?
    ❑ Eine blaue.

d) ○ Du suchst doch einen Rock.
    Wie findest du den hier?
    ❑ Welchen meinst du?
    ○ Den roten.
    ❑ Der gefällt mir nicht.
    ○ Was für einen möchtest du denn?
    ❑ Einen gelben.

b) ○ Du suchst doch eine Hose.
    Wie findest du die hier?
    ❑ Welche meinst du?
    ○ Die braune.
    ❑ Die gefällt mir nicht.
    ○ Was für eine möchtest du denn?
    ❑ Eine schwarze.

e) ○ Du suchst doch Schuhe.
    Wie findest du die hier?
    ❑ Welche meinst du?
    ○ Die blauen.
    ❑ Die gefallen mir nicht.
    ○ Was für welche möchtest du denn?
    ❑ Weiße.

c) ○ Du suchst doch ein Kleid.
    Wie findest du das hier?
    ❑ Welches meinst du?
    ○ Das kurze.
    ❑ Das gefällt mir nicht.
    ○ Was für eins möchtest du denn?
    ❑ Ein langes.

20. Was für ein Mantel?   Was für einen Mantel?   Mit was für einem Mantel?
Welcher Mantel?   Welchen Mantel?   Mit welchem Mantel?

Was für eine Hose?   Was für eine Hose?   Mit was für einer Hose?
Welche Hose?   Welche Hose?   Mit welcher Hose?

Was für ein Kleid?   Was für ein Kleid?   Mit was für einem Kleid?
Welches Kleid?   Welches Kleid?   Mit welchem Kleid?

Was für Schuhe?   Was für Schuhe?   Mit was für Schuhen?
Welche Schuhe?   Welche Schuhe?   Mit welchen Schuhen?

21. a) Musiker **b)** Onkel **c)** Tochter **d)** Meter (m) **e)** Ehemann **f)** Kollege **g)** Hemd
h) Hochzeitsfeier **i)** Brille **j)** voll **k)** keine Probleme

22. a) Welcher   Dieser   **b)** Welchen   Diesen   **c)** welchem   diesem
    Welche   Diese   Welches   Dieses   welcher   dieser
    Welche   Diese   Welche   Diese   welchem   diesem
    Welches   Dieses   Welche   Diese   welchen   diesen

23. a) Arbeitgeberin · Angestellte **b)** Arbeitsamt **c)** pünktlich **d)** verrückt **e)** angenehme **f)** Prozeß
g) Stelle **h)** Ergebnis **i)** kritisieren **j)** Typ **k)** Wagen **l)** Test

24. a) Alle · manche **b)** jeden · manche **c)** allen · jedem **d)** alle · manche

25. jeder   jede   jedes   alle   manche
jeden   jede   jedes   alle   manche
jedem   jeder   jedem   allen   manchen

26. pro: Du hast recht. Das stimmt. Das ist richtig. Das ist auch meine Meinung. Das finde ich auch.
        Ich glaube das auch. Einverstanden! Das ist wahr.
  contra: Ich bin anderer Meinung. Das finde ich nicht. Das ist falsch. Das ist Unsinn. So ein Quatsch!
        Das stimmt nicht. Das ist nicht wahr.

27. a) lügen **b)** verlangen **c)** zahlen **d)** tragen **e)** kritisieren **f)** kündigen

Schlüssel

Lektion 2

1. **a)** Peter möchte Zoodirektor werden, weil er Tiere mag. · Weil Peter Tiere mag, möchte er Zoodirektor werden. **b)** Gabi will Sportlerin werden, weil sie eine Goldmedaille gewinnen möchte. · Weil Gabi eine Goldmedaille gewinnen möchte, will sie Sportlerin werden. **c)** Sabine will Fotomodell werden, weil sie schöne Kleider mag. · Weil Sabine schöne Kleider mag, will sie Fotomodell werden. **d)** Paul möchte Nachtwächter werden, weil er abends nicht früh ins Bett gehen mag. · Weil Paul abends nicht früh ins Bett gehen mag, möchte er Nachtwächter werden. **e)** Sabine will Fotomodell werden, weil sie viel Geld verdienen möchte. · Weil Sabine viel Geld verdienen möchte, will sie Fotomodell werden. **f)** Paul will Nachtwächter werden, weil er nachts arbeiten möchte. · Weil Paul nachts arbeiten möchte, will er Nachtwächter werden. **g)** Julia will Dolmetscherin werden, weil sie dann oft ins Ausland fahren kann. · Weil Julia dann oft ins Ausland fahren kann, will sie Dolmetscherin werden. **h)** Julia möchte Dolmetscherin werden, weil sie gern viele Sprachen verstehen möchte. · Weil Julia gern viele Sprachen verstehen möchte, möchte sie Dolmetscherin werden. **i)** Gabi will Sportlerin werden, weil sie die Schnellste in ihrer Klasse ist. · Weil Gabi die Schnellste in ihrer Klasse ist, will sie Sportlerin werden.

Ihre Grammatik. Ergänzen Sie.

	Junktor	Vorfeld	Verb$_1$	Subj.	Erg.	Ang.	Ergänzung	Verb$_2$	Verb$_1$ im Nebensatz
a)		Peter	möchte				Zoodirektor	werden,	
	denn	er	mag				Tiere.		
		Peter	möchte				Zoodirektor	werden,	
	weil			er			Tiere		mag.
b)		Gabi	will				Sportlerin	werden,	
	denn	sie	möchte				eine Goldmedaille	gewinnen.	
		Gabi	will				Sportlerin	werden,	
	weil			sie			eine Goldmedaille	gewinnen	möchte.
c)		Sabine	will				Fotomodell	werden,	
	denn	sie	mag				schöne Kleider.		
		Sabine	will				Fotomodell	werden,	
	weil			sie			schöne Kleider		mag.

2. **a)** wollte **b)** will **c)** wollten **d)** wolltest **e)** wollt **f)** wollten **g)** willst **h)** wolltet **i)** wollte **j)** wollen

3. will   willst   will   wollen   wollt   wollen   wollen
   wollte   wolltest   wollte   wollten   wolltet   wollten   wollten

4. **a)** Verkäufer **b)** Ausbildung **c)** verdienen **d)** Schauspielerin **e)** Zahnarzt **f)** Zukunft **g)** Maurer **h)** kennenlernen **i)** Klasse

5. **a)** klein · jung **b)** bekannt · schlank **c)** frisch · einfach **d)** zufrieden · freundlich

6.

konnte	durfte	sollte	mußte
konntest	durftest	solltest	mußtest
konnte	durfte	sollte	mußte
konnten	durften	sollten	mußten
konntet	durftet	solltet	mußtet
konnten	durften	sollten	mußten
konnten	durften	sollten	mußten

7. a) weil **b)** obwohl **c)** obwohl **d)** weil **e)** weil **f)** obwohl **g)** obwohl

Junktor	Vorfeld	Verb$_1$	Subj.	Erg. Ang.	Ergänzung	Verb$_2$	Verb$_1$ im Nebensatz
d)	Herr Schmidt	konnte		nicht mehr	als Maurer	arbeiten,	
weil			er		einen Unfall		hatte.
e)	Frau Voller	sucht			eine neue Stelle,		
weil			sie		nicht genug		verdient.
f)	Frau Mars	liebt			ihren Beruf,		
obwohl			die Arbeit	manchmal	sehr anstrengend		ist
g)	Herr Gansel	mußte			Landwirt	werden,	
obwohl			er	es	gar nicht		wollte.

8. a) Wenn du Bankkaufmann werden willst, dann mußt du jetzt eine Lehrstelle suchen. · ..., dann such jetzt schnell eine Lehrstelle. **b)** Wenn du studieren willst, dann mußt du aufs Gymnasium gehen. · ..., dann geh aufs Gymnasium. **c)** Wenn du sofort Geld verdienen willst, dann mußt du die Stellenanzeigen in der Zeitung lesen. · ..., dann lies die Stellenanzeigen in der Zeitung. **d)** Wenn du nicht mehr zur Schule gehen willst, dann mußt du einen Beruf lernen. · ..., dann lern einen Beruf. **e)** Wenn du noch nicht arbeiten willst, dann mußt du weiter zur Schule gehen. · ..., dann geh weiter zur Schule. **f)** Wenn du sofort Geld verdienen willst, dann mußt du die Stellenanzeigen in der Zeitung lesen. · ..., dann lies die Stellenanzeigen in der Zeitung. **g)** Wenn du einen Beruf lernen willst, dann mußt du die Leute beim Arbeitsamt fragen. · ..., dann frag die Leute beim Arbeitsamt.

9. a) Kurt sucht eine andere Stelle, weil er mehr Geld verdienen will. · Weil Kurt mehr Geld verdienen will, sucht er eine andere Stelle. **b)** Herr Bauer ist unzufrieden, weil er eine anstrengende Arbeit hat. · Weil Herr Bauer eine anstrengende Arbeit hat, ist er unzufrieden. **c)** Eva ist zufrieden, obwohl sie wenig Freizeit hat. · Obwohl Eva wenig Freizeit hat, ist sie zufrieden. **d)** Hans kann nicht studieren, wenn er ein schlechtes Zeugnis bekommt. · Wenn Hans ein schlechtes Zeugnis bekommt, (dann) kann er nicht studieren. **e)** Herbert ist arbeitslos, weil er einen Unfall hatte. · Weil Herbert einen Unfall hatte, ist er arbeitslos. **f)** Ich nehme die Stelle, wenn ich nicht nachts arbeiten muß. · Wenn ich nicht nachts arbeiten muß, (dann) nehme ich die Stelle.

10. a) Lehre **b)** Semester **c)** mindestens **d)** Gymnasium **e)** Nachteil **f)** Zeugnis **g)** Bewerbung **h)** beginnen **i)** Grundschule

11. a) B **b)** A **c)** A **d)** B

12. a) Deshalb **b)** und **c)** dann **d)** Sonst **e)** Trotzdem **f)** Aber **g)** denn **h)** sonst **i)** dann **j)** aber **k)** Trotzdem

Schlüssel

	Junktor	Vorfeld	Verb₁	Subj.	Erg.	Ang.	Ergänzung	Verb₂
a)		Für Akademiker	gibt	es			wenig Stellen.	
		Deshalb	haben	viele Studenten			Zukunftsangst.	
b)		Die Studenten	wissen		das	natürlich,		
	und	die meisten	sind			nicht	optimistisch.	
c)		Man	muß			einfach	besser	sein,
		dann	findet	man		bestimmt	eine Stelle.	
d)		Du	mußt			zuerst	das Abitur	machen.
		Sonst	kannst	du		nicht		studieren.
e)		Ihr	macht	das Studium			keinen Spaß.	
		Trotzdem	studiert	sie				weiter.
f)		Sie	hat				viele Bewerbungen	geschrieben,
	Aber	sie	hat				keine Stelle	gefunden.
g)		Sie	lebt			noch	bei ihren Eltern,	
	denn	eine Wohnung	kann	sie		nicht		bezahlen.

13. a) Die Studenten studieren weiter, obwohl sie ihre schlechten Berufschancen kennen. **b)** Vera ist schon 27 Jahre alt. Trotzdem wohnt sie immer noch bei den Eltern. **c)** Obwohl Manfred nicht mehr zur Schule gehen will, soll er den Realschulabschluß machen. **d)** Jens kann schon zwei Fremdsprachen. Trotzdem will er Englisch lernen. **e)** Obwohl Eva Lehrerin werden sollte, ist sie Krankenschwester geworden. **f)** Obwohl ein Doktortitel bei der Stellensuche wenig hilft, schreibt Vera eine Doktorarbeit. **g)** Es gibt zu wenig Stellen für Akademiker. Trotzdem hat Konrad Dehler keine Zukunftsangst. **h)** Obwohl Bernhard das Abitur gemacht hat, möchte er lieber einen Beruf lernen. **i)** Doris hat sehr schlechte Arbeitszeiten. Trotzdem möchte sie keinen anderen Beruf.

14. a) Thomas möchte nicht mehr zur Schule gehen, weil er lieber einen Beruf lernen möchte. · Thomas möchte lieber einen Beruf lernen. Deshalb möchte er nicht mehr zur Schule gehen. **b)** Jens findet seine Stelle nicht gut, denn er hat zu wenig Freizeit. · Jens hat zu wenig Freizeit. Deshalb findet er seine Stelle nicht gut. **c)** Herr Köster kann nicht arbeiten, weil er gestern einen Unfall hatte. · Herr Köster hatte gestern einen Unfall. Deshalb kann er nicht arbeiten. **d)** Manfred soll noch ein Jahr zur Schule gehen, weil er keine Stelle gefunden hat. · Manfred hat keine Stelle gefunden. Deshalb soll er noch ein Jahr zur Schule gehen. **e)** Vera wohnt noch bei ihren Eltern, denn sie verdient nur wenig Geld. · Vera verdient nur wenig Geld. Deshalb wohnt sie noch bei ihren Eltern. **f)** Kerstin kann nicht studieren, weil sie nur die Hauptschule besucht hat. · Kerstin hat nur die Hauptschule besucht. Deshalb kann sie nicht studieren. **g)** Conny macht das Studium wenig Spaß, denn an der Uni gibt es eine harte Konkurrenz. · An der Uni gibt es eine harte Konkurrenz. Deshalb macht das Studium Conny wenig Spaß. **h)** Simon mag seinen Beruf nicht, denn er wollte eigentlich Automechaniker werden. · Simon wollte eigentlich Automechaniker werden. Deshalb mag er seinen Beruf nicht. **i)** Herr Bender möchte weniger arbeiten, weil er zu wenig Zeit für seine Familie hat. · Herr Bender hat zu wenig Zeit für seine Familie. Deshalb möchte er weniger arbeiten.

15. a) – · er **b)** sie · – **c)** – · er **d)** sie · – **e)** – · sie **f)** · – er **g)** – · sie **h)** er · – **i)** sie · – **j)** – · sie **k)** – · er

16. großes · deutschen · attraktive · junge · eigenen · neues
neue · neuen
großes · jungen · interessanten · gutes · sichere berufliche · modernen

17. a) Heute ist der zwölfte Mai. · ... der achtundzwanzigste Februar. · ... der erste April. · ... der dritte August. **b)** Am siebten April. · Am siebzehnten Oktober · Am elften Januar · Am einunddreißigsten März **c)** Nein, wir haben heute den dritten. · Nein, wir haben heute den vierten. · Nein, wir haben heute den siebten. · Nein, wir haben heute den achten. **d)** Vom vierten April bis zum achten März. Vom dreiundzwanzigsten Januar bis zum zehnten September. · Vom vierzehnten Februar bis zum 1. Juli. · Vom siebten April bis zum zweiten Mai.

18. ○ Maurer.
    ❏ Hallo Petra, hier ist Anke.
    ○ Hallo Anke!
    ❏ Na, wie geht's? Hast du schon eine neue Stelle?
    ○ Ja, drei Angebote. Am interessantesten finde ich eine Firma in Offenbach.
    ❏ Und? Erzähl mal!
    ○ Da kann ich Chefsekretärin werden. Die Kollegen sind nett, und das Gehalt ist auch ganz gut.
    ❏ Und was machst du? Nimmst du die Stelle?
    ○ Ich weiß noch nicht. Nach Offenbach sind es 35 Kilometer. Das ist ziemlich weit.
    ❏ Das ist doch nicht schlimm. Dann mußt du nur ein bißchen früher aufstehen.
    ○ Aber du weißt doch, ich schlafe morgens gern lange.
    ❏ Ja, ja, ich weiß. Aber findest du das wichtiger als eine gute Stelle? …

19. a) Student **b)** Betrieb **c)** Kantine **d)** Inland **e)** ausgezeichnet **f)** lösen **g)** arbeitslos **h)** Rente
    i) Import **j)** Hauptsache **k)** auf jeden Fall **l)** dringend **m)** anfangen **n)** Monate

20. a) Gehalt **b)** Kunde **c)** Termin **d)** bewerben **e)** Religion **f)** Zeugnis

21. a) macht **b)** bestimmen **c)** gehen **d)** besuchen **e)** aussuchen **f)** geschafft **g)** versprechen

22. a) verdienen **b)** sprechen **c)** schreiben **d)** studieren **e)** korrigieren **f)** kennen **g)** hören
    h) anbieten **i)** werden **j)** dauern **k)** lesen

Lektion 3

1. a) Kultur **b)** Unterhaltung **c)** Werbung **d)** Medizin **e)** Gewinn **f)** Gott **g)** Orchester
    h) Information **i)** Pilot **j)** spielen

2. Unterhaltungsmusik, Unterhaltungssendung, …
    Spielfilm, Kinderfilm, …
    Nachmittagsprogramm, Kulturprogramm, …

3. a) Uhrzeit **b)** Telefon **c)** Nachmittagsprogramm **d)** Tier **e)** Tierarzt **f)** zu spät **g)** Auto **h)** tot
    i) vergleichen

4. Ein Flugzeug fliegt von Los Angeles nach Chicago. Die Stewardess serviert ein Fischgericht; aber kurze
    Zeit danach werden der Pilot und die meisten Passagiere krank. Zum Glück ist unter den Passagieren,
    die nicht gegessen haben, ein ehemaliger Vietnam-Pilot, Ted Striker. Er ist noch nie mit einem Jumbo
    geflogen, aber die Bodenstation gibt ihm Anweisungen, und so kann er mit dem Jumbo landen.
    (Andere Lösungen sind möglich.)

5. a) Wir · uns **b)** ihr · euch **c)** dich · ich · mich **d)** sie · sich **e)** Sie · sich **f)** Er · sich **g)** sich

6. a) Du · dich · anziehen **b)** ich · mich · duschen **c)** wir · uns · entscheiden **d)** Sie · sich · gelegt
    e) Setzen Sie sich **f)** stellt euch **g)** Sie · sich · vorgestellt **h)** Ihr · euch · waschen **i)** sich · beworben

7.

ich	du	er	sie	es	man	wir	ihr	sie	Sie
mich	dich	sich	sich	sich	sich	uns	euch	sich	sich

8. a) über die **b)** über ihn **c)** auf die **d)** in der **e)** mit dem **f)** über den **g)** mit dem **h)** über den
    i) Über das **j)** mit der **k)** für ihren **l)** mit der

9. den Film · die Musik · das Programm · die Sendungen
    den Film · die Musik · das Programm · die Sendungen
    den Film · die Musik · das Programm · die Sendungen
    den Film · die Musik · das Programm · die Sendungen

    dem Plan · der Meinung · dem Geschenk · den Antworten
    dem Plan · der Meinung · dem Geschenk · den Antworten

Schlüssel

10. **a)** Worüber · über · Darüber **b)** Worüber · Über · darüber **c)** Wofür · Für · Dafür
    d) Womit · Mit · Damit **e)** Worauf · Auf · Darauf **f)** Worauf · Auf · Darauf

11. **a)** Mit wem · Mit · mit ihr **b)** Für wen · Für · für sie **c)** Mit wem · Mit · Mit der / Mit ihr **d)** Über
    wen · Über · Über mich **e)** Auf wen · Auf · auf den / auf ihn

12. worüber?/über wen?   darüber/über sie
    worauf?/auf wen?   darauf/auf sie
    wofür?/für wen?   dafür/für ihn
    wonach?/nach wem?   danach/nach ihm
    womit?/mit wem?   damit/mit ihm

13.

	Vorfeld	Verb$_1$	Subjekt	Erg.	Angabe	Ergänzung	Verb$_2$
a)	Wofür	interessiert	Bettina	sich	am meisten?		
b)	Bettina	interessiert		sich	am meisten	für Sport.	
c)	Für Sport	interessiert	Bettina	sich	am meisten.		
d)	Am meisten	interessiert	Bettina	sich		für Sport.	
e)	Für Sport	hat	Bettina	sich	am meisten		interessiert.

14. **a)** sie würde gern noch mehr Urlaub machen. **b)** sie hätte gern noch mehr Autos. **c)** sie wäre gern
    noch schlanker. **d)** sie würde gern noch länger fernsehen. **e)** sie würde gern noch mehr verdienen.
    f) sie hätte gern noch mehr Hunde. **g)** sie würde gern noch länger schlafen. **h)** sie wäre gern noch
    attraktiver. **i)** sie würde gern noch besser aussehen. **j)** sie würde gern noch mehr Sprachen sprechen.
    k) sie hätte gern noch mehr Kleider. **l)** Sie wäre gern noch reicher. **m)** sie würde gern noch mehr
    Leute kennen. **n)** sie würde gern noch öfter Ski fahren. **o)** sie würde gern noch öfter einkaufen
    gehen. **p)** sie würde gern noch mehr über Musik wissen.

15. **a)** Es wäre gut, wenn er weniger arbeiten würde. **b)** Es wäre gut, wenn ich weniger essen würde.
    c) Es wäre gut, wenn sie wärmere Kleidung tragen würde. **d)** Es wäre gut, wenn Sie früher aufstehen
    würden. **e)** Es wäre gut, wenn ich (mir) ein neues Auto kaufen würde. **f)** Es wäre gut, wenn ich (mir)
    eine andere Wohnung suchen würde. **g)** Es wäre gut, wenn ich jeden Tag 30 Minuten laufen würde.
    h) Es wäre gut, wenn er eine andere Stelle suchen würde. **i)** Es wäre gut, wenn wir netter wären.

16.
gehe	gehst	geht	gehen	geht	gehen	gehen
würde	würdest	würde	würden	würdet	würden	würden
gehen	gehen	gehen	gehen	gehen	gehen	gehen
bin	bist	ist	sind	seid	sind	sind
wäre	wärest	wäre	wären	wäret	wären	wären
habe	hast	hat	haben	habt	haben	haben
hätte	hättest	hätte	hätten	hättet	hätten	hätten

17. **a)** wichtig **b)** sauber sein **c)** Firma **d)** Schule **e)** leicht

18. **a)** Literatur **b)** Kunst **c)** sich ärgern **d)** Schatten **e)** Hut **f)** Himmel **g)** Glückwunsch
    h) Kompromiß **i)** Gedanke **j)** Material **k)** raten **l)** Mond **m)** singen **n)** Radio

19. Gabriela, 20, ist Straßenpantomimin. Sie zieht von Stadt zu Stadt und spielt auf Plätzen und Straßen.
    Die Leute mögen ihr Spiel, nur wenige regen sich darüber auf. Gabriela sammelt Geld bei den Leuten.
    Sie verdient ganz gut, aber sie muß regelmäßig spielen. Früher hat sie mit Helmut zusammen gespielt.
    Er war auch Straßenkünstler. Ihr hat das freie Leben gefallen. Zuerst hat sie nur für Helmut Geld
    gesammelt, aber dann hat sie auch selbst getanzt. Nach einem Krach mit Helmut hat sie einen Schnell-
    kurs für Pantomimen gemacht. Sie findet ihr Leben unruhig, aber sie möchte keinen anderen Beruf.
    (Andere Lösungen sind möglich.)

20. **a)** ist **b)** hat **c)** hätte **d)** wäre **e)** hat **f)** war **g)** war **h)** hatten **i)** wäre **j)** wäre **k)** hat **l)** ist
    m) würde **n)** hätten **o)** hat **p)** hat **q)** wären **r)** würde **s)** wären **t)** hätte **u)** wäre **v)** würde
    w) hätte **x)** hatte

21. a) Bart **b)** Pfennig **c)** auspacken **d)** Vorstellung **e)** Zuschauer **f)** ausruhen **g)** Finger **h)** Minuten **i)** Krach **j)** weinen **k)** malen **l)** Baum

22. a) möglich **b)** Qualität **c)** Kaufhaus **d)** Spezialität **e)** Eingang / Ausgang **f)** Lautsprecher **g)** öffentlich **h)** regelmäßig **i)** feucht **j)** nützen **k)** kaum **l)** Ordnung

23. a) laut sein **b)** gern haben **c)** sich beschweren **d)** legen **e)** leihen **f)** verbieten **g)** lachen **h)** sich ausruhen

24. a) dürfte **b)** könnte **c)** müßte **d)** solltest **e)** könnte **f)** könnte · müßte **g)** müßte **h)** dürfte

25.

müßte	müßtest	müßte	müßten	müßtet	müßten	müßten
dürfte	dürftest	dürfte	dürften	dürftet	dürften	dürften
könnte	könntest	könnte	könnten	könntet	könnten	könnten
sollte	solltest	sollte	sollten	solltet	sollten	sollten

Lektion 4

1. a) Leistung **b)** Kosten **c)** Alter **d)** Gewicht **e)** Länge **f)** Geschwindigkeit **g)** Benzinverbrauch

2. a) schnell **b)** klein **c)** leise **d)** lang **e)** niedrig / tief **f)** preiswert / billig **g)** viel **h)** stark **i)** schwer

3. stärkerer · höhere · größerer · breiteren · bequemeren · stärkeren · saubereren · neuen · besseren · niedrigere · niedrigere · neue · größere · modernere · bessere

4. höchste, höchste, höchste, höchsten   niedriger, niedrige, niedriges, niedrige
höchsten, höchste, höchste, höchsten   niedrigen, niedrige, niedriges, niedrige
höchsten, höchsten, höchsten, höchsten   niedrigen, niedrigen, niedrigen, niedrigen

5. a) als **b)** wie **c)** wie **d)** als **e)** wie **f)** als **g)** als **h)** wie

6. a) Das neue Auto verbraucht mehr Benzin, als man mir gesagt hat. **b)** Das neue Auto verbraucht genauso wenig Benzin, wie man mir gesagt hat. **c)** Die Kosten für einen Renault sind genauso hoch, wie du gesagt hast. **d)** Der Motor ist viel älter, als der Autoverkäufer uns gesagt hat. **e)** Der Wagen fährt schneller, als im Prospekt steht. **f)** Der Wagen fährt so schnell, wie Renault in der Anzeige schreibt. **g)** Es gibt den Wagen auch mit einem schwächeren Motor, als der Autoverkäufer mir erzählt hat. **h)** Kleinwagen sind nicht so unbequem, wie ich früher gemeint habe. / ... bequemer, als ich früher gemeint habe.

7. a) gehen **b)** fließen **c)** fahren **d)** fahren **e)** gehen

8. a) Benzin **b)** Lampe **c)** Werkzeug **d)** Spiegel **e)** Bremsen **f)** Panne **g)** Reifen **h)** Batterie **i)** Werkstatt **j)** Unfall

9. a) baden **b)** schwierig **c)** zu schwierig **d)** blond **e)** nimmt **f)** gut laufen

10. 1. D   2. G   3. B   4. F   5. B   6. A   7. G   8. E   9. F   10. A   11. D   12. C   13. E   14. C

11. ○ Mein Name ist Becker. Ich möchte meinen Wagen bringen.
❏ Ach ja, Frau Becker. Sie haben gestern angerufen. Was ist denn kaputt?
○ Die Bremsen ziehen immer nach rechts, und der Motor braucht zuviel Benzin.
❏ Noch etwas?
○ Nein, das ist alles. Wann kann ich das Auto abholen?
❏ Morgen nachmittag.
○ Morgen nachmittag erst? Aber gestern am Telefon haben Sie mir doch gesagt, Sie können es heute noch reparieren.
❏ Es tut mir leid, Frau Becker, aber wir haben so viel zu tun. Das habe ich gestern nicht gewußt.
○ Das interessiert mich nicht. Sie haben es versprochen!
❏ Ja, da haben Sie recht, Frau Becker. Na gut, wir versuchen es, vielleicht geht es ja heute doch noch.

Schlüssel

12. verlieren   Öl, Benzin, Brief, Brille, Führerschein, Geld, Haare, Hemd, Pullover
    schneiden   Blech, Kuchen, Haare, Bart, Brot, Gemüse, Wurst, Papier, Fleisch
    waschen   Wagen, Pullover, Haare, Hände, Kind, Auto, Hals, Fleisch, Gemüse, Hemd

13. a) Hier wird ein Auto abgeholt. **b)** Hier wird ein Motor repariert. **c)** Hier wird ein Rad gewechselt. **d)** Hier wird getankt. **e)** Hier werden die Bremsen geprüft. **f)** Hier wird geschweißt. **g)** Hier wird ein Auto gewaschen. **h)** Hier wird die Werkstatt sauber gemacht. **i)** Hier wird Öl geprüft. **j)** Hier wird eine Rechnung bezahlt. **k)** Hier wird ein Radio montiert. **l)** Hier wird nicht gearbeitet.

14. ich: werde abgeholt   du: wirst abgeholt   Sie: werden abgeholt   er / sie / es / man: wird abgeholt
wir: werden abgeholt   ihr: werdet abgeholt   sie / Sie: werden abgeholt

15. a) Die Kinder werden vom Vater geweckt. **b)** Die Kinder werden von der Mutter angezogen. **c)** Das Frühstück wird vom Vater gemacht. **d)** Die Kinder werden vom Vater zur Schule gebracht. **e)** Das Geschirr wird vom Geschirrspüler gespült. **f)** Die Wäsche wird von der Waschmaschine gewaschen. **g)** Das Kinderzimmer wird von den Kindern aufgeräumt. **h)** Der Hund wird von den Kindern gebadet. **i)** Die Kinder werden vom Vater und von der Mutter ins Bett gebracht. **j)** Die Wohnung wird vom Vater geputzt. **k)** Das Essen wird vom Vater gekocht. **l)** Das Geld wird von der Mutter verdient.

16.

	Vorfeld	Verb$_1$	Subjekt	Erg.	Angabe	Ergänzung	Verb$_2$
a)	Die Karosserien	werden			von Robotern		geschweißt.
b)	Roboter	schweißen				die Karosserien.	
c)	Morgens	wird	das Material		mit Zügen		gebracht
d)	Züge	bringen			morgens	das Material.	
e)	Der Vater	bringt	die Kinder			ins Bett.	
f)	Die Kinder	werden			vom Vater	ins Bett	gebracht.

17. a) C **b)** A **c)** C **d)** B **e)** C **f)** C

18. a) A. 1, 6, 8, 11   B. 4, 5, 9, 12   C. 2, 3, 7, 10
    b) A. Wenn ich Autoverkäufer wäre, würde ich Provisionen bekommen. Ich könnte Kredite und Versicherungen besorgen. Ich müßte auch Büroarbeit machen, und natürlich würde ich Autos verkaufen.
    B. Wenn ich Tankwart wäre, hätte ich oft unregelmäßige Arbeitszeiten. Ich wäre meistens an der Kasse. Ich müßte auch technische Arbeiten machen und würde Benzin, Autozubehörteile und andere Artikel verkaufen.
    C. Wenn ich Berufskraftfahrerin wäre, hätte ich keine leichte Arbeit. Ich hätte oft unregelmäßige Arbeitszeiten und wäre oft von der Familie getrennt. Ich müßte immer pünktlich ankommen.
    (Andere Lösungen sind möglich.)

19. a) angerufen · angerufen **b)** repariert · repariert **c)** aufgemacht · aufgemacht **d)** versorgt · versorgt
e) bedient · bedient **f)** verkauft · verkauft **g)** gewechselt · gewechselt **h)** beraten · beraten
i) angemeldet · angemeldet **j)** besorgt · besorgt **k)** gepflegt · gepflegt **l)** montiert · montiert
m) kontrolliert · kontrolliert **n)** vorbereitet · vorbereitet **o)** zurückgegeben · zurückgegeben
p) eingeschaltet · eingeschaltet **q)** bezahlt · bezahlt **r)** gekündigt · gekündigt **s)** geschrieben · geschrieben **t)** geliefert · geliefert

20. a) Fahrlehrer(in), Taxifahrer(in), Berufskraftfahrer(in) **b)** Autoverkäufer(in), Sekretär(in), Buchhalter(in) **c)** Mechaniker(in), Tankwart(in), Meister(in) **d)** Facharbeiter(in), Schichtarbeiter(in), Roboter

21. a) mit **b)** in **c)** für **d)** für **e)** mit **f)** Für **g)** vor **h)** für **i)** über **j)** von **k)** bei **l)** auf **m)** Als

22. a) Hobby **b)** Feierabend **c)** Industrie **d)** Arbeitszeit **e)** Haushalt **f)** Kredit

23. Herr Behrens, was sind Sie von Beruf? · Sind Sie selbständig · Wie alt sind Sie? · Von wann bis wann arbeiten Sie? · Und wann schlafen Sie? · Ist das nicht schlecht für das Familienleben? · Warum können Sie denn nicht schlafen? · Was ist Ihre Frau von Beruf? · Und Sie haben Kinder, nicht wahr? · Wann arbeitet Ihre Frau? · Was machen Sie nachmittags? · Warum machen Sie überhaupt Schichtarbeit?

24. a) ruhig **b)** zusammen **c)** sauber **d)** selten **e)** wach **f)** leer **g)** mehr **h)** allein **i)** gleich

25. a) Überstunden **b)** Krankenversicherung **c)** Schichtarbeit **d)** Lohn **e)** Gehalt
f) Arbeitslosenversicherung **g)** Haushaltsgeld **h)** Kredit **i)** Rentenversicherung **j)** Steuern

26. a) 5 **b)** 2 **c)** 3 **d)** 6 **e)** 8 **f)** 7 **g)** 1 **h)** 4

Lektion 5

1. Morgen fange ich an, mehr Obst zu essen. ..., früher schlafen zu gehen. ..., öfter Sport zu treiben. ..., weniger fernzusehen. ..., weniger Bier zu trinken. ..., weniger Geld auszugeben. ..., die Wohnung regelmäßig aufzuräumen. ..., meine Eltern öfter zu besuchen. ..., die Rechnungen schneller zu bezahlen. ..., mich täglich zu duschen. ..., immer die Schuhe zu putzen. ..., öfter zum Zahnarzt zu gehen. ..., nicht mehr zu lügen. ..., früher aufzustehen. ..., mehr spazierenzugehen. ..., immer eine Krawatte anzuziehen. ..., besser zu arbeiten. ..., ein Gartenhaus zu bauen. ..., billiger einzukaufen. ..., regelmäßig Fahrrad zu fahren. ..., besser zu frühstücken. ..., regelmäßig die Blumen zu gießen. ..., besser zu kochen. ..., eine Fremdsprache zu lernen. ..., öfter Zeitung zu lesen. ..., Maria öfter Blumen mitzubringen. ..., mehr Briefe zu schreiben. ..., weniger zu telefonieren. *(Andere Lösungen sind möglich.)*

2. *trennbare Verben (rechte Seite):* anzufangen, anzurufen, aufzuhören, aufzupassen, aufzuräumen, aufzustehen, auszupacken, auszuruhen, auszusteigen, auszuziehen, einzukaufen, einzupacken, einzuschlafen, einzusteigen, fernzusehen, nachzudenken, spazierenzugehen, vorbeizukommen, wegzufahren, zuzuhören, zurückzugeben.
Alle anderen sind untrennbar (linke Seite).

3. a) attraktiv · unattraktiv **b)** treu · untreu **c)** ehrlich · unehrlich **d)** sauber · schmutzig
e) interessant · langweilig **f)** höflich · unhöflich **g)** ruhig (leise) · laut **h)** sportlich · unsportlich
i) sympathisch · unsympathisch **j)** freundlich · unfreundlich **k)** hübsch (schön) · häßlich
l) fröhlich · traurig **m)** pünktlich · unpünktlich **n)** intelligent · dumm **o)** ruhig · nervös
p) normal · verrückt **q)** zufrieden · unzufrieden

4. a) dicke **b)** neue **c)** neugierigen **d)** jüngstes **e)** verrückten **f)** klugen **g)** lustigen **h)** hübschen
i) neuen **j)** neue · alte **k)** älteste **l)** sympathischen **m)** roten **n)** langen **o)** kurzen **p)** sportlichen

5. *Berufe:* Pilot, Verkäufer, Zahnärztin, Musikerin, Kaufmann, Kellnerin, Künstler, Lehrerin, Ministerin, Politiker, Polizist, Schauspielerin, Schriftsteller, Soldat, Fotografin, Friseurin, Journalistin, Bäcker
Familie / Menschen ...: Nachbar, Tante, Schwester, Bruder, Ehemann, Eltern, Kollege, Tochter, Bekannte, Sohn, Ehefrau, Kind, Freund, Vater, Mutter

6. a) Leider hatte ich keine Zeit, Dich anzurufen. **b)** Nie hilfst du mir, die Wohnung aufzuräumen.
c) Hast du nicht gelernt, pünktlich zu sein? **d)** Hast du vergessen, Gaby einzuladen? **e)** Morgen fange ich an, Französisch zu lernen. **f)** Jochen hatte letzte Woche keine Lust, (mit mir) ins Kino zu gehen. **g)** Meine Kollegin hatte gestern keine Zeit, mir zu helfen. **h)** Mein Bruder hat versucht, mein Auto zu reparieren. (Aber es hat nicht geklappt.) **i)** Der Tankwart hat vergessen, den Wagen zu waschen.

7. a) nie **b)** fast nie **c)** sehr selten **d)** selten / nicht oft **e)** manchmal **f)** oft / häufig **g)** sehr oft
h) meistens **i)** fast immer **j)** immer

8. A. a) Ich habe Zeit, mein Buch zu lesen. **b)** Ich versuche, mein Fahrrad selbst zu reparieren. **c)** Es macht mir Spaß, mit kleinen Kindern zu spielen. **d)** Ich helfe dir, deinen Koffer zu tragen. **e)** Ich habe vor, im August nach Spanien zu fahren. **f)** Ich habe die Erlaubnis, heute eine Stunde früher Feierabend zu machen. **g)** Ich habe Probleme, abends einzuschlafen. **h)** Ich habe Angst, nachts durch den Park zu gehen. **i)** Ich höre (ab morgen) auf, Zigaretten zu rauchen. **j)** Ich verbiete dir, in die Stadt zu gehen. **k)** Ich habe (gestern) vergessen, dir den Brief zu bringen. **l)** Ich habe nie gelernt, Auto zu fahren. **m)** Ich habe Lust spazierenzugehen.

B. a) Es ist wichtig, das Auto zu reparieren. **b)** Es ist langweilig, allein zu sein. **c)** Es ist gefährlich, im Meer zu baden. **d)** Es ist interessant, andere Leute zu treffen. **e)** Es ist lustig, mit Kindern zu spielen. **f)** Es ist falsch, zuviel Fisch zu essen. **g)** Es ist richtig, regelmäßig Sport zu treiben. **h)** Es ist furchtbar, einen Freund zu verlieren. **i)** Es ist unmöglich, alles zu wissen. **j)** Es ist leicht, neue Freunde zu finden. **k)** Es ist schwer, wirklich gute Freunde zu finden. ... *(Andere Lösungen sind möglich.)*

Schlüssel

9. a) duschen **b)** hängt **c)** ausmachen **d)** Mach · an **e)** wecken **f)** Ruf · an
g) entschuldigen · vergessen **h)** telefoniert **i)** reden **j)** erzählt

10. a) anrufen **b)** entschuldigen **c)** telefonieren **d)** ausmachen **e)** kritisieren **f)** unterhalten **g)** reden

11. a) den Fernseher, das Licht, das Radio **b)** Frau Keller, Ludwig, meinen Chef **c)** mit meinem Kind, mit dem Ehepaar Klausen, mit seiner Schwester **d)** die Küche, das Haus, das Büro **e)** auf eine bessere Zukunft, auf ein besseres Leben, auf besseres Wetter

12. a) Meine Freundin glaubt, daß alle Männer schlecht sind. **b)** Ich habe gehört, daß Inge einen neuen Freund hat. **c)** Peter hofft, daß seine Freundin ihn bald heiraten will. **d)** Wir wissen, daß Peters Eltern oft Streit haben. **e)** Helga hat erzählt, daß sie eine neue Wohnung gefunden hat. **f)** Ich bin überzeugt, daß es besser ist, wenn man jung heiratet. **g)** Frank hat gesagt, daß er heute abend eine Kollegin besuchen will. **h)** Ich meine, daß man viel mit seinen Kindern spielen soll. **i)** Ich habe mich (darüber) gefreut, daß du mich zu deinem Geburtstag eingeladen hast.

13. a) B **b)** A **c)** A **d)** B **e)** C **f)** A

14. (Kein Schlüssel.)

15. a) Ich bin auch / Ich bin nicht überzeugt, daß Geld nicht glücklich macht. **b)** Ich glaube auch / Ich glaube nicht, daß es sehr viele schlechte Ehen gibt. **c)** Ich finde auch / Ich finde nicht, daß man ohne Kinder freier ist. **d)** Ich bin auch / Ich bin nicht der Meinung, daß die meisten Männer nicht gern heiraten. **e)** Es stimmt / Es stimmt nicht, daß die Liebe das Wichtigste im Leben ist. **f)** Es ist wahr / Es ist falsch, daß reiche Männer immer interessant sind. **g)** Ich meine auch / Ich meine nicht, daß schöne Frauen meistens dumm sind. **h)** Ich denke auch / Ich denke nicht, daß Frauen harte Männer mögen. **i)** Ich bin dafür / Ich bin dagegen, daß man heiraten muß, wenn man Kinder will.

16. Starke und unregelmäßige Verben

anfangen	angefangen	heißen	geheißen	singen	gesungen
beginnen	begonnen	kennen	gekannt	sitzen	gesessen
bekommen	bekommen	kommen	gekommen	sprechen	gesprochen
bringen	gebracht	laufen	gelaufen	stehen	gestanden
denken	gedacht	lesen	gelesen	tragen	getragen
einladen	eingeladen	liegen	gelegen	treffen	getroffen
essen	gegessen	nehmen	genommen	tun	getan
fahren	gefahren	rufen	gerufen	vergessen	vergessen
finden	gefunden	schlafen	geschlafen	verlieren	verloren
fliegen	geflogen	schneiden	geschnitten	waschen	gewaschen
geben	gegeben	schreiben	geschrieben	wissen	gewußt
gehen	gegangen	schwimmen	geschwommen		
halten	gehalten	sehen	gesehen		

Schwache Verben

abholen	abgeholt	einkaufen	eingekauft	lieben	geliebt
abstellen	abgestellt	erzählen	erzählt	machen	gemacht
antworten	geantwortet	feiern	gefeiert	parken	geparkt
arbeiten	gearbeitet	glauben	geglaubt	putzen	geputzt
aufhören	aufgehört	heiraten	geheiratet	rechnen	gerechnet
baden	gebadet	holen	geholt	reisen	gereist
bauen	gebaut	hören	gehört	sagen	gesagt
besichtigen	besichtigt	kaufen	gekauft	schenken	geschenkt
bestellen	bestellt	kochen	gekocht	spielen	gespielt
besuchen	besucht	lachen	gelacht	suchen	gesucht
bezahlen	bezahlt	leben	gelebt	tanzen	getanzt
brauchen	gebraucht	lernen	gelernt	zeigen	gezeigt

17. a) Im **b)** Nach dem **c)** vor dem **d)** Nach der **e)** Am **f)** Im **g)** Bei den / Während der **h)** vor der **i)** Am **j)** In den **k)** Am **l)** Während der **m)** Beim **n)** Am Anfang

18.

vor dem Besuch	vor der Arbeit	vor dem Abendessen	vor den Sportsendungen
nach dem Besuch	nach der Arbeit	nach dem Abendessen	nach den Sportsendungen
bei dem Besuch	bei der Arbeit	bei dem Abendessen	bei den Sportsendungen
während dem Besuch	während der Arbeit	während dem Abendessen	während den Sportsendungen
während des Besuchs	während der Arbeit	während des Abendessens	während der Sportsendungen
am Abend		am Wochenende	an den Sonntagen
im letzten Sommer	in der letzten Woche	im letzten Jahr	in den letzten Jahren

19. a) Marias Jugendzeit war sehr hart. Eigentlich hatte sie nie richtige Eltern. Als sie zwei Jahre alt war, ist ihr Vater gestorben. Ihre Mutter hat ihren Mann nie vergessen und hat mehr an ihn als an ihre Tochter gedacht. Maria war deshalb sehr oft allein, aber das konnte sie mit zwei Jahren natürlich noch nicht verstehen. Ihre Mutter ist gestorben, als sie vierzehn Jahre alt war. Maria hat dann bei ihrem Großvater gelebt. Mit 17 Jahren hat sie geheiratet, das war damals normal. Ihr erstes Kind, Adele, hat sie bekommen, als sie 19 war. Mit 30 hatte sie schließlich sechs Kinder.

b) Adele hat als Kind in einem gutbürgerlichen Elternhaus gelebt. Wirtschaftliche Sorgen hat die Familie nicht gekannt. Nicht die Eltern, sondern ein Kindermädchen hat die Kinder erzogen. Sie hatte auch einen Privatlehrer. Mit ihren Eltern konnte sich Adele nie richtig unterhalten, sie waren ihr immer etwas fremd. Was sie gesagt haben, mußten die Kinder unbedingt tun. Wenn z.B. die Mutter nachmittags geschlafen hat, durften die Kinder nicht laut sein und spielen. Manchmal hat es auch Ohrfeigen gegeben. Als sie 15 Jahre alt war, ist Adele in eine Mädchenschule gekommen. Dort ist sie bis zur Mittleren Reife geblieben. Dann hat sie Kinderschwester gelernt. Aber eigentlich hat sie es nicht so wichtig gefunden, einen Beruf zu lernen, denn sie wollte auf jeden Fall lieber heiraten und eine Familie haben. Auf Kinder hat sie sich besonders gefreut. Die wollte sie dann aber freier erziehen, als sie selbst erzogen worden war; denn an ihre eigene Kindheit hat sie schon damals nicht so gern zurückgedacht.

c) Ingeborg hatte ein wärmeres und freundlicheres Elternhaus als ihre Mutter Adele. Auch in den Kriegsjahren hat sich Ingeborg bei ihren Eltern sehr sicher gefühlt. Aber trotzdem, auch für sie war das Wort der Eltern Gesetz. Wenn z.B. Besuch im Haus war, dann mußten die Kinder gewöhnlich in ihrem Zimmer bleiben und ganz ruhig sein. Am Tisch durften sie nur dann sprechen, wenn man sie gefragt hat. Die Eltern haben Ingeborg immer den Weg gezeigt. Selbst hat sie nie Wünsche gehabt. Auch in ihrer Ehe war das so. Heute kritisiert sie das.

d) Ulrike wollte schon früh anders leben als ihre Eltern. Für sie war es nicht mehr normal, immer nur das zu tun, was die Eltern gesagt haben. Noch während der Schulzeit ist sie deshalb zu Hause ausgezogen. Ihre Eltern konnten das am Anfang nur schwer verstehen. Mit 17 Jahren hat sie ein Kind bekommen. Das haben alle viel zu früh gefunden. Den Mann wollte sie nicht heiraten. Trotzdem ist sie mit dem Kind nicht allein geblieben. Ihre Mutter, aber auch ihre Großmutter haben ihr geholfen. *(Andere Lösungen sind möglich.)*

20. a) hieß **b)** nannte **c)** besuchte **d)** erzählte **e)** heiratete **f)** war **g)** ging **h)** sah **i)** wohnte **j)** schlief **k)** gab **l)** wollte **m)** liebte **n)** fand **o)** half **p)** arbeitete **q)** verdiente **r)** hatte **s)** trug **t)** las

21. a) Als meine Eltern in Paris geheiratet haben, waren sie noch sehr jung. **b)** Als ich sieben Jahre alt war, hat mir mein Vater einen Hund geschenkt. **c)** Als meine Schwester vor fünf Jahren ein Kind bekam, war sie 30 Jahre alt. **d)** Als Sandra die Erwachsenen störte, durfte sie trotzdem im Zimmer bleiben. **e)** Als er noch ein Kind war, hatten seine Eltern oft Streit. **f)** Als meine Großeltern noch lebten, war es zu Hause nicht so langweilig. **g)** Als wir im Sommer in Spanien waren, war das Wetter sehr schön.

22. Als er ein Jahr alt war, hat er laufen gelernt.
Als er drei Jahre alt war, hat er immer nur Unsinn gemacht.
Als er vier Jahre alt war, hat er sich ein Fahrrad gewünscht.
Als er fünf Jahre alt war, hat er schwimmen gelernt.
Als er sieben Jahre alt war, ist er vom Fahrrad gefallen.
Als er acht Jahre alt war, hat er sich nicht gerne gewaschen.
Als er zehn Jahre alt war, hat er viel gelesen.
Als er vierzehn Jahre alt war, hat er jeden Tag drei Stunden telefoniert.
Als er fünfzehn Jahre alt war, hat er Briefmarken gesammelt.
Als er achtzehn Jahre alt war, hat er sich sehr für Politik interessiert.

23. a) Wenn **b)** Als **c)** Wenn **d)** Als **e)** Als **f)** wenn **g)** Als **h)** Wenn **i)** Wenn **j)** Als

Schlüssel

24. a) über die   **b)** über die   **c)** mit meinem   **d)** mit meinen   **e)** für das   **f)** um die   **g)** auf
h) an ihren · an ihre

25. a) verschieden   **b)** Sorgen   **c)** Wunsch   **d)** deutlich   **e)** Damals   **f)** aufpassen   **g)** anziehen · ausziehen
h) Besuch · allein   **i)** früh · schließlich · hart   **j)** unbedingt

26. a) Das neue Auto meines ältesten Bruders ist schon kaputt.   **b)** Die Mutter meines zweiten Mannes ist
sehr nett.   **c)** Die Schwester meiner neuen Freundin hat geheiratet.   **d)** Der Freund meines jüngsten
Kindes ist leider sehr laut.   **e)** Die beiden / Die zwei Kinder meiner neuen Freunde gehen schon zur
Schule.   **f)** Der Verkauf des alten Wagens war sehr schwierig.   **g)** Die Mutter des kleinen Kindes ist
vor zwei Jahren gestorben.   **h)** Der Chef der neuen Autowerkstatt in der Hauptstraße ist mein Freund.
i) Die Reparatur der schwarzen Schuhe hat sehr lange gedauert.

die Mutter meines zweiten Mannes   der Verkauf des alten Wagens
die Schwester meiner neuen Freundin   der Chef der neuen Werkstatt
der Freund meines jüngsten Kindes   die Mutter des kleinen Kindes
die Kinder meiner neuen Freunde   die Reparatur der blauen Schuhe

27. a) sich langweilen   **b)** Besuch   **c)** schlagen   **d)** Gesetz   **e)** leben   **f)** fühlen   **g)** schwimmen

28. a) Vater   **b)** Sohn   **c)** Tochter   **d)** Eltern   **e)** Tante   **f)** Großmutter   **g)** Nichte   **h)** Neffe   **i)** Enkelin
j) Onkel   **k)** Großvater   **l)** Mutter   **m)** Urgroßmutter   **n)** Urgroßvater   **o)** Enkel

Lektion 6

1. a) naß und kühl   **b)** heiß und trocken   **c)** kalt   **d)** feucht und kühl   **e)** warm und trocken

2. angenehm, freundlich, schön, gut, schlecht, mild, unfreundlich, unangenehm

3. Landschaft / Natur: Tier, Pflanze, Meer, Berg, Blume, Insel, See, Strand, Fluß, Wald, Boden,
                                   Wiese, Park, Baum
      Wetter: Gewitter, Grad, Regen, Klima, Wind, Wolke, Schnee, Eis, Sonne, Nebel

4. a) viel, zuviel, ein paar   **b)** ein bißchen, sehr, besonders   **c)** sehr, besonders, ganz
d) ganz, einige, zu viele

5. a) schneit es   **b)** Es regnet   **c)** gibt es   **d)** geht es   **e)** klappt es   **f)** Es ist so kalt   **g)** gibt es

6. a) Sie   **b)** Es   **c)** es   **d)** Er   **e)** Sie   **f)** Es   **g)** Es   **h)** Sie   **i)** es   **j)** Er   **k)** Er   **l)** Es   **m)** Es   **n)** Er
In welchen Sätzen ...?   b), c), f), g), i), l), m)

7. wie?   plötzlich, langsam, allmählich
    wie oft?   jeden Tag, täglich, jedes Jahr, manchmal, selten
    wann?   gegen Mittag, im Herbst, nachts, am Tage, zwischen Sommer und Winter
    wie lange?   für wenige Wochen, fünf Jahre, ein paar Monate, wenige Tage

8.   Norden
                  ↑
   Westen ←—+—→   Osten
                  ↓
           Süden

9. a) Sommer   **b)** Herbst   **c)** Winter   **d)** Frühling

10. a) vor zwei Tagen   **b)** spät am Abend   **c)** am Mittag   **d)** in zwei Tagen   **e)** früh am Morgen   **f)** am
Nachmittag

11. a) am Mittag   **b)** früh abends   **c)** spätabends   **d)** am frühen Nachmittag   **e)** am späten Nachmittag
f) frühmorgens   **g)** am frühen Vormittag   **h)** am Abend

12. a) Samstag mittag   **b)** Freitag mittag   **c)** Dienstag abend   **d)** Montag vormittag   **e)** Montag nachmittag
f) Samstag morgen

13. Wann? im Winter, bald, nachts, vorige Woche, damals, vorgestern, jetzt, früher, letzten Monat, am Abend, nächstes Jahr, heute abend, frühmorgens, heute, sofort, gegen Mittag, gleich, um 8 Uhr, am Nachmittag, diesen Monat, am frühen Nachmittag, am Tage, mittags, morgen

Wie oft? selten, nie, oft, immer, jeden Tag, meistens, manchmal

Wie lange? ein paar Minuten, kurze Zeit, den ganzen Tag, einige Jahre, 7 Tage, für eine Woche, wenige Wochen, fünf Stunden

14. a) nächsten Monat **b)** voriges / letztes Jahr **c)** nächste Woche **d)** nächstes Jahr **e)** vorigen / letzten Monat **f)** diesen Monat **g)** dieses Jahr **h)** letzte Woche

15.

der Monat	die Woche	das Jahr
den ganzen Monat	die ganze Woche	das ganze Jahr
letzten Monat	letzte Woche	letztes Jahr
vorigen Monat	vorige Woche	voriges Jahr
nächsten Monat	nächste Woche	nächstes Jahr
diesen Monat	diese Woche	dieses Jahr
jeden Monat	jede Woche	jedes Jahr

16. b) Liebe Mutter,
ich bin jetzt seit acht Wochen in Bielefeld. Hier ist das Wetter so kalt und feucht, daß ich oft stark erkältet bin. Dann muß ich viele Medikamente nehmen. Deshalb freue ich mich, daß ich in den Semesterferien zwei Monate nach Spanien fahren kann.
Viele Grüße,
Deine Herminda

c) Lieber Karl,
ich bin jetzt Lehrer an einer Technikerschule in Bombay. Hier ist das Klima so feucht und heiß, daß ich oft Fieber bekomme. Dann kann ich nichts essen und nicht arbeiten. Deshalb möchte ich wieder zu Hause arbeiten.
Viele Grüße,
Dein Benno

17. a) Strand **b)** Tal **c)** Insel **d)** Ufer

18. a) Aber **b)** Da **c)** Trotzdem **d)** denn **e)** dann **f)** und **g)** also **h)** Übrigens **i)** Zum Schluß **j)** Deshalb

19. a) (1) der, (2) den, (3) auf dem, (4) in dem, (5) dessen, (6) in dem, (7) an dem, (8) an dem (wo)
b) die · die · auf der · auf der (wo) · zu der · deren · für die · auf der (wo)
c) das · in dem (wo) · dessen · in dem (wo) · in dem (wo) · in dem (wo) · das · in dem (wo)
d) die · deren · die · durch die · die · in denen (wo) · für die · in denen (wo)

	Vorfeld	Verb₁	Subjekt	Angabe	Ergänzung	Verb₂	Verb₁ im Nebensatz
	Ich	möchte			an einem See	wohnen,	
(1)	der				nicht sehr tief		ist.
(2)	den		nur wenige Leute		kennen.		
(3)	auf dem		man			segeln	kann.
(4)	in dem		man	gut		schwimmen	kann.
(5)	dessen Wasser				warm		ist.
(6)	in dem		es		viele Fische		gibt.
(7)	an dem		es		keine Hotels		gibt.
(8)	an dem		es	mittags immer	Wind		gibt.

Schlüssel

20. a) Gerät **b)** Abfall **c)** Benzin **d)** Pflanze **e)** Regen **f)** Strom **g)** Medikament **h)** Tonne **i)** Gift **j)** Plastik **k)** Temperatur **l)** Strecke **m)** Schallplatte **n)** Limonade **o)** Bäcker **p)** Schnupfen **q)** Fleisch **r)** Käse

21. a) Er benutzt kein Geschirr aus Kunststoff, das man nach dem Essen wegwerfen muß. **b)** Er kauft nur Putzmittel, die nicht giftig sind. **c)** Er schreibt nur auf Papier, das aus Altpapier gemacht ist. **d)** Er kauft kein Obst in Dosen, das er auch frisch bekommen kann. **e)** Er trinkt nur Saft, den es in Pfandflaschen gibt. **f)** Er schenkt seiner Tochter nur Spielzeug, das sie nicht so leicht kaputtmachen kann. **g)** Er kauft nur Brot, das nicht in Plastiktüten verpackt ist. **h)** Er ißt nur Eis, das keine Verpackung hat. **i)** Er kauft keine Produkte, die er nicht unbedingt braucht.

22. a) eine Dose aus Blech **b)** eine Dose für Tee **c)** ein Spielzeug aus Holz **d)** eine Dose aus Plastik **e)** ein Löffel für Suppe **f)** eine Tasse aus Kunststoff **g)** ein Eimer für Wasser **h)** eine Gabel für Kuchen **i)** ein Glas für Wein **j)** ein Taschentuch aus Papier **k)** eine Flasche aus Glas **l)** ein Messer für Brot **m)** ein Topf für Suppe **n)** ein Spielzeug für Kinder **o)** eine Tasse für Kaffee **p)** eine Flasche für Milch **q)** eine Tüte aus Papier **r)** ein Schrank für Kleider **s)** ein Container für Papier **t)** ein Haus aus Stein **u)** eine Wand aus Stein **v)** Schmuck aus Gold

23. a) Die leeren Flaschen werden gewaschen und dann wieder gefüllt. **b)** Jedes Jahr werden in Deutschland 30 Millionen Tonnen Abfall auf den Müll geworfen. **c)** In Aschaffenburg wird der Müll im Haushalt sortiert. **d)** Durch gefährlichen Müll werden (wird) der Boden und das Grundwasser vergiftet. **e)** Ein Drittel des Mülls wird in Müllverbrennungsanlagen verbrannt. **f)** Altglas, Altpapier und Altkleider werden in öffentlichen Containern gesammelt. **g)** Nur der Restmüll wird noch in die normale Mülltonne geworfen. **h)** In Aschaffenburg wird der Inhalt der Mülltonnen kontrolliert. **i)** Auf öffentlichen Feiern in Aschaffenburg wird kein Plastikgeschirr benutzt. **j)** Vielleicht werden bald alle Getränke in Dosen und Plastikflaschen verboten.

24. a) Wenn man weniger Müll produzieren würde, dann müßte man weniger Müll verbrennen. **b)** Wenn man einen Zug mit unserem Müll füllen würde, dann wäre er 12 500 Kilometer lang. **c)** Wenn man weniger Verpackungsmaterial produzieren würde, dann könnte man viel Energie sparen. **d)** Wenn man alte Glasflaschen sammeln würde, dann könnte man daraus neue Flaschen herstellen. **e)** Wenn man weniger chemische Produkte produzieren würde, dann hätte man weniger Gift im Grundwasser und im Boden. **f)** Wenn man Küchen- und Gartenabfälle sammeln würde, dann könnte man daraus Pflanzenerde machen. **g)** Wenn man weniger Müll verbrennen würde, dann würden weniger Giftstoffe in die Luft kommen.

25. a) machen **b)** spielen **c)** verbrennen **d)** produzieren **e)** überraschen **f)** mitmachen

26. a) scheinen **b)** wegwerfen **c)** baden gehen **d)** übrigbleiben **e)** fließen **f)** feiern **g)** herstellen **h)** zeigen

Lektion 7

1. a) Handtuch **b)** Pflaster **c)** Zahnpasta **d)** Hemd **e)** geschlossen **f)** wiegen **g)** zumachen **h)** Schweizer **i)** Regenschirm **j)** Fahrplan **k)** untersuchen **l)** ausmachen **m)** Batterie **n)** Ausland **o)** fliegen **p)** Flugzeug **q)** Reise **r)** Kleidung reinigen

2. *zu Hause:*   Heizung ausmachen, Fenster zumachen, Koffer packen, Wäsche waschen
im Reisebüro: Hotelzimmer reservieren, Fahrkarten holen, Fahrplan besorgen
für das Auto: Motor prüfen lassen, Benzin tanken, Wagen waschen lassen
Gesundheit: sich impfen lassen, Krankenschein holen, Medikamente kaufen
Bank: Geld wechseln, Reiseschecks besorgen

3. *ausmachen / anmachen:*   Heizung, Ofen, Radio, Motor, Licht, Fernseher, Herd
zumachen / aufmachen: Schirm, Koffer, Hemd, Flasche, Tasche, Buch, Tür, Auge, Ofen
abschließen / aufschließen: Hotelzimmer, Auto, Koffer, Haus, Tür

4. a) weg **b)** ein **c)** mit **d)** zurück **e)** weg **f)** mit **g)** weiter **h)** mit **i)** zurück **j)** weg **k)** mit **l)** mit **m)** weiter **n)** weg **o)** mit **p)** zurück **q)** mit **r)** aus **s)** mit **t)** aus **u)** ein **v)** ein **w)** aus · weiter

5. a) A **b)** B **c)** B **d)** A **e)** B **f)** A **g)** A **h)** B **i)** A

6. a) Ihr Chef läßt sie im Büro nicht telefonieren. **b)** Meine Eltern lassen mich nicht allein Urlaub machen. **c)** Sie läßt ihren Mann nicht kochen. **d)** Seine Mutter läßt ihn morgens lange schlafen. **e)** Er läßt seine Katze impfen. **f)** Ich muß meinen Paß verlängern lassen. **g)** Den Motor muß ich reparieren lassen. **h)** Ich lasse sie mit ihm spielen. **i)** Sie läßt die Wäsche reinigen. / Sie läßt die Wäsche waschen. **j)** Er läßt immer seine Frau fahren.

7. Zuerst läßt Herr Schulz im Rathaus die Pässe und die Kinderausweise verlängern. Dann geht er zum Tierarzt; dort läßt er seine Katze untersuchen. Danach fährt er in die Autowerkstatt und läßt die Bremsen kontrollieren, weil sie nach links ziehen. Im Fotogeschäft läßt er schnell den Fotoapparat reparieren. Später läßt er sich beim Friseur noch die Haare schneiden. Schließlich läßt er an der Tankstelle das Öl und die Reifen prüfen und das Auto volltanken. Dann fährt er nach Hause. Seine Frau läßt er den Koffer nicht packen, er tut es selbst. Dann ist er endlich fertig. (*Auch andere Lösungen sind möglich.*)

8. a) Ofen **b)** Schlüssel **c)** Krankenschein **d)** Blatt **e)** Salz **f)** Papier **g)** Uhr **h)** Seife **i)** Pflaster **j)** Fahrrad **k)** Liste **l)** Waschmaschine **m)** Liste **n)** Telefonbuch **o)** normalerweise **p)** üben **q)** Saft

9. a) reservieren **b)** geplant **c)** buche **d)** beantragen **e)** bestellen **f)** geeinigt **g)** überzeugt **h)** gerettet **i)** erledigen

10. a) keinen · nicht **b)** kein · nicht · keine · nicht · nichts · keine **c)** nicht · keinen · nichts

11. etwas vorschlagen: Ich schlage vor, Benzin mitzunehmen. Wir sollten Benzin mitnehmen. Ich meine, daß wir ...   Ich finde es wichtig, ...   Wir müssen unbedingt ...   Ich würde Benzin mitnehmen.

die gleiche Meinung haben: Ich finde auch, daß wir ...   Stimmt! Benzin ist wichtig. Ich bin auch der Meinung, ...   Ich bin einverstanden, daß ...

eine andere Meinung haben: Ich bin dagegen, ...   Benzin? Das ist nicht notwendig. Es ist Unsinn, ...   Benzin ist nicht wichtig, ...   Ich bin nicht der Meinung, daß ...

12. a) Zum Waschen braucht man Wasser. **b)** Zum Kochen braucht man einen Herd. **c)** Zum Skifahren braucht man Schnee. **d)** Zum Schreiben braucht man Papier und einen Kugelschreiber. **e)** Zum Fotografieren braucht man einen Fotoapparat und einen Film. **f)** Zum Telefonieren braucht man oft ein Telefonbuch. **g)** Zum Lesen sollte man gutes Licht haben. **h)** Zum Schlafen braucht man Ruhe. **i)** Zum Wandern sollte man gute Schuhe haben. **j)** Zum Lesen brauche ich eine Brille.

13. a) Wo **b)** Womit **c)** Warum **d)** Wer **e)** Wie **f)** Wieviel **g)** Wo **h)** Wohin **i)** Woher **j)** Woran **k)** Was

14. a) Ute überlegt, ob sie in Spanien oder in Italien arbeiten soll. **b)** Stefan und Bernd fragen sich, ob sie beide eine Arbeitserlaubnis bekommen. **c)** Herr Braun möchte wissen, wo er ein Visum beantragen kann. **d)** Ich frage mich, wie schnell ich im Ausland eine Stelle finden kann. **e)** Herr Klar weiß nicht, wie lange man in den USA bleiben darf. **f)** Frau Seger weiß nicht, ob ihre Englischkenntnisse gut genug sind. **g)** Frau Möller fragt sich, wieviel Geld sie in Portugal braucht. **h)** Herr Wend weiß nicht, wie teuer die Fahrkarte nach Spanien ist. **i)** Es interessiert mich, ob man in London leicht eine Wohnung finden kann.

	Junkt.	Vorfeld	Verb$_1$	Subj.	Erg.	Ang.	Ergänzung	Verb$_2$	Verb$_1$ im Nebensatz
a)	ob	Ute	überlegt,	sie			in Sp. oder in It.	arbeiten	soll.
b)	ob	S. und B.	fragen	sich, sie beide			eine Arb.		bekommen.
c)	wo	Herr B.	möchte		er		ein Visum	wissen, beantragen	kann.
d)	wie schnell	Ich	frage	ich	mich,	im Ausland	eine Stelle	finden	kann.

Schlüssel

15. a) Ausland **b)** Fremdsprache **c)** Jugendherberge **d)** Freundschaft **e)** Heimat **f)** Angst **g)** Prüfung **h)** Erfahrung **i)** Bedienung **j)** Buchhandlung **k)** Gast

16. a) B **b)** C **c)** A **d)** B

17. a) Ich gehe ins Ausland, um dort zu arbeiten. / Ich gehe ins Ausland, weil ich dort arbeiten will.
b) Ich arbeite als Bedienung, um Leute kennenzulernen. / Ich arbeite als Bedienung, weil ich Leute kennenlernen möchte. **c)** Ich mache einen Sprachkurs, um Englisch zu lernen. / Ich mache einen Sprachkurs, weil ich Englisch lernen möchte. **d)** Ich wohne in einer Jugendherberge, um Geld zu sparen. / Ich wohne in einer Jugendherberge, weil ich Geld sparen muß. **e)** Ich gehe zum Rathaus, um ein Visum zu beantragen. / Ich gehe zum Rathaus, weil ich ein Visum beantragen will. **f)** Ich fahre zum Bahnhof, um meinen Koffer abzuholen. / Ich fahre zum Bahnhof, weil ich meinen Koffer abholen will. **g)** Ich fliege nach Ägypten, um die Pyramiden zu sehen. / Ich fliege nach Ägypten, weil ich die Pyramiden sehen möchte.

18. a) tolerante Männer **b)** ernstes Problem **c)** egoistischen Ehemann **d)** herzliche Freundschaft **e)** nette Leute **f)** komisches Gefühl **g)** selbständiger Junge **h)** dicken Hund **i)** alten Mutter

19. a) dieselbe **b)** verschieden · gleichen (anders · gleiche) **c)** andere · ähnliche

derselbe	dieselbe	dasselbe	dieselben
der gleiche	die gleiche	das gleiche	die gleichen
ein anderer	eine andere	ein anderes	andere
denselben	dieselbe	dasselbe	dieselben
den gleichen	die gleiche	das gleiche	die gleichen
einen anderen	eine andere	ein anderes	andere
demselben	derselben	demselben	denselben
dem gleichen	der gleichen	dem gleichen	den gleichen
einem anderen	einer anderen	einem anderen	anderen

20. a) Bedeutungen **b)** Einkommen **c)** Erfahrung **d)** Kontakt **e)** Pech **f)** Schwierigkeiten **g)** Angst **h)** Gefühl **i)** Zweck

21. A 5, B 8, C 6, D 2, E 7, F 3, G 1, H 4

22. a) Er ist nach Deutschland gekommen, um hier zu arbeiten. **b)** Er ist nach Deutschland gekommen, damit seine Kinder bessere Berufschancen haben. **c)** ..., um mehr Geld zu verdienen. **d)** ..., um später in Italien eine Autowerkstatt zu kaufen. / ... eine Autowerkstatt kaufen zu können. **e)** ..., damit seine Kinder Deutsch lernen. **f)** ..., damit seine Frau nicht mehr arbeiten muß. **g)** ..., um in seinem Beruf später mehr Chancen zu haben. **h)** ..., damit seine Familie besser lebt. **i)** ..., um eine eigene Wohnung zu haben.

23. a) Mode **b)** Schwierigkeit **c)** Regel **d)** Lohn / Einkommen **e)** Diskussion **f)** Presse **g)** Bauer **h)** Verwandte **i)** Gefühl **j)** Besitzer(in) **k)** Ausländer(in) **l)** Änderung **m)** Bedeutung

24. a) weil **b)** – **c)** zu **d)** damit **e)** – **f)** zu **g)** daß **h)** Um **i)** zu **j)** – **k)** zu **l)** damit **m)** – **n)** zu **o)** um **p)** zu **q)** – **r)** zu **s)** um **t)** zu **u)** daß

25. a) schon **b)** noch nicht **c)** noch **d)** nicht mehr **e)** schon etwas **f)** noch nichts **g)** noch etwas **h)** nichts mehr **i)** immer noch nicht **j)** schon wieder **k)** noch immer **l)** nicht immer

26. a) durstig **b)** aufhören **c)** Lehrling **d)** Kellnerin **e)** angestellt **f)** höchstens **g)** rausgehen **h)** Apotheke **i)** letzte Woche **j)** steigen

27. a) für · interessiert **b)** gilt · in · für **c)** arbeitet · bei **d)** mit · über · gesprochen **e)** hatte · Angst vor (bei) **f)** Kontakt zu · gefunden **g)** hat · Schwierigkeiten mit **h)** über · denken **i)** bei · helfen **j)** beschweren · über **k)** an · ans · denken **l)** an · gewöhnt **m)** auf · hoffen **n)** über · klagen **o)** über · gesagt **p)** bin für

Lektion 8

1. **a)** In Stuttgart ist ein Bus gegen einen Zug gefahren. **b)** In Deggendorf ist ein Hund mit zwei Köpfen geboren. **c)** In Linz hat eine Hausfrau vor ihrer Tür ein Baby *(oder* eine Tasche mit einem Baby) gefunden. **d)** In Basel hat es wegen Schnee Verkehrsprobleme gegeben. **e)** New York war ohne Strom *(oder* ohne Licht). **f)** In Duisburg haben Arbeiter für die 35-Stunden-Woche demonstriert.

2. **a)** Beamter, Paß, Zoll **b)** Gas, Öl, Strom **c)** Aufzug, Wohnung, Stock **d)** Briefumschlag, Päckchen, Paket **e)** Kasse, Lebensmittel, Verkäufer **f)** Bus, Straßenbahn, U-Bahn

3. **a)** Das Auto fährt ohne Licht. **b)** Ich habe ein Päckchen mit einem Geschenk bekommen. **c)** Wir hatten gestern wegen eines Gewitters keinen Strom. / Wegen eines Gewitters hatten wir gestern ... **d)** Diese Kamera funktioniert ohne Batterie. **e)** Ich konnte gestern wegen des schlechten Wetters nicht zu dir kommen. / Wegen des schlechten Wetters konnte ich gestern ... **f)** Jeder in meiner Familie außer mir betreibt Sport. **g)** Der Arzt hat wegen einer Verletzung mein Bein operiert. / Wegen einer Verletzung hat der Arzt ... **h)** Ich bin gegen den Streik. **i)** Die Industriearbeiter haben für mehr Lohn demonstriert. **j)** Man kann ohne Visum nicht nach Australien fahren. / Ohne Visum kann man ...

4.

	ein Streik	eine Reise	ein Haus	Probleme
für	einen Streik	eine Reise	ein Haus	Probleme
gegen	einen Streik	eine Reise	ein Haus	Probleme
mit	einem Streik	einer Reise	einem Haus	Problemen
ohne	einen Streik	eine Reise	ein Haus	Probleme
wegen	eines Streiks (einem Streik)	einer Reise	eines Hauses (einem Haus)	Problemen
außer	einem Streik	einer Reise	einem Haus	Problemen

5. **a)** geben **b)** anrufen **c)** abschließen **d)** besuchen **e)** kennenlernen **f)** vorschlagen **g)** verlieren **h)** beantragen **i)** unterstreichen **j)** finden **k)** bekommen

6. **a)** die Meinung **b)** die Änderung **c)** die Antwort **d)** der Ärger **e)** der Beschluß **f)** die Demonstration **g)** die Diskussion **h)** die Erinnerung **i)** die Frage **j)** der Besuch **k)** das Essen **l)** das Fernsehen / der Fernseher **m)** die Operation **n)** die Reparatur **o)** der Regen **p)** der Schnee **q)** der Spaziergang **r)** die Sprache/das Gespräch **s)** der Streik **t)** die Untersuchung **u)** die Verletzung **v)** der Vorschlag **w)** die Wahl **x)** die Wäsche **y)** die Wohnung **z)** der Wunsch

7. **a)** über **b)** mit **c)** vor **d)** von **e)** gegen **f)** über · mit **g)** über **h)** mit **i)** zwischen **j)** für

8. **a)** Mehrheit **b)** Wahlrecht **c)** Partei **d)** Koalition **e)** Abgeordneter **f)** Steuern **g)** Minister **h)** Schulden **i)** Wähler **j)** Monarchie

9. **a)** Landtag **b)** Bürger **c)** Finanzminister **d)** Präsident **e)** Ministerpräsident **f)** Minister

10. **a)** Vor **b)** seit **c)** Von · bis **d)** nach **e)** Zwischen **f)** Im **g)** Wegen **h)** für **i)** gegen **j)** Während

11. Wann? a), c), d), e), i)   Wie lange? b), f), g), h), j)

12. **a)** In der DDR wurde die Politik von der Sowjetunion bestimmt. **b)** Das Grundgesetz der BRD wurde von Konrad Adenauer unterschrieben. **c)** 1952 wurde von der Sowjetunion ein Friedensvertrag vorgeschlagen. **d)** Dieser Plan wurde von den West-Alliierten nicht angenommen. **e)** 1956 wurden in der (von der ...) DDR und in der (von der ...) BRD eigene Armeen gegründet. **f)** Seit 1953 wurde der „Tag der deutschen Einheit" gefeiert. **g)** In Berlin wurde 1961 eine Mauer gebaut. **h)** Die Grenze zur Bundesrepublik wurde geschlossen. **i)** Seit 1969 wurden politische Gespräche geführt. **j)** Im Herbst 1989 wurde die Grenze zwischen Ungarn und Österreich geöffnet.

13. **a)** 1968 **b)** 1848 **c)** 1917 **d)** 1789 **e)** 1830 **f)** 1618 **g)** 1939 **h)** 1066 **i)** 1492

14. dasselbe: a), b), d), g)   nicht dasselbe: c), e), f)

15. **a)** A **b)** B **c)** C **d)** A **e)** B **f)** C **g)** B **h)** A **i)** B

16. **a)** Die Studenten haben beschlossen zu demonstrieren. **b)** Die Abgeordneten haben kritisiert, daß die Steuern zu hoch sind. **c)** Sandro möchte wissen, ob Deutschland eine Republik ist. **d)** Der Minister

Schlüssel

hat erklärt, daß die Krankenhäuser zu teuer sind. **e)** Die Partei hat vorgeschlagen, eine Koalition zu bilden. **f)** Die Menschen hoffen, daß die Situation besser wird. **g)** Herr Meyer überlegt, ob er nach Österreich fahren soll. **h)** Die Regierung hat entschieden, die Grenzen zu öffnen. **i)** Die Arbeiter haben beschlossen zu streiken. **j)** Der Minister glaubt, daß der Vertrag unterschrieben wird.

17. a) 5 **b)** 10 **c)** 8 **d)** 2 **e)** 4 **f)** 1 **g)** 9 **h)** 6 **i)** 3 **j)** 7

18. a) einer **b)** einem **c)** einer **d)** ein **e)** einer · einem **f)** einem **g)** einen **h)** ein **i)** einer **j)** einem

19. a) der **b)** die **c)** dem **d)** dem · das **e)** der · den **f)** den **g)** der **h)** die **i)** die **j)** die

20. a) Wegen seiner Armverletzung liegt Boris Becker zwei Wochen im Krankenhaus. **b)** Bekommen die Ausländer bald das Wahlrecht? **c)** Die Regierungen Chinas und Frankreichs führen politische Gespräche. **d)** Der Bundeskanzler ist mit den Vorschlägen des Finanzministers nicht einverstanden. **e)** In Sachsen wurde ein neues Parlament gewählt. **f)** Nach der Öffnung der Grenze feierten Tausende auf den Straßen von Berlin. **g)** Die Regierung hat eine (hat noch keine) Lösung der Steuerprobleme gefunden. **h)** Der Vertrag über Kultur zwischen Rußland und Deutschland wurde (gestern) unterschrieben. **i)** In Deutschlands Städten gibt es zuviel Müll. **j)** Das Wetter wird ab morgen wieder besser.

Lektion 9

1. a) auf **b)** für **c)** von **d)** über **e)** auf **f)** mit · über **g)** zu **h)** mit **i)** über **j)** von

2. a) Woran denkst du gerade? **b)** Wohin fährst du im Urlaub? **c)** Worauf freust du dich? **d)** Wonach hat der Mann gefragt? **e)** Worüber möchtest du dich beschweren? **f)** Worüber denkst du oft nach? **g)** Woher kommst du? **h)** Wofür hast du dein ganzes Geld ausgegeben? **i)** Wovon hat Karin euch lange erzählt? **j)** Worüber sind viele Leute enttäuscht?

3. a) mich **b)** mir **c)** mich **d)** mich **e)** mich **f)** mich **g)** mir **h)** mich **i)** mich **j)** mir **k)** mich **l)** mich **m)** mir **n)** mir **o)** mich **p)** mich **q)** mir **r)** mich **s)** mich **t)** mir

4. a) Man kann sie besuchen, ihnen Briefe schreiben, sie auf einen Spaziergang mitnehmen, ihnen Pakete schicken, ihnen zuhören, sie manchmal anrufen

b) Man muß sie morgens anziehen, sie abends ausziehen, ihnen die Wäsche waschen, ihnen das Essen bringen, sie waschen, ihnen im Haus helfen, sie ins Bett bringen

5. a) sich **b)** ihr **c)** sich **d)** sich **e)** ihr **f)** sie **g)** ihr **h)** sie **i)** sich

6. a) Gehört das Haus Ihnen? **b)** Gehört der Schlüssel Karin? **c)** Gehört das Paket euch? **d)** Gehört der Wagen ihnen? **e)** Gehört der Ausweis ihm? **f)** Gehört die Tasche Ihnen? **g)** Das Geld gehört mir! **h)** Gehören die Bücher euch? **i)** Gehören die Pakete Ihnen? **j)** Die Fotos gehören ihnen.

7. Familie Simmet wohnt seit vier Jahren mit der Mutter von Frau Simmet zusammen, weil ihr Vater gestorben ist. Ihre Mutter kann sich überhaupt nicht mehr helfen: Sie kann sich nicht mehr anziehen und ausziehen, Frau Simmet muß sie waschen und ihr das Essen bringen. Deshalb mußte sie vor zwei Jahren aufhören zu arbeiten. Sie hat oft Streit mit ihrem Mann, weil er sich jeden Tag über ihre Mutter ärgert. Herr und Frau Simmet möchten sie schon lange in ein Altersheim bringen, aber sie finden keinen Platz für sie. Frau Simmet glaubt, daß ihre Ehe bald kaputt ist.
(Andere Lösungen sind möglich.)

8. a) heim **b)** versicherung **c)** tag **d)** abend **e)** platz **f)** haus **g)** schein **h)** amt **i)** raum **j)** paar **k)** jahr

9. a) Ergänzen Sie:

Name:	Franz Kühler
Geburtsdatum:	14.3.1927
Geburtsort:	Essen
Familienstand:	Witwer

Kinder:	zwei Söhne
Schulausbildung:	Volksschule in Bochum, 1933 bis 1941
Berufsausbildung:	Industriekaufmann
früherer Beruf:	Buchhalter
letzte Stelle:	Firma Jellinek in Essen
Alter bei Anfang der Rente:	65 Jahre
Rente pro Monat:	DM 1800,–
jetziger Aufenthalt:	„Seniorenpark Essen-Süd"

b) Schreiben Sie einen Text:

Mein Name ist Gertrud Hufendiek. Ich bin am 21.1.1935 in Münster geboren. Ich bin ledig und habe keine Kinder. Von 1941 bis 1945 habe ich die Volksschule besucht, von 1945 bis 1951 die Realschule. Dann habe ich eine Lehre als Kauffrau gemacht. Bei der Firma Piepenbrink in Bielefeld habe ich als Exportkauffrau gearbeitet. Mit 58 Jahren bin ich in Rente gegangen. Ich bekomme 1600 Mark Rente im Monat und wohne jetzt im Seniorenheim „Auguste-Viktoria" in Bielefeld.
(Andere Lösungen sind möglich.)

10. a) Jugend **b)** Minderheit **c)** Freizeit **d)** Stadtmitte **e)** Nachteil **f)** Erwachsener **g)** Scheidung **h)** Tod **i)** Friede **j)** Gesundheit **k)** Ursache **l)** Junge

11. a) A **b)** B **c)** B **d)** A **e)** C **f)** C

12. a) Regal **b)** Handwerker **c)** Zettel **d)** Bleistift **e)** Werkzeug **f)** Steckdose **g)** Pflaster **h)** Farbe **i)** Seife **j)** Bürste

13. a) 2 **b)** 3 **c)** 7 **d)** 1 **e)** 8 **f)** 4 **g)** 6 **h)** 5

14. a) – mir die **b)** ihn mir – **c)** sie Hans – **d)** – mir das **e)** sie mir – **f)** – mir die **g)** sie deiner Freundin – **h)** – uns den **i)** es ihnen – **j)** sie meinem Lehrer –

15.

	Vorf.	Verb1	Subj.	Ergänzung Akk.	Dativ	Akk.	Angabe	Ergänz.	Verb2
a)		Können	Sie		mir		bitte	die G.	erklären?
b)		Können	Sie		mir	die G.	bitte genauer		erklären?
c)		Können	Sie		mir	die	bitte		erklären?
d)		Können	Sie	sie	mir		bitte		erklären?
e)	Ich	habe			meiner S.		gestern	mein A.	gezeigt.
f)		Holst	du		mir		bitte	die S.?	
g)	Ich	suche			dir		gern	deine B.	
h)	Ich	bringe			dir	dein W.	sofort.		
i)		Zeig			mir	das	doch mal!		
j)	Ich	zeige		es	dir		gleich.		
k)		Geben	Sie		mir	die L.		jetzt?	
l)		Holen	Sie	sie	sich		doch!		
m)	Dann	können	Sie		mir	das G.	ja vielleicht		schicken.
n)	Den M.	habe	ich		ihr		vorige W.		gekauft.

16. a) Um acht Uhr hat er die Kinder in die Schule gebracht. **b)** Um zehn Uhr ist er einkaufen gegangen. **c)** Um elf Uhr hat er für höhere Renten demonstriert. **d)** Um zwölf Uhr hat er seiner Frau in der Küche geholfen. **e)** Um ein Uhr hat er geschlafen. **f)** Um drei Uhr hat er im Garten gearbeitet. **g)** Um fünf Uhr hat er den Kindern bei den Hausaufgaben geholfen. **h)** Um halb sechs hat er mit den Kindern Karten gespielt. **i)** Um sechs Uhr hat er eine Steckdose repariert. **j)** Um sieben Uhr hat er sich mit Freunden getroffen. **k)** Um neun Uhr hat er die Kinder ins Bett gebracht. **l)** Um elf Uhr hat er einen Brief geschrieben. *(Andere Lösungen sind möglich.)*

Schlüssel

17. a) Xaver liebte immer nur Ilona. **b)** Das schrieb er seiner Frau auf einer Postkarte. **c)** Viele Männer versprachen ihr die Liebe. **d)** Sie saßen in ihrer Drei-Zimmer-Wohnung. **e)** Sie lasen ihre alten Liebesbriefe. **f)** Mit 18 lernten sie sich kennen. **g)** Xaver kam mit einem Freund vorbei. **h)** Die Mädchen hörten zu, wie die Jungen sangen. **i)** Dann setzten sie sich zu ihnen. **j)** 1916 heirateten sie. **k)** Die Leute im Dorf redeten über sie. **l)** Aber sie verstanden es. **m)** Jeden Sonntag ging er in die Berge zum Wandern. **n)** Sie wußte, daß Mädchen dabei waren. *(Nur Infinitiv „dabeisein" und Partizip „dabeigewesen" schreibt man zusammen!)* **o)** Darüber ärgerte sie sich manchmal. **p)** Sie fragte ihn nie, ob er eine Freundin hatte.

18. a) erzählt **b)** Sprichst **c)** erzählt **d)** unterhalten **e)** Sag **f)** redest **g)** gesagt **h)** sprechen **i)** unterhalten **j)** reden

19. a) stehen **b)** setzen **c)** liegt **d)** sitze **e)** liegt **f)** steht **g)** stehen **h)** gesetzt **i)** gesessen **j)** liegt

20. a) Sie haben sich in der U-Bahn kennengelernt. **b)** Wir lieben uns. **c)** Sie besuchen sich. **d)** Wir helfen uns. **e)** Wir hören uns. **f)** Ihr braucht euch. **g)** Sie mögen sich. **h)** Sie haben sich geschrieben. **i)** Wir sehen uns bald. **j)** Sie wünschen sich ein Auto.

21. a) Wenn es regnet, gehe ich nie aus dem Haus. **b)** Bevor er geheiratet hat, hat er viele Mädchen gekannt. **c)** Weil ich dich liebe, schreibe ich dir jede Woche einen Brief. **d)** Wenn es schneit, ist die Welt ganz weiß. **e)** Es dauert noch ein bißchen, bis der Film anfängt. **f)** Als er gestorben ist, haben alle geweint. **g)** Während die Kollegen gestreikt haben, habe ich gearbeitet.

22. a) Frau Heidenreich ist eine alte Dame, die früher Lehrerin war. **b)** Sie hat einen Verein gegründet, der Leihgroßmütter vermittelt. **c)** Frau Heidenreich hat Freundinnen eingeladen, denen sie von ihrer Idee erzählt hat. **d)** Die älteren Damen kommen in Familien, die Hilfe brauchen. **e)** Frau Heidenreich hat sich früher um ein kleines Mädchen gekümmert, das in der Nachbarschaft lebte. **f)** Eine Dame ist ganz zu einer Familie gezogen, bei der sie vorher Leihgroßmutter war. **g)** Eine Dame kam in eine andere Familie, die nur jemanden für die Hausarbeit suchte. **h)** Es gibt viele alte Menschen, denen eine richtige Familie fehlt. **i)** Alle Leute brauchen einen Menschen, für den sie dasein können. **j)** Manchmal gibt es Probleme, über die man aber in der Gruppe reden kann.

23. a) ... sie Rentner sind. **b)** ... Familien ohne Großmutter zu helfen. **c)** ... gibt er eine Anzeige auf. **d)** ... will sie noch einmal heiraten. **e)** ... sie gehören zu uns. **f)** ... er fühlt sich dort nicht wohl. **g)** ... sucht er sich immer wieder Arbeit. **h)** ... sie lieben sich immer noch.

Lektion 10

1. a) der Anzug **b)** die Hose **c)** das Hemd **d)** die Handschuhe **e)** der Hut **f)** der Schirm **g)** die Schuhe **h)** die Socken **i)** die Jacke **j)** der Pullover **k)** die Mütze **l)** das Kleid **m)** der Rock **n)** die Bluse **o)** der Mantel **p)** die Brille

2. a) dick **b)** gefährlich **c)** schmutzig **d)** pünktlich **e)** ruhiger **f)** traurig **g)** vorsichtige **h)** ehrlich **i)** langweilig **j)** lustig **k)** neugierig **l)** freundlich **m)** dumm

3. a) weiße · blaue · graue **b)** rote · blauen **c)** schwarzen · Braune **d)** warmen **e)** neues **f)** schwarzen · rote · braune · weiße **g)** grüne · blauer **h)** roten · weißen **i)** häßlichen · komischen **j)** rotes · schwarzen **k)** hübschen **l)** schmutzigen **m)** schwarzen **n)** graue · gelben

4. a) Kantine **b)** Schulklasse **c)** Stelle **d)** Ausbildung **e)** Job **f)** Beruf **g)** Wissenschaft

5. a) Obwohl Gerda erst seit zwei Monaten ein Auto hat, ist sie schon eine gute Autofahrerin. **b)** Obwohl das Auto letzte Woche in der Werkstatt war, fährt es nicht gut. **c)** Ich fahre einen Kleinwagen, weil der weniger Benzin braucht. **d)** Wenn Doris in zwei Jahren mehr Geld verdient, kauft sie sich ein Auto. **e)** Die Polizei hat Jens angehalten, weil er zu schnell gefahren ist. **f)** Wenn Andrea 18 Jahre alt wird, möchte sie den Führerschein machen. **g)** Obwohl Thomas noch keinen Führerschein hat, fährt er schon Auto.

6. a) Fernseher   b) Bild / Zeichnung   c) Sendung   d) Maler   e) Orchester   f) singen   g) Schauspieler
    h) Zuschauer   i) Künstler   j) (im) Kino   k) Eintritt

7. a) Er könnte dir doch im Haushalt helfen.   b) Ich würde ihm keinen Kuchen mehr backen.   c) Ich
    würde mir wieder ein Auto kaufen.   d) Er müßte sich eine neue Stelle suchen.   e) Er sollte sich neue
    Freunde suchen.   f) Ich würde mich nicht über ihn ärgern.   g) Er könnte doch morgens spazierengehen.   h) Ich würde ihm mal meine Meinung sagen.   i) Er sollte selbst einkaufen gehen.   j) Ich würde
    mal mit ihm über euer Problem sprechen.

8. a) über ihren Hund, über die Regierung, über den Sportverein   b) mit der Schule, mit der Untersuchung, mit dem Frühstück, mit der Arbeit   c) um eine Zigarette, um Auskunft, um die Adresse, um
    eine Antwort, um Feuer   d) für die schlechte Qualität, für den Brief, für meine Tochter, für die
    Verspätung   e) von seiner Krankheit, vom Urlaub, über ihren Hund, von seinem Bruder, von ihrem
    Unfall, über den Sportverein   f) über ihren Hund, auf den Sommer, auf das Wochenende, auf den
    Urlaub, über die Regierung, auf das Essen, über den Sportverein   g) auf eine bessere Regierung, auf
    besseres Wetter, auf Sonne   h) für eine Schiffsreise, für meine Tochter, für ein Haus

9. Man <u>muß</u> die Sätze j), m), p) mit „sich" ergänzen.
    Man <u>kann</u> die Sätze a), d), e), g), h), k), n), r) mit „sich" ergänzen.

10. a) arm   b) sozial   c) Exporte   d) Jobs

11. a) Energie   b) Handel   c) Industrie   d) Geld   e) Wirtschaft   f) Arbeitnehmer   g) Auto   h) Besitz

12. a) Das Auto wurde nicht gewaschen.   b) Das Fahrlicht wurde nicht repariert.   c) Die Reifen wurden
    nicht gewechselt.   d) Der neue Spiegel wurde nicht montiert.   e) Die Handbremse wurde nicht
    geprüft.   f) Die Sitze wurden nicht gereinigt.   g) Das Blech am Wagenboden wurde nicht geschweißt.

13. a) heiraten   b) kennenlernen   c) sich streiten   d) küssen   e) lieben   f) sich unterhalten   g) sich
    aufregen   h) lügen   i) flirten

14. verwandt: Tante, Ehemann, Tochter, Bruder, Vater, Opa, Mutter, Sohn, Schwester,
                     Großmutter, Eltern, Onkel
    nicht verwandt: Angestellte, Bekannte, Chef, Freundin, Kollegin, Nachbar

15. a) Versuch doch mal, Skifahren zu lernen. Es ist nicht schwierig.   b) Ich verspreche dir, im nächsten
    Sommer wieder mit dir in die Türkei zu fahren. / Ich verspreche dir, daß ich im nächsten Sommer
    wieder mit dir in die Türkei fahre.   c) Es hat doch keinen Zweck, bei diesem Wetter das Auto zu
    waschen. / Es hat doch keinen Zweck, daß du bei diesem Wetter das Auto wäschst.   d) Kannst du mir
    helfen, meinen Regenschirm zu suchen?   e) Meine Meinung ist, daß Johanna und Albert viel zu früh
    geheiratet haben.   f) Es hat aufgehört zu schneien.   g) Hast du Lust, ein bißchen Fahrrad zu fahren?
    h) Heute habe ich keine Zeit, schwimmen zu gehen.   i) Ich finde, daß du weniger rauchen solltest.

16. Tiere: Katze, Kalb, Hund, Pferd, Schwein, Vieh, Fisch, Huhn, Vogel, Kuh
    Pflanzen: Rasen, Baum, Blume, Gras
    Landschaft: Küste, Park, Wald, Gebirge, See, Hügel, Tal, Insel, Berg, Feld, Strand, Fluß, Ufer,
                  Bach, Meer
    Wetter: Nebel, Wolke, Regen, Schnee, Wind, Sonne, Eis, Klima, schneien, regnen, Gewitter

17. a) die   b) in dem   c) von dem   d) den   e) von dem   f) mit denen   g) auf deren   h) in der
    i) mit dessen   j) deren   k) die

18. a) aus der Stadt   b) eine Frage   c) die Untersuchung   d) mit dem Auto   e) den Fernseher
    f) eine Schwierigkeit   g) das Gepäck   h) das Auto in die Garage

19. a) Zahnpasta   b) waschen   c) Apotheke   d) putzen   e) Strom   f) Streichholz   g) Topf   h) Reise
    i) Grenze   j) Wochenende   k) Zelt   l) Gabel   m) Telefonbuch   n) Stadt   o) Jahr   p) Ausland

20. a) ob er schwer verletzt wurde.   b) wie lange er im Krankenhaus bleiben muß.   c) wo der Unfall
    passiert ist.   d) ob noch jemand im Auto war.   e) wohin er fahren wollte.   f) ob der Wagen ganz
    kaputt ist.   g) ob man ihn schon besuchen kann.   h) ob sie die Reparatur des Wagens bezahlt.

Schlüssel

21. a) verlieren **b)** erinnern **c)** lachen **d)** kritisieren **e)** hören **f)** trinken **g)** schaffen **h)** feiern **i)** erinnern **j)** finden **k)** treffen **l)** sterben

22. a) durch **b)** auf **c)** bei **d)** von · nach · unter **e)** Zwischen **f)** bis **g)** über **h)** gegen · im **i)** aus · in **j)** von · bis **k)** bis · über **l)** während **m)** nach **n)** Seit **o)** In **p)** Mit **q)** bis **r)** während

23. a) Soldaten **b)** Präsident **c)** Bürger **d)** Partei **e)** Krieg **f)** Kabinett **g)** Demokratie **h)** Gesetze **i)** Nation **j)** Zukunft **k)** Katastrophe

24. a) fühlen **b)** sitzen **c)** sprechen **d)** kennen **e)** waschen **f)** hören **g)** singen **h)** fragen **i)** lachen **j)** aufräumen

25. allein: sich verbrennen, sich gewöhnen, sich interessieren, sich bewerben, sich erinnern, sich beeilen, sich duschen, sich ärgern, sich anziehen, sich setzen, sich ausruhen

mit anderen: sich unterhalten, sich begrüßen, sich verstehen, sich beschweren, sich schlagen, sich besuchen, sich treffen, sich anrufen, sich streiten, sich verabreden, sich einigen

26. a) dir · es mir **b)** euch · sie uns **c)** sich · sie sich **d)** Ihnen · sie mir **e)** uns · sie euch **f)** sich · es sich

27. a) Titel **b)** Boot **c)** zählen **d)** Hunger **e)** Geburt **f)** nähen **g)** schütten **h)** drinnen **i)** weiblich **j)** Badewanne **k)** springen **l)** Gras **m)** atmen **n)** Rezept **o)** Vieh **p)** Autor **q)** Wolke **r)** Gemüse **s)** Monate **t)** Soldat

28. a) Ort und Raum

wo? auf der Brücke, am Anfang der Straße, oben, neben der Schule, bei Dresden, dort, draußen, drinnen, hinter der Tür, bei Frau Etzard, rechts im Schrank, im Restaurant, unten, hier, zwischen der Kirche und der Schule, vor dem Haus, über unserer Wohnung

woher? aus Berlin, aus dem Haus, aus der Schule, aus dem Kino, vom Einkaufen, vom Arzt, von der Freundin

wohin?
b) Zeit gegen den Stein, nach links, nach Italien, ins Hotel, zu Herrn Berger, zur Kreuzung

wann? bald, damals, danach, dann, am folgenden Tag, in der Nacht, früher, gestern, gleich, um halb acht, heute, irgendwann, am letzten Montag, im nächsten Jahr, morgens, jetzt, sofort, später, letzte Woche, vorher, während der Arbeit, zuerst, zuletzt, dienstags, vor dem Mittagessen

wie lange? schon drei Wochen, eine Woche lang, seit gestern, den ganzen Tag, sechs Stunden, bis morgen

wie häufig? dauernd, immer, häufig, manchmal, meistens, oft, regelmäßig, selten, ständig, täglich, jeden Abend,

29. a) breit **b)** tief **c)** oder **d)** Wand **e)** selbst **f)** Satz **g)** Glas **h)** frisch **i)** Tip **j)** geboren **k)** krank **l)** hart **m)** Milch **n)** Brot **o)** einschlafen **p)** laufen **q)** müde **r)** schenken

30. *Freie Übung; verschiedene Lösungen sind möglich.*

Schlüssel für die „Grammar"

Lektion 1

1.1.1. **a)** nett **b)** schöne **c)** langweilig **d)** blaue **e)** nervös **f)** unfreundlichen **g)** neue, attraktiv
h) schöner, treu

1.7. **a)** schöner **b)** neuen **c)** dezente **d)** Dezentes **e)** schwarzen **f)** Schwarze **g)** roten **h)** roten **i)** nette
j) nette **k)** junge **l)** Junge **m)** kurze **n)** kurzes

1.8. **a)** Ein Journalist hat mit einem arbeitslosen Punk gesprochen. **b)** Ein Journalist hat mit einem
Arbeitslosen gesprochen. **c)** Ich trinke nur deutsches Bier. **d)** Mein Mann ist Deutscher.
e) Der Arzt hat die kranken Schwestern besucht. **f)** Der Arzt hat die Kranken besucht.
g) Der Arzt hat Kranke besucht.

1.9. **a)** neuen **b)** Deutscher **c)** schwarze, dunkle **d)** schmales, interessant **e)** attraktiven
f) netter, englischen **g)** amerikanische **h)** Interessantes **i)** sympathische, großen **j)** alten

2.1. **a)** als **b)** wie **c)** wie **d)** als **e)** wie **f)** als

3.1. **a)** Diese Frisur **b)** Manche Kollegen **c)** diesen Rock, diese Schuhe **d)** Allen/Jedem **e)** Jeder
f) Jede Frau

4.1. **a)** Was für eine **b)** welchen **c)** Was für **d)** Die blauen. **e)** Einen schwarzen. **f)** Zu Dr. Berg.
g) was für einem

4.2. **a)** Friederike Meier., Die rothaarige., Meine Sekretärin., Die dicke dort.
b) Eine hübsche., Eine freundliche und ruhige., Eine mit Charakter., Eine intelligente Frau.

7.1. **a)** 3 **b)** 2 **c)** 1 **d)** 1 **e)** 2

Lektion 2

1.4. **a)** sollte **b)** konnte **c)** mußte, konnte (durfte) **d)** sollte **e)** durfte (konnte), wollten

3.4. **a)** M + M, denn **b)** M + S, weil **c)** S + M, Obwohl **d)** S + M, Wenn **e)** M + M, trotzdem
f) M + M, deshalb

4.1. **a)** -en **b)** -en **c)** -en, -en **d)** -en **e)** -e

5.1. **a)** A **b)** P **c)** A **d)** A **e)** P

Lektion 3

1.1. **a)** Interessiert er sich für Politik? **b)** Hast Du dich (schon) auf die Reise vorbereitet? **c)** Meine Tochter
hat sich um die Stelle als Sekretärin beworben. **d)** Ich sehe die Sendung nicht mehr, weil ich mich
immer aufgeregt habe. **e)** Sie duscht sich jeden Morgen.

1.2. **a)** Stell **b)** Stell dich **c)** mich jetzt anziehen. **d)** anziehen. **e)** Ärgere mich **f)** Ärgere dich **g)** Leg
h) Geh

2.3. **a)** nach **b)** über **c)** auf sie **d)** dafür **e)** Worüber **f)** um **g)** über die

2.4. **a)** Worüber, Über, darüber **b)** Worüber, Über, über sie **c)** Worauf, Auf, auf ihn **d)** Worauf, Auf, darauf
e) Worüber, Über, darüber **f)** Worüber, Über, über sie **g)** Worauf, Auf, darauf

Schlüssel für die „Grammar"

Lektion 4

1.1. a) -es b) -e c) -en d) – e) -e f) -e g) -en h) -en i) -en j) – k) -en l) -en m) -en n) -en

2.1. a) als im Prospekt steht b) wie – schnell, wie der Verkäufer gesagt hat c) als im Prospekt steht d) so bequem – als ich gedacht habe

Lektion 5

1.3. a) Michael geht mit seiner Frau tanzen. b) Michael möchte mit seiner Frau tanzen gehen. c) Michael hat keine Lust, mit seiner Frau tanzen zu gehen. d) Ich habe vergessen, dich anzurufen. e) Ich habe den ganzen Nachmittag versucht, dich anzurufen. f) Ich wollte dich anrufen. g) Mein Mann kann unser Auto nicht reparieren. h) Mein Mann versucht, unser Auto zu reparieren. i) Mein Mann läßt unser Auto reparieren. j) Ich helfe meinem Mann, unser Auto zu reparieren. k) Karl lernt Tennis spielen. l) Karl hat heute keine Zeit, Tennis zu spielen. m) Heute kann ich Schokolade essen. n) Heute habe ich Lust, Schokolade zu essen. o) Der Arzt verbietet mir, Schokolade zu essen.

3.1. a) – b) Kinder zu haben c) – d) auch als Mutter noch zu arbeiten e) pünktlich zu kommen f) mit dem Partner über alle Probleme zu sprechen g) ohne Kinder nicht glücklich sein zu können

5.1. a) Wenn b) als c) wie d) als e) als f) Als g) wenn h) wie i) wenn

8.1. a) -er b) -en c) -en d) -en e) -en f) -er g) -er h) -en

Lektion 7

3.6. a) Deutschland ist zwar / Zwar ist Deutschland ein interessantes Land, aber das Essen in Spanien ist viel besser. b) Er ist zwar / Zwar ist er noch krank, aber er spielt morgen trotzdem Fußball. c) Das ist zwar / Zwar ist das vielleicht ein gutes Fahrrad, aber meins ist viel besser. d) Ich habe zwar / Zwar habe ich in der Lotterie gewonnen, aber ich bin nicht glücklich.

5.2. a) anders b) andere c) anders d) verschieden e) anders

5.3. a) Ich habe eine andere Meinung. b) Ich habe letztes Jahr in Spanien verschiedene Leute getroffen. (andere Satzstellung möglich) c) Sind (die) Amerikaner anders als (die) Deutsche(n). d) Ich möchte ein Jahr in einem anderen Land leben. (andere Satzstellung möglich) e) Lisa und Ann sind Schwestern. Aber sie sehen verschieden aus.

6.1. a) in demselben Haus b) das gleiche Geschenk c) in derselben Stadt d) den gleichen Pullover

7.1. a) Kennst du b) Weißt du c) Kennst du d) Weißt du e) Weißt du f) Kennst du g) Kennst du h) Weißt du

7.2. a) Wissen, kenne b) Kennst (Weißt), weiß c) Weißt, kenne, weiß

Schlüssel für die „Grammar"

Lektion 8

1.1.   **a)** A **b)** A **c)** D **d)** D **e)** D **f)** A **g)** D **h)** A **i)** A **j)** D **k)** A **l)** A **m)** D **n)** D

1.6.   **a)** mit einem **b)** über ein neues **c)** mit der **d)** für die **e)** mit dem neuen **f)** für die **g)** von seinen **h)** von dem

1.7.   **a)** auf einen **b)** für meine **c)** über die **d)** über das **e)** mit ihren **f)** mit meinem **g)** mit meinem **h)** über das neue

1.8.   **a)** für die **b)** an die indische **c)** mit den jungen **d)** über die **e)** mit einer **f)** für keine **g)** zu den **h)** um die

2.1.   **a)** -n **b)** -en **c)** -n, -n, –, -n **d)** –, -en **e)** -n, – **f)** –, -n **g)** -en, -en **h)** -en

Lektion 9

1.1.   **a)** sich (D) **b)** mir (D) **c)** uns (D) **d)** sich (D) **e)** sich (A) **f)** mich (A) **g)** euch (A) **h)** mir (D) **i)** mich (A)

2.1.   **a)** uns ... geschrieben **b)** euch ... gesehen (getroffen, besucht) **c)** uns ... getroffen (gesehen, besucht) **d)** euch ... verliebt **e)** uns ... besucht (getroffen, gesehen) **f)** uns ... verlobt

3.1.   **B)**   **a)** Kannst du deinem Freund die Hausaufgaben erklären? **b)** Kannst du sie deinem Freund erkären? **c)** Kannst du ihm die Hausaufgaben erklären? **d)** Kannst du sie ihm erklären?
      C)   **a)** Gestern habe ich meinem Bruder das Geld geschickt. **b)** Gestern habe ich es meinem Bruder geschickt. **c)** Gestern habe ich ihm das Geld geschickt. **d)** Gestern habe ich es ihm geschickt.

4.1.   **a)** was **b)** was **c)** das **d)** was **e)** der **f)** was **g)** die **h)** was

Translations of the exercise headings

Chapter 1:

1. What do you normally find positive or negative about a person?
2. Which is the odd one out?
3. *Finden, aussehen, sein.* Which verb goes?
4. Supply the correct word or phrase.
5. What is typical of ...?
6. Which is the odd one out?
7. It was Hartmut's birthday. Who gave him the following items? Write out the sentences in full.
8. What colour would you paint the following things?
9. Which one do you like better? Write out the questions in full.
10. Put the following expressions into the right order.
11. Do you know the fairy tale of König Drosselbart? The beautiful princess is supposed to marry but she doesn't like any of the men.
12. Picture dictionary. Label the individual garments and add the article.
13. Which is the correct word?
14. Describe the following people.
15. Supply the correct adjective endings.
16. Your grammar. Please complete.
17. Supply the correct adjective endings.
18. Your grammar. Please complete.
19. Please write dialogues as shown in the example.
20. Your grammar. Please complete.
21. Complete the logical sequence.
22. Supply the correct form of *welch-?* and *dies-*.
23. Complete the following sentences with words from the box.
24. *Jeder, alle* or *manche*. Supply the appropriate words.
25. Your grammar. Please complete.
26. Put the following phrases in the appropriate column.
27. Which verbs in the box match the phrases?

Chapter 2:

1. Say it in a different way.
   Your grammar. Please complete.
2. Present or simple past tense. Supply the appropriate form of *wollen*.
3. Your grammar. Please complete.
4. Which word fits?
5. Which adjectives do not fit?
6. Your grammar. Please complete.
7. *Obwohl* or *weil*? Supply the correct conjunction.
   Your grammar. Please complete the boxes using the sentences d) to g).
8. Give some advice.
9. Write out sentences as shown in the examples.
10. Which word fits?
11. Which sentence has a similar meaning?

Translations of the exercise headings

12. Supply the correct conjunction.
    Your grammar. Please complete the boxes with the sentences a) to g).
13. Say it in a different way.
14. Say it in a different way. Make up sentences using *weil, denn* or *deshalb*.
15. Is the preverbal position empty? Complete the following sentences with the subject.
16. Complete the job adverts.
17. Write out the date in full.
18. Write a dialogue.
19. Which word fits?
20. Which word fits?
21. Complete the sentences with the correct verb from the box.
22. Which verb goes best?

Chapter 3:

1. Where do the words from the box go best?
2. *-film, -programm, -sendung* or *Unterhaltungs-*? Which word goes?
3. Which is the odd one out?
4. Describe the film using the words in the box.
5. Complete the sentences with the correct personal and reflexive pronouns.
6. Supply the correct verbs, personal and reflexive pronouns.
    You know the verbs in the box. They can or must be used with a reflexive pronoun.
7. Your grammar. Please complete.
8. Verbs and prepositions.
    You already know the following verbs. They are often used with the prepositions given below.
    Supply the correct preposition and article.
9. Your grammar. Please complete.
10. Supply the correct interrogative, preposition and prepositional pronoun – things / concepts
11. Supply the correct interrogative, preposition and personal pronoun. – people
12. Your grammar. Please complete.
13. Your grammar. Please complete.
14. She is never happy. Complete the sentences as shown in the example.
15. What advice would you give?
16. Your grammar. Please complete.
17. Which is the odd one out?
18. Which word goes? Complete the logical sequence.
19. Write a short text about Gabriela. Use the information given in the box.
20. *Hat, hatte, hätte, ist, war, wäre* or *würde*. Supply the correct verb.
21. Complete the logical sequence.
22. Which word goes?
23. Which verb goes best?
24. Supply the appropriate modal verb in the subjunctive.
25. Your grammar. Please complete.

Translations of the exercise headings

Chapter 4:

1. Which word goes where?
2. What is the opposite?
3. Supply the correct adjective endings.
4. Your grammar. Please complete.
5. *Wie* or *als?* Supply the correct word.
6. Say it in a different way as shown in the examples.
7. Which is the odd one out?
8. Supply the appropriate word from the box.
9. Which is the odd one out?
10. *Gehen* has various meanings.
    Which meaning has *gehen* in the following sentences?
11. Write out a dialogue.
12. What goes where? (Some words go with more than one verb.)
13. In a garage. What happens here? Write out sentences.
14. Your grammar. Please complete.
15. The Sommer family: What is done by whom?
16. Your grammar. Please complete.
17. What can you say instead?
18. Car-related jobs.
    a) Match the activities to the jobs.
    b) Write out three texts in the subjunctive II as shown in the example.
19. Supply the past participle.
20. Where do these people work?
21. Supply the correct preposition.
22. Which is the odd one out?
23. An interview with Norbert Behrens. Write out the appropriate questions.
24. What is the opposite?
25. Which word fits?
26. What do you see?

Chapter 5:

1. Mr. X is dissatisfied. He wants to start a better life. What does he say?
2. Your grammar. Put the following words into the correct column.
3. Which adjectives express positive, which negative characteristics? Also supply the opposites.
4. Supply the correct adjective endings.
5. Put the words from the box into the correct column.
6. Re-write the sentences using an infinitive with *zu* as shown in the example.
7. Put these expressions of time into an ascending sequence.
8. What goes together?
    A. The following sentences often introduce an infinitive with *zu*.
       Combine the sentences above and below to produce an infinitive clause.
    B. The following sentences also introduce an infinitive with *zu*.
       Make sentences with an infinitive with *zu*.
9. Supply the appropriate verb.

Translations of the exercise headings

10. Which verb goes where? Find further examples of your own.
11. What goes?
12. Re-write the sentences using *daß* as shown in the example.
13. Which sentence makes sense?
14. The following sentences often introduce a subordinate clause with *daß*.
    Please learn them.
15. What do you think? Please write.
16. Your grammar. Supply the infinitive and past participle.
    Strong and mixed verbs
    Weak verbs
17. *Nach, vor, in, während, bei,* or *an?* Which preposition goes? Supply also the correct article.
18. Your grammar. Please complete.
19. In conversation Germans usually use the perfect tense, not the simple past tense. Tell the story of Adele, Ingeborg and Ulrike using the perfect tense. Only use the simple past tense for the verbs *sein, haben, dürfen, sollen, müssen, wollen* and *können.*
20. Memories of your grandmother. Supply the verbs in the simple past tense.
21. Re-write the sentences using *als* as shown in the example.
22. A father talks about his son. What does he say?
23. *Als* or *wenn?* What goes?
24. Supply the appropriate prepositions and endings.
25. Which word goes?
26. Re-write the sentences using the genitive as shown in the example.
27. Which is the odd one out?
28. Family Vogel. Complete the sentences below.

Chapter 6:

1. Which adjectives go best?
2. How is the wheather? What can you say?
3. Put the words from the box into the appropriate column.
4. Three words in each column don't go. Which are they?
5. Re-write the sentences using the expressions in the box.
6. *Er, sie, es.* Supply the correct pronoun.
   The pronouns *er, sie* and *es* can refer to specific things in a text, e.g. *der Film = er, die Rechnung = sie* or *das Hotel = es.* The pronoun *es,* however, can also refer to a general idea, e.g. *Es ist sehr kalt hier.* or *Es schmeckt sehr gut.*
   In which sentences did you use the generalising *es?*
7. Put the words from the box into the appropriate column.
8. Supply the correct directions.
9. Supply the appropriate seasons.
10. Match the expressions in the box with the expressions a)–f).
11. Which expression goes?
12. Supply the correct day and time.
13. Put the words in the box into the correct column.
14. When is it? When was it? Supply the correct expressions as shown in the example.
15. Your grammar. Please complete the tables with expressions of time in the accusative.
16. Write two letters as shown in the example.
17. Which is the odd one out?

Translations of the exercise headings

18. Please complete the text using the words *zum Schluß, deshalb, denn, also, dann, übrigens, und, da, trotzdem*, and *aber*.
19. Where do these people want to live? Choose the appropriate relative pronouns and prepositions from the box below.
    Your grammar. Please complete the sentences (1) to (8) from a).
20. Which nouns go together?
21. Mr. Janßen does it differently. Write out sentences in full as shown in the example.
22. What are these objects?
23. Re-write the sentences using the passive.
24. What would happen if? Write out sentences in full as shown in the example.
25. Which verb goes?
26. Which verb goes best?

Chapter 7:

1. Please complete the logical sequence.
2. What has to be done before a journey? Put the activities into the correct column.
3. What goes together? Put the words into the correct column. Some words can be used in two columns.
4. Supply the appropriate prefix.
5. *Lassen* has various meanings.
   What does *lassen* mean (A or B) in the following sentences?
6. Re-write the sentences using *lassen*.
7. Re-write the following text using *lassen* as often as possible and also words like *zuerst, dann, später, schließlich, nämlich, dort* and *bei, in, auf, an*.
8. Which is the odd one out?
9. Supply the appropriate verb.
10. *Nicht, nichts* or *kein*. Which one goes?
11. Put the following sentences into the correct column.
12. Re-write the sentences as shown in the example.
13. Which interrogative goes?
14. Re-write the sentences as shown in the example.
15. Unscramble the words.
16. What can you say instead?
17. Answer the questions using *um ... zu ...* and *weil*.
18. Complete the sentences with the words in brackets.
19. Supply the correct words.
    Your grammar. Please complete.
20. Which word goes?
21. What goes together?
22. Answer the questions using *um ... zu ...* or *damit*.
23. What goes best?
24. *Daß, weil, damit, um ... zu ...* or *zu*. Which one goes?
25. Supply the appropriate word.
26. Please complete the logical sequence.
27. Supply the appropriate verb and preposition.

Translations of the exercise headings

Chapter 8:

1. What happened here?
2. What goes together?
3. Re-write the sentences using the prepositions *ohne, mit, gegen, außer, für* and *wegen.*
4. Your grammar. Please complete.
5. Which verbs don't go?
6. Supply the nouns.
7. *Für, gegen, mit, über, von, vor* or *zwischen.* Supply the correct prepositions.
8. Which words are being defined?
9. Which word goes?
10. Supply the appropriate preposition.
11. *Wann?* or *wie lange?.* Which question goes?
12. Re-write the sentences using the passive.
13. Write the numbers.
14. Which sentences say the same, which don't?
15. What can you say instead?
16. Re-write the sentences using *daß, ob* or *zu.*
17. What goes together?
18. *Ein, einen, einem, einer.* Which is correct?
19. *Der, die, das, den, dem.* Supply the correct article.
20. Write out sentences in full.
    Headlines are mostly without articles and verbs. Use the verbs in the box to make the headlines into full sentences.
    There is more than one possible version. Compare your version with the key in the back of the book.

Chapter 9:

1. *Auf, für, mit, über, von,* or *zu.* Supply the appropriate preposition.
2. Ask questions as shown in the example.
3. *Mir* or *mich.* Supply the correct pronoun.
4. *Sie* or *ihnen.* Supply the correct pronoun.
5. To be old often means to be alone. Supply *sie, ihr* or *sich.*
6. Say it differently.
7. Read again the text in Kursbuch p. 110. Then write.
8. What goes together?
9. CVs
   a) Read the CV below and then complete the form underneath.
   b) Write a CV using the information below. There is more than one possible version. Compare your version with the key in the back of the book.
10. What is the opposite?
11. What can you say instead?
12. What are the missing words?
13. What goes together?
14. Where does the pronoun go?
15. Your grammar. Please complete.
16. Describe what Mr. Schibilsky, pensioner, 66, did yesterday.

Translations of the exercise headings

17. Re-write the sentences using the simple past tense.
18. *Erzählen, reden, sagen, sprechen, sich unterhalten.* Supply the appropriate verb.
19. *Sich setzen, sitzen, stehen, liegen.* Supply the appropriate verb.
20. Re-write the sentences using reflexive pronouns in the plural.
21. Re-write the sentences using *als, bevor, bis, während, weil, wenn.*
22. Re-write the sentences using relative pronouns.
23. Complete the sentences.

Chapter 10:

1. What are these things called?
2. Describe these people.
3. Supply the correct adjective ending.
4. Which is the odd one out?
5. Re-write the sentences using *weil, wenn,* or *obwohl.*
6. What goes? Please complete the logical sequence.
7. Say it differently.
8. What goes where?
9. In which sentences is *sich* necessary, optional or impossible?
10. Which is the odd one out?
11. Where do the words in the box go best?
12. Re-write the sentences using the passive in the simple past tense.
13. Which verb goes?
14. Put the words in the box into the correct column.
15. Re-write the sentences using an infinitive with *zu* or / and a subordinate clause with *daß.*
16. Put the words in the box into the correct column.
17. Supply the correct relative pronoun.
18. Which is the odd one out?
19. Please complete the logical sequence.
20. Supply the appropriate indirect questions.
21. Which verb is the odd one out?
22. Headlines from newspapers. Supply the appropriate prepositions.
23. Which word from the box goes?
24. Complete the logical sequence.
25. Put the verbs from the box into the correct column.
26. Supply the appropriate personal pronoun.
27. Which word from the box goes? Complete the logical sequence.
28. Put the expressions from the box into the correct column.
    a) place and space
    b) time
29. What goes best?
30. Write a summary of the text about Anna Wimschneider using the key information below.

Irregular verbs

Infinitiv	3. Pers. Sg. Präsens	3. Pers. Sg. Präteritum	3. Pers. Sg. Perfekt
ab·fahren	fährt ab	fuhr ab	ist abgefahren
ab·heben	hebt ab	hob ab	hat abgehoben
ab·nehmen	nimmt ab	nahm ab	hat abgenommen
ab·schließen	schließt ab	schloß ab	hat abgeschlossen
ab·sehen	sieht ab	sah ab	hat abgesehen
an·bieten	bietet an	bot an	hat angeboten
an·fangen	fängt an	fing an	hat angefangen
an·geben	gibt an	gab an	hat angegeben
an·halten	hält an	hielt an	hat angehalten
an·nehmen	nimmt an	nahm an	hat angenommen
an·rufen	ruft an	rief an	hat angerufen
an·schließen	schließt an	schloß an	hat angeschlossen
an·sehen	sieht an	sah an	hat angesehen
an·ziehen	zieht an	zog an	hat angezogen
auf·bleiben	bleibt auf	blieb auf	ist aufgeblieben
auf·fallen	fällt auf	fiel auf	ist aufgefallen
auf·geben	gibt auf	gab auf	hat aufgegeben
auf·gehen	geht auf	ging auf	ist aufgegangen
auf·nehmen	nimmt auf	nahm auf	hat aufgenommen
auf·schlagen	schlägt auf	schlug auf	hat aufgeschlagen
auf·schreiben	schreibt auf	schrieb auf	hat aufgeschrieben
auf·stehen	steht auf	stand auf	ist aufgestanden
aus·geben	gibt aus	gab aus	hat ausgegeben
aus·halten	hält aus	hielt aus	hat ausgehalten
aus·schlafen	schläft aus	schlief aus	hat ausgeschlafen
aus·schneiden	schneidet aus	schnitt aus	hat ausgeschnitten
aus·sehen	sieht aus	sah aus	hat ausgesehen
aus·steigen	steigt aus	stieg aus	ist ausgestiegen
aus·ziehen	zieht aus	zog aus	hat ausgezogen
aus·ziehen	zieht aus	zog aus	ist ausgezogen
backen	bäckt	buk	hat gebacken
beginnen	beginnt	begann	hat begonnen
behalten	behält	behielt	hat behalten
bei·bringen	bringt bei	brachte bei	hat beigebracht
bei·treten	tritt bei	trat bei	ist beigetreten
bekommen	bekommt	bekam	hat bekommen
beraten	berät	beriet	hat beraten
beschließen	beschließt	beschloß	hat beschlossen
beschreiben	beschreibt	beschrieb	hat beschrieben
besprechen	bespricht	besprach	hat besprochen
bestehen	besteht	bestand	hat bestanden
betreiben	betreibt	betrieb	hat betrieben
bewerben	bewirbt	bewarb	hat beworben
bieten	bietet	bot	hat geboten
bitten	bittet	bat	hat gebeten
bleiben	bleibt	blieb	ist geblieben
bringen	bringt	brachte	hat gebracht
dabei·haben	hat dabei	hatte dabei	hat dabeigehabt
dabei·sein	ist dabei	war dabei	ist dabeigewesen
denken	denkt	dachte	hat gedacht
durch·kommen	kommt durch	kam durch	ist durchgekommen
dürfen	darf	durfte	hat dürfen / hat gedurft
ein·bringen	bringt ein	brachte ein	hat eingebracht
ein·fallen	fällt ein	fiel ein	ist eingefallen

Irregular verbs

Infinitiv	3. Pers. Sg. Präsens	3. Pers. Sg. Präteritum	3. Pers. Sg. Perfekt
ein·laden	lädt ein	lud ein	hat eingeladen
ein·schlafen	schläft ein	schlief ein	ist eingeschlafen
ein·schlagen	schlägt ein	schlug ein	hat eingeschlagen
ein·treten	tritt ein	trat ein	ist eingetreten
ein·ziehen	zieht ein	zog ein	ist eingezogen
empfehlen	empfiehlt	empfahl	hat empfohlen
entscheiden	entscheidet	entschied	hat entschieden
entschließen	entschließt	entschloß	hat entschlossen
entstehen	entsteht	entstand	ist entstanden
erfinden	erfindet	erfand	hat erfunden
erhalten	erhält	erhielt	hat erhalten
erkennen	erkennt	erkannte	hat erkannt
ernennen	ernennt	ernannte	hat ernannt
erraten	errät	erriet	hat erraten
erschießen	erschießt	erschoß	hat erschossen
erziehen	erzieht	erzog	hat erzogen
essen	ißt	aß	hat gegessen
fahren	fährt	fuhr	ist gefahren
fallen	fällt	fiel	ist gefallen
fangen	fängt	fing	hat gefangen
fern·sehen	sieht fern	sah fern	hat ferngesehen
finden	findet	fand	hat gefunden
fliegen	fliegt	flog	ist geflogen
fliehen	flieht	floh	ist geflohen
fließen	fließt	floß	ist geflossen
fortgehen	geht fort	ging fort	ist fortgegangen
fressen	frißt	fraß	hat gefressen
geben	gibt	gab	hat gegeben
gefallen	gefällt	gefiel	hat gefallen
gehen	geht	ging	ist gegangen
gelten	gilt	galt	hat gegolten
genießen	genießt	genoß	hat genossen
geraten	gerät	geriet	ist geraten
geschehen	geschieht	geschah	ist geschehen
gestehen	gesteht	gestand	hat gestanden
gewinnen	gewinnt	gewann	hat gewonnen
gießen	gießt	goß	hat gegossen
gut·tun	tut gut	tat gut	hat gutgetan
haben	hat	hatte	hat gehabt
halten	hält	hielt	hat gehalten
heben	hebt	hob	hat gehoben
heißen	heißt	hieß	hat geheißen
helfen	hilft	half	hat geholfen
heraus·kommen	kommt heraus	kam heraus	ist herausgekommen
hinüber·fahren	fährt hinüber	fuhr hinüber	ist hinübergefahren
hinunter·fallen	fällt hinunter	fiel hinunter	ist hinuntergefallen
hin·fallen	fällt hin	fiel hin	ist hingefallen
kaputt·fahren	fährt kaputt	fuhr kaputt	hat kaputtgefahren
kennen	kennt	kannte	hat gekannt
klingen	klingt	klang	hat geklungen
kommen	kommt	kam	ist gekommen
können	kann	konnte	hat können / hat gekonnt

Irregular verbs

Infinitiv	3. Pers. Sg. Präsens	3. Pers. Sg. Präteritum	3. Pers. Sg. Perfekt
lassen	läßt	ließ	hat gelassen
laufen	läuft	lief	ist gelaufen
leiden	leidet	litt	hat gelitten
leihen	leiht	lieh	hat geliehen
lesen	liest	las	hat gelesen
liegen	liegt	lag	hat gelegen
liegen·bleiben	bleibt liegen	blieb liegen	ist liegengeblieben
los·fahren	fährt los	fuhr los	ist losgefahren
lügen	lügt	log	hat gelogen
messen	mißt	maß	hat gemessen
mit·bringen	bringt mit	brachte mit	hat mitgebracht
mit·fahren	fährt mit	fuhr mit	ist mitgefahren
mit·gehen	geht mit	ging mit	ist mitgegangen
mit·kommen	kommt mit	kam mit	ist mitgekommen
mit·nehmen	nimmt mit	nahm mit	hat mitgenommen
mit·singen	singt mit	sang mit	hat mitgesungen
mögen	mag	mochte	hat mögen / hat gemocht
müssen	muß	mußte	hat müssen / hat gemußt
nach·denken	denkt nach	dachte nach	hat nachgedacht
nehmen	nimmt	nahm	hat genommen
nennen	nennt	nannte	hat genannt
offen·lassen	läßt offen	ließ offen	hat offengelassen
rad·fahren	fährt Rad	fuhr Rad	ist radgefahren
raten	rät	riet	hat geraten
raus·gehen	geht raus	ging raus	ist rausgegangen
riechen	riecht	roch	hat gerochen
rufen	ruft	rief	hat gerufen
scheinen	scheint	schien	hat geschienen
schlafen	schläft	schlief	hat geschlafen
schlagen	schlägt	schlug	hat geschlagen
schließen	schließt	schloß	hat geschlossen
schneiden	schneidet	schnitt	hat geschnitten
schreiben	schreibt	schrieb	hat geschrieben
schreien	schreit	schrie	hat geschrien
schwimmen	schwimmt	schwamm	hat / ist geschwommen
sehen	sieht	sah	hat gesehen
sein	ist	war	ist gewesen
singen	singt	sang	hat gesungen
sollen	soll	sollte	hat sollen / hat gesollt
spazieren·gehen	geht spazieren	ging spazieren	ist spazierengegangen
sprechen	spricht	sprach	hat gesprochen
springen	springt	sprang	ist gesprungen
statt·finden	findet statt	fand statt	hat stattgefunden
stehen	steht	stand	hat / ist gestanden
stehen·bleiben	bleibt stehen	blieb stehen	ist stehengeblieben
steigen	steigt	stieg	ist gestiegen
sterben	stirbt	starb	ist gestorben
streiten	streitet	stritt	hat gestritten

Irregular verbs

Infinitiv	3. Pers. Sg. Präsens	3. Pers. Sg. Präteritum	3. Pers. Sg. Perfekt
tragen	trägt	trug	hat getragen
treffen	trifft	traf	hat getroffen
treiben	treibt	trieb	hat getrieben
trinken	trinkt	trank	hat getrunken
tun	tut	tat	hat getan
überfahren	überfährt	überfuhr	hat überfahren
übergeben	übergibt	übergab	hat übergeben
übrig·bleiben	bleibt übrig	blieb übrig	ist übriggeblieben
um·ziehen	zieht um	zog um	ist umgezogen
unterhalten	unterhält	unterhielt	hat unterhalten
unterschreiben	unterschreibt	unterschrieb	hat unterschrieben
unterstreichen	unterstreicht	unterstrich	hat unterstrichen
verbieten	verbietet	verbot	hat verboten
verbrennen	verbrennt	verbrannte	hat verbrannt
verbringen	verbringt	verbrachte	hat verbracht
vergehen	vergeht	verging	ist vergangen
vergessen	vergißt	vergaß	hat vergessen
vergleichen	vergleicht	verglich	hat verglichen
verlassen	verläßt	verließ	hat verlassen
verlieren	verliert	verlor	hat verloren
versprechen	verspricht	versprach	hat versprochen
verstehen	versteht	verstand	hat verstanden
vorbei·fliegen	fliegt vorbei	flog vorbei	ist vorbeigeflogen
vorbei·kommen	kommt vorbei	kam vorbei	ist vorbeigekommen
vor·haben	hat vor	hatte vor	hat vorgehabt
vor·schlagen	schlägt vor	schlug vor	hat vorgeschlagen
wachsen	wächst	wuchs	ist gewachsen
waschen	wäscht	wusch	hat gewaschen
weg·fahren	fährt weg	fuhr weg	ist weggefahren
weg·gehen	geht weg	ging weg	ist weggegangen
weg·werfen	wirft weg	warf weg	hat weggeworfen
werden	wird	wurde	ist geworden
werden	wird	wurde	ist worden (Passiv)
werfen	wirft	warf	hat geworfen
wieder·kommen	kommt wieder	kam wieder	ist wiedergekommen
wiegen	wiegt	wog	hat gewogen
wissen	weiß	wußte	hat gewußt
wollen	will	wollte	hat wollen / hat gewollt
zerreißen	zerreißt	zerriß	hat zerrissen
ziehen	zieht	zog	ist gezogen
zurück·denken	denkt zurück	dachte zurück	hat zurückgedacht
zurück·halten	hält zurück	hielt zurück	hat zurückgehalten
zurück·treten	tritt zurück	trat zurück	ist zurückgetreten
zusammen·hängen	hängt zusammen	hing zusammen	hat zusammengehangen
zusammen·tragen	trägt zusammen	trug zusammen	hat zusammengetragen
zusammen·treffen	trifft zusammen	traf zusammen	ist zusammengetroffen
zu·geben	gibt zu	gab zu	hat zugegeben
zwingen	zwingt	zwang	hat gezwungen